HOROSCOPE
2002

Distribution pour le Canada :
Agence de distribution populaire
1261 A, rue Shearer
Montréal (Québec) H3K 3G4
Téléphone: (514) 523-1182
Télécopieur: (514) 939-0705

Distribution pour la France et la Belgique :
Diffusion Casteilla
10, rue Léon-Foucault
78184 Saint-Quentin-en-Yvelines Cedex
Téléphone: (1) 30 14 19 30

Distribution pour la Suisse :
Diffusion Transat S.A.
Case postale 1210
4 ter, route des Jeunes
1211 Genève 26
Téléphone: 022 / 342 77 40
Télécopieur: 022 / 343 46 46

ANNE-MARIE CHALIFOUX, D.N.

HOROSCOPE 2002

TVA
éditions

TVA
éditions

2020, rue University,
20ᵉ étage, bureau 2000
Montréal (Québec) H3A 2A5

Éditeur: Claude Leclerc
Directrice des éditions: Annie Tonneau
Révision: Corinne De Vailly, Donald Veilleux
Infographie: Sophie Cloutier, SÉRIFSANSÉRIF

Direction artistique: Nancy Fradette
Couverture: Roger Des Roches, SÉRIFSANSÉRIF
Photo de l'auteure: Charles Richer
Maquillage, coiffure et coordination: Macha Colas
Vêtements: Shelly Segal, Ariane Carle Design

© Les Éditions TVA inc., 2001
Dépôt légal: troisième trimestre de 2001
Bibliothèque nationale du Québec
Bibliothèque nationale du Canada
ISBN: 2-89562-012-1

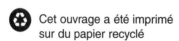

Cet ouvrage a été imprimé
sur du papier recyclé

Ce livre appartient à

_____

Puisse cette nouvelle année vous combler sur tous les plans.
Paix, harmonie, lumière !

Anne-Marie Chalifoux, D.N.

SOMMAIRE

PRÉFACE

Cette année, je vous avoue que l'écriture de mon 19e livre d'horoscope m'a particulièrement emballée. C'est sans doute parce que la position des astres est beaucoup plus encourageante, ce qui m'a permis de voir dans le ciel plusieurs bonnes nouvelles pour bon nombre d'entre vous.

Même si l'avenir s'annonce prometteur pour plusieurs, n'oubliez jamais que le pouvoir de votre volonté est bien plus puissant que celui des planètes. N'hésitez pas à prendre votre destin bien en main; vous avez la possibilité de le façonner à l'image de ce que vous désirez au plus profond de vous-même.

Quand les astres laissent entrevoir une période favorable, sautez sur l'occasion pour mettre vos projets en marche; c'est le temps ou jamais de faire des efforts. Ne dit-on pas : «Aide-toi et le ciel t'aidera»? Par ailleurs, si vous traversez une étape difficile, sachez qu'elle ne durera pas éternellement; les astres sont continuellement en mouvement et les influences planétaires restrictives finiront par passer. En attendant, prendre vos précautions vous mettra à l'écart des ennuis.

L'astrologie n'est pas là pour nous dicter une ligne de conduite, elle fait tout simplement la lumière sur ce qui s'en vient, à nous d'adopter la meilleure attitude!

Puisse ce livre vous aider à profiter pleinement de la vie!

Amicalement,

SPÉCIAL LOTERIE ET JEUX DU HASARD

Dans notre carte du ciel, certains éléments peuvent déterminer notre potentiel de chance, peu importe notre signe ou notre ascendant. Afin de découvrir votre potentiel de chance, commencez par établir à quel groupe vous appartenez dans les tableaux suivants. Une fois en possession de votre numéro de groupe, vous n'aurez qu'à repérer vos meilleures périodes en 2002.

ENTRE LE	ET LE	VOTRE GROUPE EST LE
1er jan. 1910	11 nov. 1910	7
12 nov. 1910	9 déc. 1911	8
10 déc. 1911	2 jan. 1913	9
3 jan. 1913	21 jan. 1914	10
22 jan. 1914	3 fév. 1915	11
4 fév. 1915	11 fév. 1916	12
12 fév. 1916	25 juin 1916	1
26 juin 1916	26 oct. 1916	2
27 oct. 1916	12 fév. 1917	1
13 fév. 1917	29 juin 1917	2
30 juin 1917	12 juillet 1918	3
13 juillet 1918	1er août 1919	4
2 août 1919	26 août 1920	5
27 août 1920	25 sept. 1921	6
26 sept. 1921	26 oct. 1922	7
27 oct. 1922	24 nov. 1923	8
25 nov. 1923	17 déc. 1924	9
18 déc. 1924	5 janv. 1926	10
6 janv. 1926	17 janv. 1927	11
18 janv. 1927	5 juin 1927	12
6 juin 1927	10 sept. 1927	1
11 sept. 1927	22 janv. 1928	12
23 janv. 1928	4 juin 1928	1
5 juin 1928	12 juin 1929	2
13 juin 1929	26 juin 1930	3
27 juin 1930	16 juillet 1931	4
17 juilllet 1931	10 août 1932	5
11 août 1932	9 sept. 1933	6
10 sept. 1933	10 oct. 1934	7
11 oct. 1934	8 nov. 1935	8
9 nov. 1935	1er déc. 1936	9
2 déc. 1936	19 déc. 1937	10
20 déc. 1937	13 mai 1938	11
14 mai 1938	29 juillet 1938	12
30 juillet 1938	29 déc. 1938	11
30 déc. 1938	11 mai 1939	12
12 mai 1939	29 oct. 1939	1
30 oct. 1939	20 déc. 1939	12
21 déc. 1939	15 mai 1940	1
16 mai 1940	26 mai 1941	2

Si vous êtes né

ENTRE LE	ET LE	VOTRE GROUPE EST LE
27 mai 1941	9 juin 1942	3
10 juin 1942	30 juin 1943	4
1er juillet 1943	25 juillet 1944	5
26 juillet 1944	24 août 1945	6
25 août 1945	24 sept. 1946	7
25 sept. 1946	23 oct. 1947	8
24 oct. 1947	14 nov. 1948	9
15 nov. 1948	12 avril 1949	10
13 avril 1949	27 juin 1949	11
28 juin 1949	30 nov. 1949	10
1er déc. 1949	14 avril 1949	11
15 avril 1949	14 sept. 1950	12
15 sept. 1950	1er déc. 1950	11
2 déc. 1950	21 avril 1951	12
22 avril 1951	28 avril 1952	1
29 avril 1952	9 mai 1953	2
10 mai 1953	23 mai 1954	3
24 mai 1954	12 juin 1955	4
13 juin 1955	16 nov. 1955	5
17 nov. 1955	17 janv. 1956	6
18 janv. 1956	7 juillet 1956	5
8 juillet 1956	12 déc. 1956	6
13 déc. 1956	19 fév. 1957	7
20 fév. 1957	6 août 1957	6
7 août 1957	13 janv. 1958	7
14 janv. 1958	20 mars 1958	8
21 mars 1958	6 sept. 1958	7
7 sept. 1958	10 fév. 1959	8
11 fév. 1959	24 avril 1959	9
25 avril 1959	5 oct. 1959	8
6 oct. 1959	1er mars 1960	9
2 mars 1960	9 juin 1960	10
10 juin 1960	25 oct. 1960	9
26 oct. 1960	14 mars 1961	10
15 mars 1961	11 août 1961	11
12 août 1961	3 nov. 1961	10
4 nov. 1961	25 mars 1962	11
26 mars 1962	3 avril 1963	12
4 avril 1963	11 avril 1964	1
12 avril 1964	22 avril 1965	2
23 avril 1965	20 sept. 1965	3

Si vous êtes né

ENTRE LE	ET LE	VOTRE GROUPE EST LE
21 sept. 1965	16 nov. 1965	4
17 nov. 1965	5 mai 1966	3
6 mai 1966	27 sept. 1966	4
28 sept. 1966	15 janv. 1967	5
16 janv. 1967	22 mai 1967	4
23 mai 1967	18 oct. 1967	5
19 oct. 1967	26 fév. 1968	6
27 fév. 1968	15 juin 1968	5
16 juin 1968	15 nov. 1968	6
16 nov. 1968	30 mars 1969	7
31 mars 1969	15 juillet 1969	6
16 juillet 1969	16 déc. 1969	7
17 déc. 1969	28 avril 1970	8
29 avril 1970	15 août 1970	7
16 août 1970	13 janvier 1971	8
14 janvier 1971	4 juin 1971	9
5 juin 1971	11 sept. 1971	8
12 sept. 1971	6 fév. 1972	9
7 fév. 1972	24 juillet 1972	10
25 juillet 1972	25 sept. 1972	9
26 sept. 1972	22 fév. 1973	10
23 fév. 1973	7 mars 1974	11
8 mars 1974	18 mars 1975	12
19 mars 1975	25 mars 1976	1
26 mars 1976	22 août 1976	2
23 août 1976	16 oct. 1976	3
17 oct. 1976	3 avril 1977	2
4 avril 1977	20 août 1977	3
21 août 1977	30 déc. 1977	4
31 déc. 1977	11 avril 1978	3
12 avril 1978	4 sept. 1978	4
5 sept. 1978	28 fév. 1979	5
1er mars 1979	19 avril 1979	4
20 avril 1979	28 sept. 1979	5
29 sept. 1979	26 oct. 1980	6
27 oct. 1980	26 nov. 1981	7
27 nov. 1981	25 déc. 1982	8
26 déc. 1982	19 janv. 1984	9
20 janv. 1984	6 fév. 1985	10
7 fév. 1985	20 fév. 1986	11
21 fév. 1986	2 mars 1987	12

Si vous êtes né

ENTRE LE	ET LE	VOTRE GROUPE EST LE
3 mars 1987	8 mars 1988	1
9 mars 1988	21 juillet 1988	2
22 juillet 1988	30 nov. 1988	3
1er déc. 1988	10 mars 1989	2
11 mars 1989	30 juillet 1989	3
31 juillet 1989	17 août 1990	4
18 août 1990	11 sept 1991	5
12 sept. 1991	10 oct. 1992	6
11 oct. 1992	9 nov. 1993	7
10 nov. 1993	8 déc. 1994	8
9 déc. 1994	2 janv. 1996	9
3 janv. 1996	21 janv. 1997	10
22 janv. 1997	3 fév. 1998	11
4 fév. 1998	11 fév. 1999	12
12 fév. 1999	27 juin 1999	1
28 juin 1999	24 oct. 1999	2
25 oct. 1999	31 déc. 1999	1
1er janv. 2000	13 fév. 2000	1
14 fév. 2000	29 juin 2000	2
30 juin 2000	31 déc. 2000	3
1er janv. 2001	11 juillet 2001	3
12 juillet 2001	31 déc. 2001	4

Vous venez de déterminer à quel groupe vous appartenez; il vous suffit de consulter le tableau qui suit pour savoir quelles sont vos périodes de chance cette année.

2002

PÉRIODE	Signes ou ascendants TRÈS favorisés	Signes ou ascendants MOYENNEMENT favorisés	Signes ou ascendants LÉGÈREMENT favorisés
1er janvier au 18 janvier	Cancer, Scorpion, Poissons surtout des groupes 4,8,12	Cancer, Scorpion, Poissons surtout des groupes 2,10	Taureau, Vierge surtout des groupes 4,8,12
19 janvier au 2 mars		Cancer, Scorpion, Poissons surtout des groupes 1,5,9	Taureau, Vierge surtout des groupes 1,5,9
3 mars au 13 avril	Cancer, Scorpion, Poissons surtout des groupes 2,6,10	Cancer, Scorpion Poissons surtout des groupes 4,8,12	Taureau, Vierge surtout des groupes 2,6,10
14 avril au 27 mai		Cancer, Scorpion Poissons surtout des groupes 3,7,11	Taureau, Vierge surtout des groupes groupes 3,7,11
28 mai au 13 juillet	Cancer, Scorpion Poissons surtout des groupes 4,8,12	Cancer, Scorpion Poissons surtout des groupes 2,6	Taureau, Vierge surtout des groupes 4,8,12
14 juillet au 31 juillet		Cancer, Scorpion Poissons surtout des groupes 1,5,9	Taureau, Vierge surtout des groupes groupes 1,5,9
1er août au 29 août	Bélier, Lion, Sagittaire surtout de groupes 1,5,9	Bélier, Lion, Sagittaire surtout des groupes 3,7	Balance, Gémeaux surtout des groupes 1,5,9
30 août au 15 octobre		Bélier, Lion, Sagittaire surtout des groupes 2,10	Balance, Gémeaux surtout des groupes 2,10
16 octobre au 1er décembre		Bélier, Lion, Sagittaire surtout des groupes 3,7,11	Balance, Gémeaux surtout des groupes 3,7,11
2 décembre au 31 décembre		Bélier, Lion, Sagittaire surtout des groupes 4-8-12	Balance, Gémeaux surtout des groupes 4-8-12

Si votre signe et votre groupe se retrouvent dans ce tableau, vos chances sont meilleures que si votre signe seul est mentionné.

Exemple:
Si vous êtes né le 14 juillet 1954, vous êtes un Cancer du groupe 4. Vos chances au jeu sont donc:
élevées du 1er janvier au 18 janvier, moyennes du 3 mars au 13 avril, excellentes du 28 mai au 13 juillet.

LA LUNE ET SES MYSTÈRES

La Lune et le Soleil exercent une influence déterminante sur notre planète et sur les êtres qui y vivent que l'on parle des plantes, des animaux ou des êtres humains. En effet, l'attraction gravitationnelle de ces astres se fait sentir sur tous les éléments liquides, et toute vie est composée essentiellement d'eau, notamment le corps humain, qui en contient environ 70%.

Le cycle lunaire

La Lune possède un cycle de 28 jours divisé en quatre phases d'une semaine.

La lunaison constitue la première phase, c'est ce qu'on appelle communément la nouvelle lune. Invisible dans le ciel, elle est représentée par un cercle noir dans les calendriers. ●

Puis le premier quartier de lune qui survient dans la deuxième phase, c'est-à-dire sept jours après la nouvelle lune. Cette fois, elle est illustrée par un croissant de lune en forme de D. Cette phase dure également sept jours. ☽

La troisième phase est sans contredit le moment le plus spectaculaire et celui dont on parle le plus, il s'agit de la pleine lune, représentée par un cercle blanc. ○

Puis, arrive la quatrième est dernière phase, le dernier quartier de lune, illustré par un croissant en forme de C. D'une durée d'une semaine également, cette phase précède la nouvelle lunaison. ☾

Les éclipses en quelques mots

Au cours des millénaires et selon les civilisations, les astres ont souvent fait figure de divinités. Par ailleurs, les éclipses étaient souvent source de crainte. Ainsi, chez les Mayas, une éclipse était vécue comme un conflit impliquant les astres et ce conflit impliquait un conflit social chez les hommes, annonçant une période de malheur.

Sur un plan étymologique, le mot éclipse vient du grec et signifie «abandon». Dans les civilisations antiques, l'éclipse était perçue comme l'expression du Soleil abandonnant la Terre.

Sachant que le Soleil est source de toute vie et qu'il réapparaît chaque jour, il est normal qu'on ait craint de le perdre au moment où se produit soit une éclipse solaire. Ce phénomène ne pouvait être qu'une chose terrible.

De nos jours, c'est surtout l'émerveillement, et non la crainte, qui prévaut pendant une éclipse, même s'il s'agit essentiellement d'un phénomène optique. Si, pendant un moment, on ne voit plus le Soleil ou la Lune, cela est causé par l'interposition de la Terre qui leur fait de l'ombre. Une éclipse de Soleil se produit toujours durant la nouvelle lune; tandis qu'une éclipse de la Lune survient en phase de pleine lune.

Comment utiliser le pouvoir de la Lune

De tout temps, les êtres humains ont cherché à tirer parti des pouvoir de la Lune. Nos grands-mères, femmes éclairées, et les cultivateurs, en relation étroite avec la nature et les phénomènes célestes, nous ont transmis croyances et astuces.

La semaine qui suit le jour de la nouvelle lune est propice pour trouver du travail et se lancer dans de nouveaux projets. On dit qu'un enfant né le premier jour de la nouvelle lune connaîtra une vie heureuse. Par contre, si quelqu'un tombe malade ce jour-là, il le restera durant toute la première phase de la lune. La lunaison est également la période idéale pour labourer, pour tailler ses plantes ou ses arbustes et pour enlever les mauvaises herbes. Si on souhaite que ses cheveux ou ses ongles repoussent avec davantage de vigueur, c'est le moment de les couper. Cette phase lunaire ne convient pas beaucoup aux questions amoureuses; par contre, elle est formidable pour amorcer une cure de nettoyage.

Le premier quartier annonce une semaine où le sommeil de beaucoup d'entre nous est plus léger. La chance sourira à ceux qui vendront un bien ou effectueront une transaction quelconque. D'autres connaîtront une motivation accrue dans leurs activités professionnels et pourraient avoir une promotion. En règle générale, les relations interpersonnelles sont plus faciles. Les amoureux se rapprochent, font table rase des divergences d'opinion et prennent des engagements sérieux. La plupart des semis, à quelques exceptions près, doivent être effectués pendant la période de la lune croissante. Par ailleurs, les vieux jardiniers avaient coutume de dire que les légumes poussant au-dessus de la terre comme les choux et salades devaient être plantés au cours d'une phase de premier quartier de lune. Puisque les plantes sont en pleine période de croissance et demandent par conséquence un surcroît d'attention; c'est le moment de semer, de fertiliser, de diviser les plants et d'arroser davantage. Les ongles ou les cheveux profiteront également d'une bonne coupe. Une mise en garde cependant à ceux qui ont des problèmes émotionnels ou psychiques, ils risquent de faire des gestes qu'ils regretteront.

La semaine qui suit le jour de la pleine lune est une période où règne un sentiment de confusion généralisé. Heureusement, cela ne dure pas. Les questions d'argent et de travail nous préoccupent davantage. En amour, les querelles se font plus nombreuses; toutefois scènes romantiques et prises de bec alternent souvent. Sur le plan social, la vie se fait souvent plus intéressante. Pour les plantes, il s'agit d'une période très active, bourgeons et racines croissent plus rapidement. Les mycologues ont aussi remarqué qu'ils trouvaient plus de champignons quelques jours après la pleine lune. Toutefois, semer ou rempoter n'est pas conseillé, car cela pourrait interrompre la période de croissance des végétaux. Ceux qui détestent aller chez le coiffeur devraient choisir cette semaine pour se faire couper les cheveux, car ils repousseront moins rapidement. Cette période se révèle faste pour ceux qui désirent entreprendre un régime amaigrissant.

Quant à la semaine du dernier quartier, il s'agit d'une période d'introspection; on se cherche sans toujours bien savoir où l'on va. C'est également une semaine où l'on découvre que la persévérance est récompensée. Les efforts entrepris portent fruit. En fait, les actions et les gestes faits dans le passé nous rattrapent. On récolte ce que l'on a semé. Si l'Amour avec un grand A devient plus important que l'amour de son partenaire, il est temps de revenir sur terre pour améliorer sa vie de couple. Cette phase lunaire en est une également marqué au sceau de la spiritualité, de l'intuition et de la vie sociale. Dans le jardin, il faut en profiter pour enlever les fleurs fanées, les feuilles jaunies et les mauvaises herbes. Un bon nettoyage s'impose. Il est recommandé de semer ou de planter pendant cette période de lune décroissante tout ce qui se développe dans la terre: oignons, carottes, pommes de terre, etc. On dit aussi que c'est la meilleure période pour faire des confitures, car le sucre ne remontera pas à la surface, ce qui préviendra tout risque d'acidité et de fermentation.

5 janvier	Dernier quartier	☾
13 janvier	Nouvelle lune	●
21 janvier	Premier quartier	☽
28 janvier	Pleine lune	○
4 février	Dernier quartier	☾
12 février	Nouvelle lune	●
20 février	Premier quartier	☽
27 février	Pleine lune	○
5 mars	Dernier quartier	☾
13 mars	Nouvelle lune	●
21 mars	Premier quartier	☽
28 mars	Pleine lune	○
4 avril	Dernier quartier	☾
12 avril	Nouvelle lune	●
20 avril	Premier quartier	☽
26 avril	Pleine lune	○
4 mai	Dernier quartier	☾
12 mai	Nouvelle lune	●
19 mai	Premier quartier	☽
26 mai	Pleine lune et éclipse lunaire de pénombre	○
2 juin	Dernier quartier	☾
10 juin	Nouvelle lune et éclipse solaire annulaire	●
17 juin	Premier quartier	☽
24 juin	Pleine lune et éclipse lunaire de pénombre	○
2 juillet	Dernier quartier	☾
10 juillet	Nouvelle lune	●
17 juillet	Premier quartier	☽
24 juillet	Pleine lune	○
1er août	Dernier quartier	☾
8 août	Nouvelle lune	●

15 août	Premier quartier	☽
22 août	Pleine lune	○
30 août	Dernier quartier	☾
6 septembre	Nouvelle lune	●
13 septembre	Premier quartier	☽
21 septembre	Pleine lune	○
29 septembre	Dernier quartier	☾
6 octobre	Nouvelle lune	●
13 octobre	Premier quartier	☽
21 octobre	Pleine lune	○
29 octobre	Dernier quartier	☾
4 novembre	Nouvelle lune	●
11 novembre	Premier quartier	☽
19 novembre	Pleine lune et éclipse lunaire de pénombre	○
27 novembre	Dernier quartier	☾
4 décembre	Nouvelle lune et éclipse solaire totale	●
11 décembre	Premier quartier	☽
19 décembre	Pleine lune	○
26 décembre	Dernier quartier	☾

LA CARTE DU CIEL EN 2002

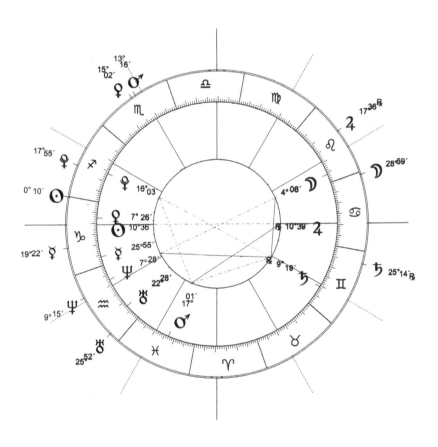

La position des planètes en 2002

Chacune de ces planètes exerce une influence sur vous et sur votre destinée, même si elle n'évolue pas directement dans votre signe. Le chapitre concernant vos prévisions annuelles et mensuelles vous donne une explication détaillée sur chaque transit. Il vous renseigne également sur l'influence du Soleil, de la Lune et des éclipses.

Jupiter amorcera l'année en Cancer. Le 1er août, à 13 h 21, elle entrera en Lion, où elle restera jusqu'au 31 décembre.

Saturne évoluera toute l'année en Gémeaux.

Uranus continuera son périple en Verseau.

Neptune fera de même.

Pluton poursuivra sa visite du Sagittaire.

Mars visitera successivement les Poissons, le Bélier, le Taureau, les Gémeaux, le Cancer, le Lion, la Vierge, le Balance et le Scorpion.

Vénus transitera dans tous les signes.

Mercure visitera, elle aussi, tous les signes.

L'influence des planètes

Chaque planète possède ses attributs, ses caractéristiques et son symbolisme propre; elle exerce des effets particuliers sur l'existence humaine. Ces effets ont été étudiés et voici, en résumé, ce qu'on peut dire pour chacune d'entre elles, sans se lancer dans un long cours d'astrologie.

Le Soleil Il représente la personnalité, la force vitale; le désir de briller, la réussite sociale, l'élément masculin. Pour une femme, il s'agira de son conjoint ou de son père. C'est la position du Soleil dans le zodiaque qui détermine à quel signe on appartient.

La Lune Symbole de l'émotivité par excellence, elle exerce son influence sur les sentiments et les émotions, elle évoque les changements, l'intuition, les petits déplacements, la famille, la mère. Pour un homme, elle représentera son épouse ou sa conjointe.

Mercure Il s'agit de la planète des enfants, de la jeunesse, mais aussi de l'intelligence, de la logique, du désir d'apprendre, des études, des communications et du commerce. Pour une personne en particulier, elle représentera ses propres enfants.

Vénus Évidemment, il s'agit de la planète qui régit les amours, les sentiments, le bonheur, la vie de couple, le goût des belles choses, les arts et l'apparence.

Mars Nommée l'honneur du dieu romain de la guerre, elle est l'énergie, la force, l'extériorisation, le travail. Mais elle régit aussi les conflits, les blessures, les accidents et les opérations chirurgicales.

Jupiter Planète de la vie matérielle, elle influence nos biens matériels, notre richesse, notre optimisme, nos honneurs. On l'associe souvent aux appuis gouvernementaux, aux relations avec la loi et aux contacts avec l'étranger.

Saturne De tout temps, elle a représenté la sagesse et l'évolution mais aussi les restrictions, les épreuves et les pertes. Elle régit également la détermination, la patience, l'économie, le désir de sécurité et la fin de vie.

Uranus Planète des changements brusques, elle joue un rôle sur l'imprévisible, l'originalité, l'esprit d'invention, les nouvelles technologies, la parapsychologie et les grands idéaux qui caractérisent un individu.

Neptune Génie créatif, inspiration, vie émotive, croyances mystiques, secrets, mystères, dépendances et illusions sont les domaines placés sous l'influence de cette planète.

Pluton Lorsque des changements profonds et radicaux, des transformations, des catastrophes, des nouveaux départs surviennent, c'est que cette planète agit avec force. Elle régit aussi la sexualité.

Selon le moment de notre naissance, les planètes se situent à un endroit particulier du zodiaque. Leurs influences se font donc sentir simultanément, mais différemment, pour chacun d'entre nous. Ainsi, deux personnes peuvent avoir le même signe et le même ascendant, mais subir les influences planétaires de manière différente.

Par exemple, si le Soleil se trouvait en Bélier lors de votre naissance, vous serez un Bélier énergique et vif... Toutefois, vous pouvez en même temps avoir Vénus en Poissons, ce qui vous rend sensible et sentimental en amour. Si Jupiter se trouve en Capricorne, vous serez, en plus, prudent et avisé en affaires, etc. Votre thème de naissance, qu'on appelle également carte du ciel, permet donc de définir ce qui vous différencie des autres natifs du même signe.

Prévisions mondiales pour 2002

Les aspects planétaires qui ont perturbé le destin terrestre au cours des deux dernières années se sont résorbés. Il va sans dire que nous devrions amorcer un cycle de stabilisation dans plusieurs domaines. À surveiller cette année, l'arrivée d'une nouvelle configuration: l'opposition Saturne-Pluton dont je vous parlerai un peu plus tard.

La Bourse devrait connaître une année plus faste, entre autres, dans le secteur des nouvelles technologies, qui regagnera le terrain perdu; quelques soubresauts et un vent d'incertitude en décembre ne devraient pas suffire à nous faire trop reculer. Les télécommunications, les services multimédias, l'informatique et l'aéronautique connaîtront à nouveau des périodes fastes. Ententes importantes sur le plan de l'aérospatiale. Des traités fort significatifs concernant l'électricité seront signés; on assistera également à un retour de la production électrique par des moyens nucléaires, ce qui ne sera pas sans créer tout un tollé et, malheureusement aussi, quelques incidents fâcheux.

L'industrie automobile est en pleine transformation: des fusions, d'importants remaniements ainsi que plusieurs mesures pour protéger l'environnement sont à prévoir. De plus en plus d'appareils sans fil font leur apparition, l'heure est aux gadgets de toutes sortes.

Plusieurs crises se produisent au sein des mouvements religieux. Hélas! les guerres de religion se poursuivent; de nouveaux conflits pourraient même éclater. Quant aux sectes, elles continuent à se multiplier; on doit malheureusement s'attendre à d'autres scandales sur ce plan.

Le domaine de l'édition, de l'imprimerie et de la presse écrite en général traversera un temps de crise. Internet commence à faire du tort à l'imprimé, qui entre dans une phase de recul assez importante.

Un peu partout, les gouvernements sont en perte de vitesse, les dirigeants ne font pas l'unanimité et n'arrivent plus à rallier les foules. C'est la fin, ou presque, de certains partis et mouvements politiques. Sur le plan du système de santé, c'est le statu quo. On ne gagne pas grand-chose, plus ça change, plus c'est pareil. Les gens se tournent de plus en plus vers les systèmes privés.

Les mouvements humanitaires, le syndicalisme et les groupes de défense populaire sont en pleine expansion, ce qui ne facilite pas la tâche des politiciens. Le peuple a atteint un point de non-retour. Entre les nations, les accrochages se font nombreux, les diplomates n'ont pas le temps de se tourner les pouces. Par chance, on parviendra à s'entendre, évitant ainsi un conflit planétaire.

Perturbations majeures dans le monde du transport. En plus de certains bris mécaniques, les éléments naturels se déchaînent parfois; que ce soit dans les airs ou sur terre, ça s'annonce difficile par moments. Janvier, avril, mai, septembre et octobre comptent parmi les périodes à risque.

L'opposition Saturne Pluton risque de nous en faire voir encore de toutes les couleurs, et surtout avec le monde animal. Des maladies affectant les animaux domestiques et le bétail se répandent à une vitesse parfois fulgurante. Il vaut mieux intervenir sans tarder. Toute l'industrie agroalimentaire est à repenser. Le consommateur se méfie de la viande et des OGM; les ventes de ces produits sont en chute libre. Le végétarisme effectue un retour remarqué. Chez les êtres humains, les troubles respiratoires, les allergies et l'asthme sont à la hausse; la grippe se fait particulièrement violente.

La condition de la femme et la situation des enfants deviennent de réelles préoccupations. Parler est dépassé; on passe enfin aux actes.

Certaines régions sont aux prises avec une sécheresse dévastatrice tandis que d'autres sont inondées. Les feux de forêt risquent d'être nombreux à certains endroits.

L'eau est une ressource qu'on protège de plus en plus. A-t-on vraiment le choix ? C'est un sujet qui défraiera les manchettes à maintes occasions, de nouvelles formes de commercialisation verront le jour.

Retour en force du romantisme et des valeurs familiales. La mode se fait toute féminine et vaporeuse. Le cocooning ne cesse de gagner du terrain.

JUSQU'EN 2010 EN UN CLIN D'ŒIL

Ce livre contient vos prévisions détaillées pour l'an 2002, mais j'ai pensé que vous aimeriez peut-être en savoir un peu plus. Dans le tableau qui suit, vous trouverez les grandes lignes de ce qui est susceptible de vous arriver d'ici 2010. N'oubliez jamais que les astres décrivent uniquement des tendances et que vous pouvez agir sur votre destinée en fournissant quelques efforts.

Pour vous servir du tableau, allez à la ligne correspondant à votre signe; pour chaque année, vous découvrirez une ou plusieurs lettres dont la signification apparaît dans la légende.

	2003	2004	2005	2006	2007	2008	2009	2010
Bélier	A J P	R	H M	Q	G L Q	H	G	R
Taureau	B D K	A J Q	M N	H R	R	G L Q	H Q	G
Gémeaux	A *	B D K	G L	M	H Q	R	I L	H Q
Cancer	I	A P	N H	G L	S	H Q	Q	I L
Lion	A J *	D *	G F	H R	R L	S	H	Q
Vierge	N E K	A J O	Q	G	H	G L Q	Q	H
Balance	A M P	N F K	I L	Q	G Q	H	G L	R
Scorpion	B D	A Q	M P	I L R	R	G Q	H	G
Sagittaire	A J E	B D	A O	Q	I L Q	R	I	H Q
Capricorne	D K *	A J N	H	G	S	I L Q	Q	I
Verseau	B *	D K *	G L	H R	I	S	I L	Q
Poissons	I	B O	Q	G L	H	I	R	I L

Légende

A. Les six premiers mois de l'année sont avantageux sur tous les plans. Vous vous portez bien, on vous adore et tout marche comme sur des roulettes. D'ici juillet, vous vous gâterez beaucoup. Bonne période aussi pour voyager.

B. Attention aux erreurs de jugement lors des six premiers mois. Durant cette période, vous auriez tout intérêt à vous montrer prudent et circonspect en affaires. La gourmandise vous guette.

C. Des hauts et des bas marquent les six premiers mois; pensez donc à mettre des sous de côté pendant les périodes d'abondance. Gare aux excès de toutes sortes. Protégez ce qui vous est cher.

D. Les six derniers mois de l'année sont avantageux sur tous les plans, vous vous portez bien, on vous adore et tout marche comme sur des roulettes. De juillet à décembre, vous vous gâterez beaucoup. Bonne période aussi pour voyager.

E. Attention aux erreurs de jugement au cours des six derniers mois. Durant cette période, vous auriez tout intérêt à vous montrer prudent et circonspect en affaires. La gourmandise vous guette.

F. Des hauts et des bas marquent les six derniers mois; pensez donc à mettre des sous de côté pendant les périodes d'abondance. Gare aux excès de toutes sortes. Protégez ce qui vous est cher.

G. L'année s'annonce avantageuse sur tous les plans, vous vous portez bien, on vous adore et tout marche comme sur des roulettes. Vous vous gâterez beaucoup. Bonne période aussi pour voyager.

H. Attention aux erreurs de jugement cette année. Vous auriez tout intérêt à vous montrer prudent et circonspect en affaires. La gourmandise vous guette.

I. Des hauts et des bas marquent cette année; pensez donc à mettre des sous de côté pendant les périodes d'abondance. Gare aux excès de toutes sortes. Protégez ce qui vous est cher.

J. Chance au jeu durant les six premiers mois.

K. Chance au jeu durant la seconde moitié de l'année.

L. Chance au jeu.

M. Les six premiers mois sont excellents pour les projets à long terme et les entreprises sérieuses; pensez à consolider votre état, votre position et vos avoirs.

N. Vous traversez une phase d'importante remise en question durant les six premiers mois; ce n'est pas le moment de prendre des risques. Optez plutôt pour la sagesse et faites attention à vous.

O. Les six derniers mois sont excellents pour les projets à long terme et les entreprises sérieuses; pensez à consolider votre état, votre position et vos avoirs.

P. Vous traversez une phase d'importante remise en question durant les six derniers mois; ce n'est pas le moment de prendre des risques. Optez plutôt pour la sagesse et faites attention à vous.

Q. L'année s'annonce excellente pour les projets à long terme et les entreprises sérieuses; pensez à consolider votre état, votre position et vos avoirs.

R. Vous traversez une phase d'importante remise en question cette année; ce n'est pas le moment de prendre des risques. Optez plutôt pour la sagesse et faites attention à vous.

S. Cette année, vous êtes en pleine possession de vos moyens; tout est entre vos mains. À vous de bien jouer. De gros progrès sont même possibles.

* Le reste de l'année est neutre. En y mettant du vôtre, vous irez de l'avant.

LES CYCLES DE JUPITER ET DE SATURNE

Il y a déjà plusieurs années, Henri Gazon, réputé astrologue, a découvert que Jupiter effectue des cycles qui correspondent parfaitement à nos dates d'anniversaire. Pour cette raison, chaque année se trouve placée sous un thème différent. Ce thème correspond à un secteur précis de notre carte du ciel qu'on appelle «maison». Les prévisions annuelles et les tendances générales de l'année permettent d'interpréter correctement le cycle que nous traversons.

Guillermo Rivas a repris les calculs d'Henri Gazon, cette fois pour les appliquer à Saturne. Il s'est alors rendu compte que de la présence de cycles de 30 mois, correspondant à des intérêts ou à des préoccupations plus marqués.

Pour découvrir les cycles que vous traversez, vous n'aurez pas besoin de reprendre tous ces calculs compliqués; il vous suffit de consulter les tableaux que je vous présente ici.

Le premier tableau vous indique la maison du cycle de Jupiter selon votre âge, et le second fait de même pour le cycle de Saturne.

Cycles de Jupiter

Maison	Âges
1	1, 13, 25, 37, 49, 61, 73, 85 ans
2	12, 24, 36, 48, 60, 72, 84 ans
3	11, 23, 35, 47, 59, 71, 83 ans
4	10, 22, 34, 46, 58, 70, 82 ans
5	9, 21, 33, 45, 57, 69, 81 ans
6	8, 20, 32, 44, 56, 68, 80 ans
7	7, 19, 31, 43, 55, 67, 79 ans
8	6, 18, 30, 42, 54, 66, 78 ans
9	5, 17, 29, 41, 53, 65, 77, 89 ans
10	4, 16, 28, 40, 52, 64, 76, 88 ans
11	3, 15, 27, 39, 51, 63, 75, 87 ans
12	2, 14, 26, 38, 50, 62, 74, 86 ans

Cycles de Saturne

Maison	Âges
1	de 0 à 2 ans $\frac{1}{2}$, de 30 à 32 ans $\frac{1}{2}$, de 60 à 62 ans $\frac{1}{2}$
2	de 27 ans $\frac{1}{2}$ à 30 ans, de 57 ans $\frac{1}{2}$ à 60 ans, de 87 ans $\frac{1}{2}$ à 90 ans
3	de 25 à 27 ans $\frac{1}{2}$, de 55 à 57 ans $\frac{1}{2}$, de 85 à 87 ans $\frac{1}{2}$
4	de 22 ans $\frac{1}{2}$ à 25 ans, de 52 ans $\frac{1}{2}$ à 55 ans, de 82 ans $\frac{1}{2}$ à 85 ans
5	de 20 à 22 ans $\frac{1}{2}$, de 50 à 52 ans $\frac{1}{2}$, de 80 à 82 ans $\frac{1}{2}$
6	de 17 ans $\frac{1}{2}$ à 20 ans, de 47 ans $\frac{1}{2}$ à 50 ans, de 77 ans $\frac{1}{2}$ à 80 ans
7	de 15 à 17 ans $\frac{1}{2}$, de 45 à 47 ans $\frac{1}{2}$, de 75 à 77 ans $\frac{1}{2}$
8	de 12 ans $\frac{1}{2}$ à 15 ans, de 42 ans $\frac{1}{2}$ à 45 ans, de 72 ans $\frac{1}{2}$ à 75 ans
9	de 10 à 12 ans $\frac{1}{2}$, de 40 à 42 ans $\frac{1}{2}$, de 70 à 72 ans $\frac{1}{2}$
10	de 7 ans $\frac{1}{2}$ à 10 ans, de 37 ans $\frac{1}{2}$ à 40 ans, de 67 ans $\frac{1}{2}$ à 70 ans
11	de 5 à 7 ans $\frac{1}{2}$, de 35 à 37 ans $\frac{1}{2}$, de 65 à 67 ans $\frac{1}{2}$
12	de 2 ans $\frac{1}{2}$ à 5 ans, de 32 ans $\frac{1}{2}$ à 35 ans, de 62 ans $\frac{1}{2}$ à 65 ans

Maintenant que vous avez déterminé vos deux cycles, pour Jupiter et pour Saturne, sachez que chacun d'eux correspond à une maison astrologique précise qui vous renseigne sur les tendances qui se dégagent de votre carte du ciel. Si vous constatez que les deux cycles se retrouvent dans la même maison, les tendances seront plus marquées.

Découvrons la signification du cycle de chaque maison astrologique en ce qui vous concerne.

CYCLE DE LA MAISON 1

Ce cycle accorde une énorme importance à votre personnalité et à vos actes. Vous vous cherchez, vous vous redéfinissez. Mûrissez toutefois vos gestes et vos décisions et prenez soin de vous. N'agissez pas dans la précipitation.

CYCLE DE LA MAISON 2

Du côté financier, vous traversez une période propice pour penser à long terme, pour les investissements sérieux. Méfiez-vous toutefois de votre entêtement.

CYCLE DE LA MAISON 3

Sortir, voir du monde, communiquer, voilà ce qui vous motive. Vos frères et vos sœurs occupent vos pensées; vous songez également à brasser des affaires. Distractions et éparpillement sont à surveiller.

CYCLE DE LA MAISON 4

Le passé vous rattrape. Il est temps de régler, une fois pour toutes, ces situations qui s'éternisent et vous empoisonnent la vie. Vous redécouvrez l'importance de la famille, du foyer et de la maisonnée. Malgré votre phase d'introspection, ne vous repliez pas trop sur vous-même.

CYCLE DE LA MAISON 5

Prendre la place qui vous revient, voilà votre but. Liberté et autonomie deviennent vos mots d'ordre; si on vous marche sur les pieds, vous serez prompt à répondre. Cette période s'annonce décisive pour vos amours et avec vos enfants. Du côté des affaires, prenez votre temps et ne faites pas confiance au premier venu.

CYCLE DE LA MAISON 6

Santé et travail ont la priorité. Si l'insécurité vous tenaille parfois, une solide confiance en vos capacités vous permettra de régler vos problèmes. Ne laissez pas la culpabilité vous envahir. Profitez du moment présent, sans vous attardez aux détails de moindre importance.

CYCLE DE LA MAISON 7

L'injustice et la chicane vous sont intolérables. Vos relations avec les autres abordent un nouveau tournant. La vie de couple devient une priorité. Et puisqu'on dit souvent que la première idée est toujours la meilleure, ne laissez pas l'indécision vous envahir, même si certains délais sont inévitables.

CYCLE DE LA MAISON 8

Vous amorcez un cycle de renouveau. Une étape se termine et une autre se pointe déjà à l'horizon. Ne laissez pas la crainte vous envahir, les changements n'en seront que meilleurs. Ne regardez plus derrière; allez de l'avant. Le passé est définitivement révolu.

CYCLE DE LA MAISON 9

Changer d'air, voilà votre programme. Un déménagement, un voyage ou de nouveaux défis vous attendent. Puisque la chance semble être de votre côté, profitez-en. Attention toute fois à la loi et à l'autorité, soyez indépendant mais pas téméraire.

CYCLE DE LA MAISON 10

La place que vous occupez dans l'échelle sociale et au sein de votre entourage semble être votre préoccupation majeure. Vous réfléchissez sur votre avenir et songez sérieusement à vous lancer dans des projets d'envergure. Méfiez-vous d'un manque de confiance en vous et des chutes.

CYCLE DE LA MAISON 11

Vous vous sentez étouffé par les autres, et pourtant vous avez tendance à emprisonner ceux qui vous sont chers. Si votre liberté est votre bien le plus précieux, n'oubliez pas que l'amitié est primordiale dans votre vie. Votre soif d'apprendre est si grande que vous n'hésitez pas à tout chambarder. Allez-y en douceur, car la rebellion n'est pas toujours la meilleure solution.

CYCLE DE LA MAISON 12

Vous semblez souffrir d'un brin de paranoïa; vous croyez que le sort s'acharne sur vous. N'attendez pas que les autres règlent vos problèmes; reprenez votre vie en main et foncez sans crainte. Votre intuition est bonne. Ne pensez pas trop aux autres, car vous risquez, par le fait même, de vous perdre de vue.

L'ENTENTE ENTRE LES SIGNES

Êtes-vous en harmonie?

S'il est une question qui revient souvent, c'est bien celle-ci: mon signe s'accorde-t-il bien avec tel ou tel autre? Répondre à une telle question, qui semble anodine, n'est pas si facile et surtout la réponse ne peut être catégorique. C'est comme me demander si une personne aux yeux bleus peut s'entendre avec une autre ayant les yeux verts... la réponse demeure: «Ça dépend...»

La carte du ciel d'une personne est un système complexe où plusieurs éléments entrent en ligne de compte et non seulement le signe astrologique. L'ascendant, les planètes, les maisons et les aspects influencent plus ou moins la personnalité des individus. Il ne suffit pas de se baser seulement sur le signe pour déterminer les affinités ou les antagonismes entre deux personnes.

Si toutefois la question vous préoccupe, et si vous connaissez votre ascendant et celui de l'être cher, vous pouvez constater, grâce au tableau qui suit, non seulement si vos signes sont compatibles, mais également si vos ascendants sont en harmonie. Vous pouvez voir si le signe de l'un a des affinités avec l'ascendant de l'autre, et vice versa. Cela vous permettra de juger de vos possibilités d'entente.

Puisque cela m'est demandé très souvent et que connaître les compatibilités entre les différents signes vous intéresse, je vous propose de découvrir les tendances générales. N'oubliez jamais que rien n'est définitif. Si vous avez rencontré l'homme de votre vie ou la femme de vos rêves, même si son signe ne semble pas être en totale harmonie avec le vôtre, dites-vous que la vie sera votre meilleur juge.

Mon petit test instantané

	BÉLIER	TAUREAU	GÉMEAUX	CANCER	LION	VIERGE
Bélier	1	6	5	3	2	6
Taureau	6	1	6	5	3	2
Gémeaux	5	6	1	6	5	3
Cancer	3	5	6	1	6	5
Lion	2	3	5	6	1	6
Vierge	6	2	3	5	6	1
Balance	4	6	2	3	5	6
Scorpion	6	4	6	2	3	5
Sagittaire	2	6	4	6	2	3
Capricorne	3	2	6	4	6	2
Verseau	5	3	2	6	4	6
Poissons	6	5	3	2	6	4

	BALANCE	SCORPION	SAGITTAIRE	CAPRICORNE	VERSEAU	POISSONS
Bélier	4	6	2	3	5	6
Taureau	6	4	6	2	3	5
Gémeaux	2	6	4	6	2	3
Cancer	3	2	6	4	6	2
Lion	5	3	2	6	4	6
Vierge	6	5	3	2	6	4
Balance	1	6	5	3	2	6
Scorpion	6	1	6	5	3	2
Sagittaire	5	6	1	6	5	3
Capricorne	3	5	6	1	6	5
Verseau	2	3	5	6	1	6
Poissons	6	2	3	5	6	1

Quel nombre avez-vous obtenu?

1- Puisque vous êtes tous les deux du même signe; les points communs entre vous ne manquent pas. Vous vous ressemblez comme deux vieux copains, vous vous comprenez sans vous dire un mot. Vous avez les mêmes qualités... mais aussi les mêmes défauts, et c'est là que, parfois, les étincelles surgissent. Vos travers se retrouvent chez l'autre, et vous agacent. Vos propres points faibles vous sautent au visage. Toutefois, puisque vous avez en commun les mêmes buts, les mêmes idéaux, les mêmes opinions sur plusieurs sujets, cette connivence naturelle vous rapproche. Attention, par contre, car il peut s'agir d'une arme à double tranchant: vous vous connaissez tellement bien – vous êtes tirés du même moule – rien ne vous étonne en l'autre, et vous risquez ainsi de percer tous ses mystères. Laissez-lui son jardin secret, et surtout ne le tenez pas pour acquis. Tâchez de le surprendre au moment où il s'y attend le moins; vous pourrez ainsi vivre tous deux une relation passionnante empreinte de complicité.

2- Vos deux signes relèvent du même élément. Vous avez la même sensibilité, la même façon d'aborder l'existence et le quotidien, la même intensité dans vos relations interpersonnelles; c'est d'ailleurs très probablement ce qui vous a plu chez l'autre. Malgré tout, vous possédez chacun votre individualité, vos différences. Au quotidien, l'entente est bonne et la relation vraiment harmonieuse. Votre façon d'agir, de résoudre les problèmes est à peu près la même. En règle générale, ensemble, c'est le paradis sur terre... Mais tout n'est pas parfait, loin de là. Vous avez tous deux le même entêtement, et il est impossible à l'un ou à l'autre de prendre le dessus. Lorsque les choses tournent mal, vous vous isolez chacun de votre côté, ce qui ne règle rien. Les discussions, les divergences d'opinion ou d'avis font partie du vécu de chaque couple. Apprenez à rester amis même lorsque vous n'êtes pas d'accord et à vous respecter mutuellement... Lorsque vous travaillez de concert, rien n'est impossible pour vous. Votre relation pourrait être tout simplement magnifique si vous savez travailler l'un avec l'autre et non chacun de votre côté

3- Vos deux signes se retrouvent «en carré» ou en croix. Malgré des traits communs, vos personnalités sont très différentes l'une de l'autre; cette différence vous a intrigué, attiré au départ, souvenez-vous-en. Même vos objectifs et votre sens des valeurs sont différents; vous raisonnez de la même manière. Lorsque tout va bien, tout est merveilleux, mais en cas de conflit, ça peut chauffer. Les divergences d'opinion, les situations délicates ne manquent pas entre vous. S'il est normal de ne pas être toujours du même avis sur tout, il est cependant essentiel d'apprendre à s'écouter pour éviter les malentendus. Ce qui vous a séduit chez l'autre, c'est justement sa vision différente de la vie. Il est donc important d'allier respect et compréhension si vous voulez éviter les heurts. La passion entre vous est très importante mais attention de ne pas vous enflammer à tout bout de champ. Laissez l'autre s'exprimer. Vous coupez facilement la parole de l'autre sans toujours vous rendre compte qu'un peu d'écoute et d'attention serait tellement plus profitable. Ouvrez votre cœur... et vos oreilles! Vous pourrez vivre une relation très enrichissante ensemble.

4- Vos deux signes sont en opposition; vous êtes aux antipodes l'un de l'autre... peut-être est-ce ce qui vous a fait vibrer lors de votre première rencontre. Même si vous êtes très différents, vous vous complétez magnifiquement, malgré quelques petites escarmouches sans conséquence. Puisque les forces de l'un comblent les points faibles de l'autre; vous avez l'impression de voir votre propre image comme le négatif d'une photo. Votre conjoint vous permet de découvrir des horizons que vous n'imaginiez pas, de voir le monde sous un jour totalement différent, de vous surpasser. Votre conjoint vous permet aussi de percevoir vos faiblesses. Sans vous l'avouer, ce qui vous agace en lui (ou en elle) met en lumière vos propres défauts. Une telle perception des choses peut créer des frictions, mais vous sentez bien que votre union est très originale et particulière, et vous réussissez à surmonter vos problèmes. Votre couple est équilibré, complémentaire et harmonieux; vous vous apportez beaucoup l'un à l'autre, et vos chances qu'une stabilité et qu'un enrichissement mutuel s'installent dans votre couple sont excellentes.

5- Vos deux signes se trouvent en sextile: vos éléments sont donc compatibles. Votre union sera facile, agréable et sans problème insurmontable. Vous n'avez peut-être pas eu de coup de foudre l'un pour l'autre et la passion ne vous a pas littéralement emportés. Mais avec le temps vous avez appris à vous connaître et à vous apprécier, et c'est là l'essentiel. Votre affection est profonde. L'amitié qui vous unit, votre compréhension et votre communication exceptionnelles vous permettent de dialoguer sans heurts et de vous expliquer: comme on dit, vous êtes sur la même longueur d'onde. Si votre vision des choses diffère, d'autres éléments et d'autres caractéristiques vous réunissent. Vos sensibilités et vos désirs se rejoignent. Par le dialogue, les petites difficultés s'aplanissent toujours. Le rire et l'humour vous rapprochent l'un de l'autre. Avec un minimum d'efforts, votre relation sera douce, tendre et revigorante. Vous irez là où vos pas vous porteront, main dans la main.

6- Seriez-vous étranger l'un à l'autre? Pour trouver des points communs entre vous, il faut bien chercher. Souvent, vous avez même l'impression de ne pas parler la même langue. Et pourtant... vous pourriez vous entendre, avec un peu d'efforts de part et d'autre. Le plus amusant est que cette différence peut se révéler un précieux atout au cours d'activités communes, dans vos loisirs ou même au travail. Le manque de communication dans votre couple est flagrant; vous le déplorez et aurez parfois l'impression que votre conjoint ne vous comprend pas et ne répond pas à vos attentes. Vos valeurs et vos objectifs divergent du tout au tout parfois. Dans de telles conditions, votre vie de couple repose sur vos efforts. Il est inutile d'essayer de changer votre partenaire. Acceptez-le, sans condition. Pour rendre votre vie à deux plus harmonieuse, vous pourriez jouer sur romantisme, sachez surprendre votre partenaire en proposant des sorties en amoureux, des dîners aux chandelles à l'improviste et des surprises de toutes sortes. Si votre partenaire n'arrive pas à cerner complètement votre personnalité, cela peut être un plus. Allier cette carte «mystère» à la carte «romantisme» et, à coup sûr, vous ferez battre son cœur. Des liens psychiques très forts peuvent être tissés entre vous deux; une compréhension au-delà des mots, voire de la télépathie, n'est pas impossible. Voilà une autre énigme dont vous pourrez jouer pour stimuler votre couple.

TROUVER SON ASCENDANT...

... c'est facile!

 Vous ne connaissez pas votre ascendant? Nous allons vous donner une méthode très simple pour le trouver.

De quoi avez-vous besoin?

De votre heure de naissance, c'est tout.

Comment faire?

1   prenez votre heure de naissance;
2   ajoutez le temps sidéral;
3   additionnez le tout.
Vous voyez, ce n'est pas bien compliqué.

Dans les lignes qui suivent, nous vous donnons:

1   quelques renseignements sur votre **heure de naissance**;
2   le **temps sidéral** qui correspond à votre **date de naissance**;
3   des **indications** pour additionner l'un à l'autre.

Avant d'aller plus loin, lisez donc les paragraphes qui suivent; vous serez sûr de ne pas faire d'erreur.

1 — Votre heure de naissance

L'ascendant se calcule à partir de l'heure de naissance; il faut donc que vous sachiez à quelle heure vous êtes né pour le calculer.

> **NOTE: Si vous ne connaissez pas votre heure de naissance**, seul un astrologue expérimenté pourrait trouver votre ascendant. Mais **informez-vous**: des parents, des proches, des frères ou sœurs, voire l'hôpital où vous êtes né, peuvent vous renseigner sur votre heure de naissance.

Si votre heure de naissance est imprécise, vous pouvez essayer quand même. Évidemment, l'ascendant que vous obtiendrez alors sera imprécis, lui aussi.

Donc, vous savez maintenant que votre ascendant se calcule à partir de votre heure de naissance. Rappelez-vous cependant deux petites choses:

Si vous êtes né en après-midi ou en soirée, il faut que vous preniez votre heure en **système de 0 à 24 heures.** Donc, au lieu d'écrire 2 h de l'après-midi, vous écrivez 14 h; au lieu de 9 h du soir, vous écrivez 21 h.

C'est bien important, ne l'oubliez pas!

En effet, si vous êtes né en soirée ou en après-midi, vous n'aurez pas le même ascendant que si vous étiez né le matin.

En astrologie, il faut toujours prendre **l'heure réelle** et non par l'heure avancée. Vous ne voulez pas calculer l'ascendant de quelqu'un qui serait né une heure plus tard que vous!

Savez-vous si vous êtes né pendant une période d'heure avancée? C'est facile: dans les lignes qui suivent, vous le verrez aisément.

Tableau de l'heure avancée

 Avant 1918, il n'y avait pas d'heure avancée.

Si vous êtes né entre les dates suivantes, enlevez une heure à votre heure de naissance pour avoir votre heure réelle de naissance.

En 1918, du 14 avril au 31 octobre, dans toute la province de Québec.

De 1919 à 1927 inclusivement, l'heure était avancée à **Montréal seulement:**

- en 1919, du 31 mars au 25 octobre*;
- en 1920, du 2 mai au 3 octobre*;
- en 1921, du 1er mai au 2 octobre*;
- en 1922, du 30 avril au 1er octobre*;
- en 1923, du 13 mai au 30 septembre*;

- en 1924, du 18 mai au 28 septembre*;
- en 1925, du 3 mai au 27 septembre*;
- en 1926, du 2 mai au 26 septembre*;
- en 1927, du 1er mai au 25 septembre*.

* À Montréal seulement – pas dans le reste du Québec. Donc, si vous êtes né entre ces dates à Montréal, enlevez une heure. Si vous êtes né ailleurs dans la province, laissez votre heure telle quelle.

À partir de 1928, l'heure est avancée **à Montréal et dans tout le reste de la province** entre les dates suivantes:
- en 1928, du 29 avril au 30 septembre;
- en 1929, du 28 avril au 29 septembre;
- en 1930, du 27 avril au 28 septembre;
- en 1931, du 26 avril au 27 septembre;
- en 1932, du 24 avril au 25 septembre;
- en 1933, du 30 avril au 24 septembre;
- en 1934, du 29 avril au 30 septembre;
- en 1935, du 28 avril au 29 septembre;
- en 1936, du 26 avril au 27 septembre;
- en 1937, du 25 avril au 26 septembre;
- en 1938, du 24 avril au 25 septembre;
- en 1939, du 30 avril au 24 septembre;
- en 1940, du 28 avril au 31 décembre*;
- en 1941, TOUTE L'ANNÉE*;
- en 1942, TOUTE L'ANNÉE*;
- en 1943, TOUTE L'ANNÉE*;
- en 1944, TOUTE L'ANNÉE*;
- en 1945, du 1er janvier au 30 septembre*.

* L'heure fut avancée continuellement, hiver comme été, durant la guerre.

- en 1946, du 28 avril au 29 septembre;
- en 1947, du 27 avril au 28 septembre;
- en 1948, du 25 avril au 26 septembre;
- en 1949, du 24 avril au 25 septembre;
- en 1950, du 30 avril au 24 septembre;
- en 1951, du 29 avril au 30 septembre;
- en 1952, du 27 avril au 28 septembre;
- en 1953, du 26 avril au 27 septembre;
- en 1954, du 25 avril au 26 septembre;
- en 1955, du 24 avril au 25 septembre;

- en 1956, du 29 avril au 30 septembre;
- en 1957, du 28 avril au 27 octobre;
- en 1958, du 27 avril au 26 octobre;
- en 1959, du 26 avril au 25 octobre;
- en 1960, du 24 avril au 30 octobre;
- en 1961, du 30 avril au 29 octobre;
- en 1962, du 29 avril au 28 octobre;
- en 1963, du 28 avril au 27 octobre;
- en 1964, du 26 avril au 25 octobre;
- en 1965, du 25 avril au 31 octobre;
- en 1966, du 24 avril au 30 octobre;
- en 1967, du 30 avril au 29 octobre;
- en 1968, du 28 avril au 27 octobre;
- en 1969, du 27 avril au 26 octobre;
- en 1970, du 26 avril au 25 octobre;
- en 1971, du 25 avril au 31 octobre;
- en 1972, du 30 avril au 29 octobre;
- en 1973, du 29 avril au 28 octobre;
- en 1974, du 28 avril au 27 octobre;
- en 1975, du 27 avril au 26 octobre;
- en 1976, du 25 avril au 31 octobre;
- en 1977, du 24 avril au 30 octobre;
- en 1978, du 30 avril au 29 octobre;
- en 1979, du 29 avril au 28 octobre;
- en 1980, du 27 avril au 26 octobre;
- en 1981, du 26 avril au 25 octobre;
- en 1982, du 25 avril au 31 octobre;
- en 1983, du 24 avril au 30 octobre;
- en 1984, du 29 avril au 28 octobre;
- en 1985, du 28 avril au 27 octobre;
- en 1986, du 27 avril au 26 octobre;
- en 1987, du 5 avril au 25 octobre;
- en 1988, du 3 avril au 30 octobre;
- en 1989, du 2 avril au 29 octobre;
- en 1990, du 1er avril au 28 octobre;
- en 1991, du 7 avril au 29 octobre;
- en 1992, du 5 avril au 25 octobre;
- en 1993, du 4 avril au 31 octobre;
- en 1994, du 3 avril au 30 octobre;
- en 1995, du 2 avril au 29 octobre;
- en 1996, du 7 avril au 27 octobre;

- en 1997, du 6 avril au 26 octobre;
- en 1998, du 5 avril au 25 octobre;
- en 1999, du 4 avril au 31 octobre.
- en 2000, du 2 avril au 29 octobre,
- en 2001, du 1er avril au 28 octobre,
- en 2002, du 7 avril au 27 octobre.

Donc, si vous êtes né entre les dates que nous venons de donner, n'oubliez pas d'enlever une heure à votre heure de naissance pour obtenir votre heure réelle de naissance.

2 — Le temps sidéral

Comme nous l'avons vu précédemment, pour calculer l'ascendant, il suffit d'additionner votre heure réelle de naissance au temps sidéral qui correspond à votre journée de naissance.

Le temps sidéral est une heure qui correspond à une seule journée de l'année. Chaque journée a le sien; il n'y a pas deux journées qui ont le même temps.

Pour calculer votre ascendant, vous avez donc besoin de connaître le temps sidéral qui correspond au jour de votre fête. Comment faire? Rien de plus simple.

Aux pages 44 et 45, vous trouverez un tableau: à la première ligne du tableau figurent les 12 mois de l'année, chacun correspondant à une colonne. La première colonne comporte des chiffres allant de 1 à 31. Ces chiffres correspondent, bien sûr, aux quantièmes (jours) des mois.

Il vous suffit maintenant de trouver, dans la colonne qui correspond à votre mois de naissance, la ligne de votre jour de fête, et le tour est joué.

PAR EXEMPLE: Si vous êtes né le 1er janvier, vous cherchez sous janvier, à la première ligne, et vous voyez 6 h 36. Le temps sidéral qui correspond à votre jour de naissance est donc **6 h 36**. De même, si vous êtes né le 14 mai, vous allez voir, sous la colonne de mai, la ligne qui correspond au 14, et vous trouvez votre temps sidéral, qui est **15 h 24**.

NOTE: Pour vous faciliter la tâche, les tableaux des pages 44 et 45 indiquent le temps sidéral corrigé et simplifié.

Suivez la ligne qui correspond à votre jour de fête jusqu'à la colonne de votre mois de naissance: vous avez maintenant le temps sidéral qui correspond à votre jour de naissance.

---

3 — Et puis, vous additionnez

Vous avez donc maintenant votre heure réelle de naissance et le temps sidéral qui correspond à votre journée de naissance: il vous suffit de faire une toute petite addition. Bien sûr, vous avez pris soin de vous assurer que votre heure de naissance est inscrite **en système de 0 à 24 heures,** surtout si vous êtes né en après-midi ou en soirée.

ATTENTION: Vous avez des heures et des minutes. Vous savez qu'il y a **60 minutes** dans une heure et **24 heures** dans une journée.

Donc si, en additionnant, vous avez un total de minutes supérieur à 60, vous soustrayez 60 du nombre des minutes et vous ajoutez 1 au nombre des heures.

De même, si, en additionnant, vous avez un total d'heures supérieur à 24, vous soustrayez 24.

Vous avez maintenant un total en heures et en minutes; vous n'avez plus qu'à consulter le petit tableau de la page 46, à trouver la section qui correspond à la vôtre et à LIRE votre ascendant.

Voici un exemple pour illustrer cette méthode. Supposons qu'une personne soit née le 24 juin 1967, à 2 h 25 de l'après-midi.

Nous savons que, pour calculer l'ascendant, il faut utiliser l'heure en système de 0 à 24 heures. Donc, 2 h 25 de l'après-midi, c'est en réalité 14 h 25. Comme l'heure était avancée (voir tableau de l'heure avancée), il faut donc soustraire 1 heure, ce qui donne 14 h 25 – 1 h 00 = 13 h 25.

Maintenant que nous avons l'heure réelle de naissance, faisons le calcul:

Heure réelle de naissance	13 h 25
Temps sidéral (du 24 juin)	+ 18 h 06
Total	31 h 31

Comme le nombre des heures est supérieur à 24, nous soustrayons 24 heures à 31 h 31, ce qui donne:

$$
\begin{array}{r}
31\ \text{h}\ 31 \\
-\quad 24\ \text{h}\ 00 \\
\hline
7\ \text{h}\ 31
\end{array}
$$

En consultant la **Table des ascendants** (en page 46), on voit bien que l'ascendant de cette personne est **Balance**.

Faites vous-même vos calculs

1 Inscrivez votre heure de naissance   _____ h _____
(en système de 0 à 24 heures)

2 Enlevez 1 heure   (– 1 heure)
mais seulement si vous êtes né
en période d'heure avancée   = _____ h _____

Ceci vous donne votre heure de naissance réelle

3 Inscrivez le temps sidéral
qui correspond à votre jour de naissance + _____ h _____

4 Additionnez les deux lignes
précédentes   = _____ h _____

5 Si le nombre des minutes dépasse 60,
enlevez 60 minutes et ajoutez 1 heure;
sinon, laissez tel quel.

Si le nombre des heures dépasse 24,
enlevez 24 heures; sinon, laissez tel quel.

Vous obtenez   _____ **h** _____

Maintenant, consultez la table des ascendants, et trouvez le vôtre.

Temps sidéral

Du 1er janvier au 30 juin

JR	JANV.	FÉVR.	MARS	AVRIL	MAI	JUIN
1	6 h 36	8 h 38	10 h 33	12 h 36	14 h 33	16 h 36
2	6 h 40	8 h 42	10 h 37	12 h 40	14 h 37	16 h 40
3	6 h 44	8 h 46	10 h 40	12 h 44	14 h 41	16 h 43
4	6 h 48	8 h 50	10 h 44	12 h 48	14 h 45	16 h 47
5	6 h 52	8 h 54	10 h 48	12 h 52	14 h 49	16 h 51
6	6 h 56	8 h 58	10 h 52	12 h 55	14 h 53	16 h 55
7	7 h 00	9 h 02	10 h 56	12 h 58	14 h 57	16 h 59
8	7 h 04	9 h 06	11 h 00	13 h 02	15 h 01	17 h 03
9	7 h 08	9 h 10	11 h 04	13 h 06	15 h 05	17 h 07
10	7 h 12	9 h 14	11 h 08	13 h 10	15 h 09	17 h 11
11	7 h 15	9 h 18	11 h 12	13 h 14	15 h 13	17 h 15
12	7 h 19	9 h 22	11 h 16	13 h 18	15 h 17	17 h 19
13	7 h 23	9 h 26	11 h 20	13 h 22	15 h 21	17 h 23
14	7 h 27	9 h 30	11 h 24	13 h 26	15 h 24	17 h 27
15	7 h 31	9 h 33	11 h 28	13 h 30	15 h 28	17 h 31
16	7 h 35	9 h 37	11 h 32	13 h 34	15 h 32	17 h 34
17	7 h 39	9 h 41	11 h 36	13 h 38	15 h 36	17 h 38
18	7 h 43	9 h 45	11 h 40	13 h 42	15 h 40	17 h 42
19	7 h 47	9 h 49	11 h 44	13 h 46	15 h 44	17 h 46
20	7 h 51	9 h 53	11 h 48	13 h 50	15 h 48	17 h 50
21	7 h 55	9 h 57	11 h 52	13 h 54	15 h 52	17 h 54
22	7 h 59	10 h 01	11 h 55	13 h 58	15 h 56	17 h 58
23	8 h 03	10 h 05	11 h 58	14 h 02	16 h 00	18 h 02
24	8 h 07	10 h 09	12 h 02	14 h 06	16 h 04	18 h 06
25	8 h 11	10 h 13	12 h 06	14 h 10	16 h 08	18 h 10
26	8 h 15	10 h 17	12 h 10	14 h 14	16 h 12	18 h 14
27	8 h 19	10 h 21	12 h 14	14 h 18	16 h 16	18 h 18
28	8 h 23	10 h 25	12 h 18	14 h 22	16 h 20	18 h 22
29	8 h 26	10 h 29	12 h 22	14 h 26	16 h 24	18 h 26
30	8 h 30		12 h 26	14 h 29	16 h 28	18 h 30
31	8 h 34		12 h 30		16 h 32	

Temps sidéral

Du 1er juillet au 31 décembre

JR	JUIL.	AOÛT	SEPT.	OCT.	NOV.	DÉC.
1	18 h 34	20 h 37	22 h 39	0 h 37	2 h 39	4 h 38
2	18 h 38	20 h 41	22 h 43	0 h 41	2 h 43	4 h 42
3	18 h 42	20 h 45	22 h 47	0 h 45	2 h 47	4 h 46
4	18 h 46	20 h 49	22 h 51	0 h 49	2 h 51	4 h 50
5	18 h 50	20 h 53	22 h 55	0 h 53	2 h 55	4 h 54
6	18 h 54	20 h 57	22 h 59	0 h 57	2 h 59	4 h 57
7	18 h 58	21 h 00	23 h 03	1 h 01	3 h 03	5 h 01
8	19 h 02	21 h 04	23 h 07	1 h 05	3 h 07	5 h 05
9	19 h 06	21 h 08	23 h 11	1 h 09	3 h 11	5 h 09
10	19 h 10	21 h 12	23 h 14	1 h 13	3 h 15	5 h 13
11	19 h 14	21 h 16	23 h 18	1 h 17	3 h 19	5 h 17
12	19 h 18	21 h 20	23 h 22	1 h 21	3 h 23	5 h 21
13	19 h 22	21 h 24	23 h 26	1 h 25	3 h 27	5 h 25
14	19 h 26	21 h 28	23 h 30	1 h 29	3 h 31	5 h 29
15	19 h 30	21 h 32	23 h 34	1 h 32	3 h 35	5 h 33
16	19 h 34	21 h 36	23 h 38	1 h 36	3 h 39	5 h 37
17	19 h 38	21 h 40	23 h 42	1 h 40	3 h 43	5 h 41
18	19 h 42	21 h 44	23 h 46	1 h 44	3 h 47	5 h 45
19	19 h 46	21 h 48	23 h 50	1 h 48	3 h 50	5 h 49
20	19 h 49	21 h 52	23 h 54	1 h 52	3 h 54	5 h 53
21	19 h 53	21 h 56	23 h 58	1 h 56	3 h 58	5 h 57
22	19 h 57	22 h 00	0 h 02	2 h 00	4 h 02	6 h 01
23	20 h 02	22 h 04	0 h 06	2 h 04	4 h 06	6 h 05
24	20 h 06	22 h 08	0 h 10	2 h 06	4 h 10	6 h 09
25	20 h 10	22 h 12	0 h 14	2 h 12	4 h 14	6 h 13
26	20 h 14	22 h 16	0 h 18	2 h 16	4 h 18	6 h 17
27	20 h 18	22 h 20	0 h 23	2 h 20	4 h 22	6 h 21
28	20 h 22	22 h 24	0 h 26	2 h 24	4 h 26	6 h 24
29	20 h 26	22 h 27	0 h 30	2 h 28	4 h 30	6 h 28
30	20 h 30	22 h 31	0 h 34	2 h 32	4 h 34	6 h 32
31	20 h 33	22 h 35		2 h 36		6 h 36

Table des ascendants...
Quel est le vôtre?

Comparez le total obtenu en additionnant votre heures de naissance réelle au temps sidéral du jour de votre naissance, aux tranches d'heures ci-dessous pour connaître votre ascendant.

Heures:	Ascendants:
- de 0 h 00 à 0 h 34	Cancer
- de 0 h 35 à 3 h 21	Lion
- de 3 h 22 à 5 h 59	Vierge
- de 6 h 00 à 8 h 40	Balance
- de 8 h 41 à 11 h 18	Scorpion
- de 11 h 19 à 13 h 43	Sagittaire
- de 13 h 44 à 15 h 35	Capricorne
- de 15 h 36 à 16 h 58	Verseau
- de 16 h 59 à 17 h 59	Poissons
- de 18 h 00 à 19 h 04	Bélier
- de 19 h 05 à 20 h 24	Taureau
- de 20 h 25 à 22 h 22	Gémeaux
- de 22 h 23 à 24 h 00	Cancer

Définition des ascendants

Bélier: Ce signe prédispose à l'impulsivité et même à l'agressivité. Vous êtes franc, mais vous vous faites souvent des ennemis, car votre entourage n'est pas toujours prêt à admettre la vérité. Vous êtes essentiellement un être dynamique; toutefois, il vous arrive fréquemment de commencer mille et un projets et de n'en terminer aucun. Vos sentiments sont vifs et entiers. Nous devons souligner ici que vous détenez le record des accidents.

Taureau: Vous êtes tenace, persévérant, mais bien souvent têtu. Vous allez toujours au bout de ce que vous entreprenez.

Vous refusez les échecs et vous vous battez jusqu'à la mort pour réussir. L'argent est essentiel à votre bien-être, et vous avez toujours peur d'en manquer. Vous êtes lent à vous attacher, mais vos sentiments sont d'une profondeur et d'une stabilité peu communes. Il est vrai que vous n'êtes pas bavard, mais, quand vous parlez, on sait toujours à quoi s'en tenir.

Gémeaux: J'ai surnommé ce signe le «courant d'air. Effectivement, vous bougez sans cesse, vous êtes partout à la fois et vous ne voulez rien manquer. C'est d'ailleurs pour cette raison que vous avez tellement tendance à vous éparpiller. Vos réflexes et vos réactions sont très rapides. Vous adorez parler et communiquer; voilà pourquoi vous êtes si doué pour travailler avec le public. Même si vous parlez beaucoup, vous n'exprimez pas toujours facilement vos sentiments.

Cancer: Cet ascendant confère une nature très maternelle ou paternelle, selon le cas. Vous avez énormément besoin de vous sentir aimé. Vous dorlotez les vôtres et vous comblez même leurs besoins avant qu'ils ne les aient exprimés. Votre hypersensibilité et votre naïveté vous jouent bien souvent de vilains tours. Pour vous, l'amour, l'amitié et la famille sont sacrés. D'ailleurs, les sentiments sont votre meilleur carburant.

Lion: Vous êtes le roi des animaux et, effectivement, vous ne détestez pas régner sur votre entourage. Vous n'acceptez pas de passer inaperçu et, finalement, vous avez presque toujours besoin d'un public. Il y a cependant une exception: quand vous êtes triste ou déprimé, vous ne voulez plus voir personne. Vous partagez facilement vos gains et vos succès, mais vous ne voulez aucun témoin de vos chagrins. Assurément, vous êtes doué pour l'administration... et pour le vedettariat.

Vierge: Cet ascendant rend méthodique, méticuleux, logique et rationnel. Avouons toutefois que vous êtes souvent maniaque des détails, de l'hygiène et de la propreté. On peut vous compter parmi les êtres les plus responsables et les plus dévoués du zodiaque. Malheureusement, vous vous sentez toujours coupable de tout et vous estimez que vous n'en avez jamais assez fait. Votre mémoire est davantage axée sur les mauvais souvenirs que sur les bons. Si je peux me permettre de vous donner un conseil, je vous dirais de moins penser et de mettre plus de fantaisie dans votre vie.

Balance: Votre charme est incontestable, vous trouvez tout beau et, avec vous, rien n'est jamais totalement négatif. Vous détestez la solitude et vous éprouvez constamment le besoin d'être entouré, que ce soit au travail ou dans votre vie privée. Vous ne pouvez supporter ni le mensonge, ni l'hypocrisie, ni l'injustice. Le seul problème que vous ayez, c'est quand il s'agit de prendre une décision: vous n'en finissez plus de balancer.

Scorpion: Vous avez bien mauvaise réputation et, pourtant, elle n'est absolument pas fondée. Il n'y a pas de bons ni de mauvais signes; chacun a ses qualités et ses défauts. Ces rumeurs qui circulent sur votre compte viennent sûrement d'un astrologue qui n'aimait pas les Scorpion; moi, je vous aime bien. N'oublions pas que vous êtes méfiant et que vous ne laissez pas facilement paraître vos sentiments. Vous êtes un travailleur acharné et votre mémoire est phénoménale. D'ailleurs, ne vous souvenez-vous pas toujours de ce qu'on vous a fait?

Sagittaire: Votre indépendance frise souvent les extrêmes. Vous ne voulez rien devoir à personne et vous remettez toujours au centuple les faveurs qu'on vous fait. Vous avez la bougeotte, vous ne tenez pas en place et vous adorez voyager. La nature et les animaux vous attirent énormément. Un emploi sédentaire ne vous convient pas tellement; cependant, s'il est question de mouvement au travail, vous serez parfaitement satisfait.

Capricorne: Vous êtes comme le bon vin: plus vous vieillissez, plus vous prenez de la force et du piquant. Et puisque vous vous bonifiez avec le temps, la deuxième partie de votre vie est toujours bien meilleure que la première. Il est vrai que vous mettez sans cesse les bouchées doubles lorsqu'il s'agit de travail et que vous êtes plutôt perfectionniste. Vous parlez peu et, souvent, votre entourage vous reprochera d'être renfermé et replié sur vous-même.

Verseau: Vous êtes très humanitaire, mais votre bonté se retourne facilement contre vous. En effet, vous êtes souvent victime de profiteurs, de parasites et de faux amis qui abusent carrément de vous. Apprenez à dire non et vous serez gagnant. Vous jugez d'après vous-même et vous êtes constamment déçu. Votre intuition est pourtant surprenante: vous auriez intérêt à vous y fier davantage.

Poissons: De tous les signes, vous êtes le plus sensible et le plus vulnérable. Vous vous découragez facilement et vous abandonnez la lutte après le premier échec. Par peur de la solitude, vous vous entourez de gens qui vous causent beaucoup plus de chagrin que de joie. Attention! Vous avez une âme de missionnaire et vous êtes incapable de refuser quoi que ce soit à votre prochain. Les paradis artificiels et les croyances utopiques exercent beaucoup d'attraction sur vous.

IMPORTANT: Il n'existe pas de signes purs; ainsi, il est impossible d'être un pur Bélier, un pur Taureau, etc. L'influence de votre ascendant et celle des positions planétaires à votre naissance sont tout aussi importantes. J'ai constaté que l'influence de l'ascendant est de plus en plus forte avec le temps. En vieillissant, c'est l'ascendant qui prédomine et, dans la deuxième partie de la vie, il prend une valeur significative. Toutefois, on compte deux exceptions: l'ascendant Capricorne et l'ascendant Vierge, qui obéissent à la règle inverse.

Les 12 signes et les 36 décans

Signe	1er décan	2e décan	3e décan
Bélier 21 mars au 20 avril	21 mars 31 mars	1er avril au 10 avril	11 avril au 20 avril
Taureau 21 avril 20 mai	21 avril au 29 avril	30 avril au 10 mai	11 mai au 20 mai
Gémeaux 21 mai au 21 juin	21 mai au 1er juin	2 juin au 11 juin	12 juin au 21 juin
Cancer 22 juin au 23 juin	22 juin au 1er juillet	2 juillet 12 juillet	13 juillet 23 juillet
Lion 24 juillet au 23 août	14 juillet au 3 août	4 juillet au 13 août	14 juillet au 23 août
Vierge 24 août au 23 septembre	24 août au 3 septembre	4 septembre au 13 septembre	14 septembre au 23 septembre
Balance 24 septembre au 23 octobre	24 septembre au 3 octobre	4 octobre au 13 octobre	14 octobre au 23 octobre
Scorpion 24 octobre au 22 novembre	24 octobre au 2 novembre	3 novembre au 12 novembre	13 novembre au 22 novembre
Sagittaire 23 novembre 0 décembre	23 novembre au 2 décembre	3 décembre au 12 décembre	13 décembre au 20 décembre
Capricorne 21 décembre au 20 janvier	21 décembre au 31 décembre	1er janvier au 10 janvier	11 janvier au 20 janvier
Verseau 21 janvier 19 février	21 janvier au 31 janvier	1er février au 10 février	11 février au 19 février
Poissons 20 février 20 mars	20 février au 29 février	1er mars au 10 mars	11 mars au 20 mars

 Dynamisme, énergie, tels sont les qualificatifs qui décrivent le mieux votre signe. Entreprendre ne vous fait pas peur, et vous n'hésitez pas un instant à aller de l'avant dans mille et un projets. En fait, vous êtes infatigable.

Tout comme la nature qui se réveille après un long hiver dans votre signe, votre activité est débordante. Avec autant d'idées en tête et d'envie de bouger, il n'est pas étonnant de vous voir mettre plusieurs projets en marche simultanément. Toutefois, comme il est presque impossible de tout mener de front, vous ne pouvez tout réaliser et ce sont souvent les autres qui terminent votre travail ou en tirent profit.

Chez vous, les demi-mesures n'existent pas. Vous aimez ou vous détestez; c'est clair et net. Le mot compromis ne fait pas partie de votre vocabulaire. Vous n'avez pas un tempérament pour faire des courbettes aux gens qui vous irritent ou dont le comportement vous déplaît; votre franchise est parfois bien mal perçue et peut créer des froids ou des inimitiés. Mais ce n'est sûrement pas cela qui vous fera changer d'avis ou de façon d'être.

Homme ou femme d'action, seule l'inactivité parvient à vous perturber. N'avoir rien à faire ou devoir attendre vous met les nerfs à fleur de peau: vous trépignez, vous ne tenez pas à place, vous vous rongez les sangs en pensant à tout ce que vous pourriez faire au lieu d'attendre, et vous n'en pouvez plus. Non, la patience n'est pas votre fort.

Votre dynamisme et votre ardeur au travail font de vous un être sensationnel pour amorcer ou même initier les activités, et, dans les sprints de dernière minute, personne ne vous égale. Mais le revers de la médaille d'une telle énergie, c'est qu'elle n'est pas éternelle. Votre intérêt commence à s'émousser dès qu'une autre idée prend forme. Les travaux de longue haleine, les projets à long terme et les études poussées ne vous conviennent pas très bien. Pour vous, il n'y a que le changement qui soit un véritable défi.

Évidemment, le plan émotif n'est pas en reste. Encore une fois, il vous faut de l'action; vos sentiments ne sont pas mitigés, loin de là. Il n'est pas rare de vous voir piquer une crise terrible pour une bagatelle; heureusement, la rancune n'est pas un trait de votre caractère, et vous ne restez pas fâché longtemps. La personne à qui vous en vouliez tant peut devenir celle que vous aimez le plus en quelques minutes. Direct, franc, vous ne mâchez pas vos mots, notamment envers les gens qui tardent à se décider et qui hésitent. Ils vous mettent les nerfs en boule et vous ne vous gênez pas pour le leur faire savoir. Attendre, c'est déjà difficile, mais attendre à cause des autres, c'est carrément insupportable.

Avec un caractère aussi net, la petite vie de «pépère pantoufle», un travail routinier et le petit train-train quotidien ne sont décidément pas pour vous. Que l'on parle défis de taille, choses à accomplir, gens à convaincre, voilà qui vous plaît et vous passionne.

En amour, que vous soyez homme ou femme, c'est vous qui choisissez votre partenaire et plus l'entreprise vous semble difficile, plus la personne vous attire. Vous avez un tempérament ardent et entreprenant, et rien ne vous empêchera de défendre ceux que vous aimez, au risque de vous mettre vous-même en danger.

Quant à la colère, même si elle vous submerge facilement, avec vos fameux coups de tête, et qu'il ne faut pas vous prendre avec des pincettes dans ces moments-là, vous avez un cœur d'or et savez vous faire pardonner.

Comment se comporter avec un Bélier?

Le meilleur moyen de bien s'entendre avec un Bélier est de ne pas le contrarier. Puisqu'il a l'esprit de contradiction, il suffit de dire blanc pour qu'il dise noir. Donc, en se rangeant à son avis, on évite bien des problèmes. Il pourrait même piquer une de ses célèbres colères sous prétexte de défendre son point de vue; dans ce cas, attendre que l'orage soit passé est encore la meilleure attitude à adopter. Si vous tentez de le raisonner sur le coup, à force d'arguments logiques, vous ne ferez qu'attiser sa colère. Lorsque la tempête se sera apaisée, il sera temps de discuter.

N'oubliez pas que le Bélier est extrêmement actif. Alors ne tentez pas de lui demander de vous attendre toute une soirée, assis à ne rien faire. Rester tranquille, se reposer sont des choses qu'il ne peut faire.

Pour développer une relation agréable avec lui, il faut le stimuler, lui trouver des activités, l'appuyer dans tous ses projets... et ne pas se décourager s'il abandonne après avoir commencé.

En somme, il vous faudra de la patience pour deux, mais comme il a de l'énergie pour quatre, sinon plus, vous ne vous ennuyerez jamais.

Ses goûts

 Ses vêtements sont plutôt voyants et de couleur vive. Il porte de gros bijoux, et en grande quantité. Son intérieur est chargé, coloré, parfois hétéroclite aux yeux des autres, mais cela lui plaît; c'est le plus important, après tout!

Ses goûts le portent vers ce qui se voit, va vite ou fait du bruit. Il aime montrer ce qu'il possède et n'hésite pas à faire étalage de ses possessions en public.

Ce n'est pas un fin gastronome: on le voit plus souvent fréquenter les endroits de restauration rapide que les salles de nouvelle cuisine. Il mange rapidement, avale sans mastiquer. Si c'est lui qui prépare le repas, gare aux casseroles brûlées, car évidemment pour gagner du temps, il ne fera pas mijoter les petits plats à feu doux mais plutôt les fera cuire à gros bouillons.

Son potentiel

Comme il s'agit d'un être rempli d'énergie, débordant d'idées, il est toujours en train de commencer quelque chose. Par contre, quand il est question de fignoler, il préfère confier la finition à quelqu'un d'autre. Il n'a pas la patience pour remettre cent fois son ouvrage sur le métier.

Son raisonnement est surtout logique et pratique; ce n'est pas lui qui pourra disserter sur la philosophie taoïste. Très habile de ses mains, le Bélier fera des merveilles avec le métal, le feu, la soudure, le génie et la chirurgie. Il est aussi très doué pour la politique et ferait un excellent stratège militaire, dans le domaine de la défense. Son dynamisme et ses nombreuses idées lui permettent également d'ouvrir sa propre entreprise, mais comme il a du mal à penser à long terme, cela pourrait ne pas durer éternellement. Son caractère autoritaire en fait un chef naturel; il est donc bien placé pour commander... et déléguer.

Ses loisirs

Puisque c'est le dynamisme qui l'anime, le Bélier adore les activités qui lui permettent de se mesurer aux autres. Il sera donc naturellement attiré par les sports de compétition. Mais il y a tant de disciplines qui le fascinent qu'il aura bien des difficultés à s'en tenir à une seule, il en changera souvent. Dès qu'il maîtrise les rudiments d'une activité, qu'il sait comment elle fonctionne et qu'il s'est mesuré aux autres, cela l'intéresse moins et il s'envole pour aller voir ailleurs. Puisque c'est la rapidité qui l'intéresse, on le verra plus souvent au volant d'une formule 1 que derrière une table pour une partie d'échecs. On ne le verra pas non plus assis avec un livre, mais plus souvent en train de s'élancer d'une falaise en deltaplane. Puisqu'il est superactif et ne semble pas rebuté par le danger, au grand désespoir de ceux qui l'aiment, il optera pour la course automobile (il conduit vite «naturellement»), le saut en parachute, l'alpinisme ou le saut à l'élastique... Il n'est donc pas étonnant de le voir revenir couvert de plaies et de bosses, qui ne vont certes pas le ralentir! Si vous voulez le retenir à la maison pour la soirée, proposez-lui de visionner le plus récent film d'action et non un film philosophique japonais.

Sa décoration

Ça brille, ça attire le regard, alors c'est pour lui. Pour son décor, proposez-lui des objets aux couleurs franches, gaies, et même vives; par exemple, le rouge franc que les décorateurs hésitent à utiliser ne lui fait pas peur. Les teintes pastel et les nuances subtiles ne sont pas franchement pas à son goût; ça le déprime même. Il choisira son mobilier dans le style moderne ou contemporain. Il aime aussi les objets inusités, les meubles imposants, et les accessoires et bibelots en grand nombre. Chez lui, le décor est plutôt surchargé, et il n'hésite pas à le renouveler de fond en comble. Les souvenirs l'encombrent. Il ne faut donc pas s'étonner de trouver le vieux fauteuil de grand-père au fond du garage ou pire, dans la remise au bout de la cour. Bref, son décor lui ressemble. On aime ou on n'aime pas, mais une chose est sûre, il ne laisse personne indifférent.

Son budget

Puisque le Bélier démarre au quart de tour et agit souvent sur un coup de tête, il ne faut certes pas lui demander de faire preuve de prévoyance, pas même sur le plan financier. De

temps en temps, il décidera de faire un budget et d'économiser. Vous serez très étonné, car il le fera... durant quelques jours! Mais il est tellement sujet aux coups de foudre qu'il finit souvent par vider son compte en banque pour un objet qui attirera son attention dans un magasin, pour de nouveaux vêtements à la mode, pour des appareils qui lui feront gagner du temps... bref, il videra son portefeuille et n'hésitera pas longtemps à surcharger ses cartes de crédit. Et, bien entendu, il attendra de recevoir les «derniers rappels» avant de remettre de l'ordre dans ses affaires. Avec un tel comportement, on est toujours étonné de constater qu'il arrive à s'en sortir sans trop de problème.

Quel cadeau lui offrir?

Il n'est pas facile d'offrir un cadeau à une personne qui se procure elle-même tout ce qui lui tente et qui semble posséder tout ce qu'il lui faut. Le meilleur cadeau est donc celui qui le surprendra. Il adore les nouveautés. Soyez donc aux aguets pour dénicher des articles dernier cri, ceux qui viennent de sortir et qu'il n'a pas encore vus. Vous pouvez aussi orienter votre choix sur le modèle «revu et amélioré». Un vêtement dernier cri, un gros bijou, un accessoire énorme, et bien sûr tout cela dans les couleurs les plus vives, le ravira. N'essayez pas de lui offrir un casse-tête ou un jeu d'échecs; allez-y plutôt avec le plus récent jeu vidéo, mais pas un jeu d'énigmes à résoudre. Il appréciera plus une course de formule 1. Il aime que ça aille vite, que ça fasse du bruit et que ça se voie. N'oubliez jamais que c'est un être impatient. S'il lui faut commander un article et attendre de 4 à 8 semaines avant de le recevoir, il ne tiendra pas en place; faites-lui la surprise, commandez-le pour lui.

Les enfants Bélier

Les enfants Bélier marchent et parlent souvent plus tôt que les autres enfants du même âge. Ils courent, bougent, sautent, grimpent, rien ne les effraie; ils sont même un peu casse-cou. Ils ont peu conscience du danger, ne regardent pas souvent où ils posent leurs pieds et, pour cela, sont les champions des accidents. Leurs parents doivent se montrer très vigilants avec eux. Attention aussi aux allumettes: ils adorent jouer avec le feu. Ils sont étourdissants et, avec eux, il faut avoir des yeux tout autour de la tête pour les surveiller. Ce sont aussi des chefs de bande qui aiment commander et prendre des initiatives. Colériques, batailleurs et parfois hyperactifs, il faut leur offrir des activités qui leur permettront de dépenser leur surplus d'énergie. En classe, le jeune Bélier, qui a un esprit vif, sera porté à s'intéresser à tout. Il faudra donc redoubler d'efforts pour capter et conserver son intérêt sur un seul sujet à la fois. Autant à l'école qu'à la maison, il faut l'encourager à terminer ce qu'il entreprend, lui inculquer la patience et la détermination, deux qualités qu'il n'a pas naturellement, mais qui lui permettront d'aller très loin s'il sait les utiliser.

L'ado Bélier

L'élément qui régit ton signe est le feu ce qui te donne une énergie puissante, le goût d'entreprendre, de bouger. On remarque souvent ton enthousiasme, tes idées du tonnerre, ton courage et même souvent ta témérité. Ton entourage te reproche de ne pas réfléchir, d'aller trop vite, de commencer mille et une choses sans rien terminer, tout simplement parce que tu aimes expérimenter, essayer, relever de nouveaux défis et ne pas t'attarder sur ce qui prend trop de temps. Tu n'aimes pas la routine, le train-train, mais avoue aussi que ce qui te demande des efforts ne te plaît guère non plus. Tu as tendance à te démotiver et à t'ennuyer rapidement; il te faut toujours du nouveau.

Tu aimes les sports qui te permetent de bouger, de démontrer ta force et ton endurance. Tu as besoin de te défouler, de te dépenser physiquement, car tu es rempli d'énergie. Mais tu fais tout très rapidement, même manger. Tu avales trop vite et n'importe quoi. N'oublie pas que tu es en pleine croissance et qu'il te faut de bons aliments sains pour renouveler toute l'énergie que tu dépenses sans compter. Méfie-toi aussi des accidents, car tu agis souvent sans réfléchir, et cela peut te causer des problèmes.

Ta spontanéité et ta franchise sont de belles qualités, mais il faut savoir les utiliser avec discernement. Tu ne mâches pas tes mots lorsque tu as quelque chose à dire, et parfois cela blesse tes proches. Pourtant, ta sincérité est aussi très appréciée par tes amis.

Tes études

Tu aimes que ça bouge; il te faut donc trouver des projets à court terme qui te permettront de franchir les étapes avec rapidité. Tu seras fier de tout lorsque tu les réussiras. Par contre, tu

as tendance à te décourager lorsque tu es confronté à des travaux à long terme; tu as l'impression de piétiner et tu voudrais rapidement faire autre chose. Pour tes études, il faudra trouver un programme court qui débouche rapidement sur un emploi concret, rapidement accessible. Ne te lance pas dans de longues années d'études; tu ne le supporterais pas.

Ton orientation

 Un métier où il y a du nouveau, où ça bouge te conviendra parfaitement. Les métiers qui demandent des idées et un esprit vif t'attireront, que ce soit la vente, la publicité, le marketing, les affaires, la mécanique, la justice, les forces policières, les soins dentaires, le journalisme, les emplois où on travaille le métal ou avec le feu, bref tout ce qui demande de l'initiative et un esprit d'entreprise te passionnera. Tu pourrais même avoir l'idée de créer ta propre entreprise et d'être ton propre patron. Tu es un chef-né.

Tes rapports avec les autres

Puisque tu ne restes jamais en place, tu rencontreras beaucoup de gens et connaîtras beaucoup de personnes; c'est ce que tu recherches. Tu aimes confronter tes idées à celles des autres, mais tu cherches toujours à avoir le dernier mot. En fait tu n'es pas très réceptif aux idées des gens; ce que tu aimes surtout, c'est la compétition. Tu as beaucoup d'amis, mais tu en changes souvent. Dans ton groupe, tu chercheras toujours à diriger. Tu seras un meneur. Cela t'exposera aussi à des conflits de personnalité, et tu pourrais perdre de très bons amis.

Ils sont  eux aussi

Rosie O'Donnel, Elton John, Aretha Franklin, Janette Bertrand, Diana Ross, Charles Dumont, Roch Voisine, Richard et Marie-Claire Séguin, Warren Beatty, Céline Dion, Marlon Brando, Marie Denise Pelletier, Eddie Murphy, René Homier-Roy, Jacques Brel, Jean-Paul Belmondo, Jacques Villeneuve, Donald Pilon, Robert Toupin, Francine Grimaldi, Francine Ruel, Francis Reddy, Charlie Chaplin, Michèle Richard, David Lahaie, Alain Choquette, Mariah Carey, France D'Amour.

Pensée positive pour le Bélier

Je reçois les cadeaux de la vie avec reconnaissance et je les partage dans la joie. Plus je donne et plus je reçois.

Pensée positive spéciale pour 2002

Je prends le temps de définir mes priorités et je me dirige avec conviction vers mon but.

Le subconscient nous dirige toujours selon nos pensées. En répétant le plus souvent possible ces pensées conçues tout spécialement pour vous, vous vous attirerez plein de belles choses.

Signe: Bélier

Élément: Feu

Catégorie: Cardinal

Symbole: ♈

Points sensibles: Dents, vertèbres cervicales, fièvres, blessures et accidents, à la tête, notamment.

Planète maîtresse: Mars, planète de l'énergie.

Pierres précieuses: Sanguine, rubis, diamant.

Couleurs: Rouge, orange, jaune; les teintes vives.

Fleurs: Tulipe, marguerite, œillet.

Chiffres chanceux: 4-7-13-16-20-24-31-36.

Qualités: Énergique, actif, dynamique, entreprenant, courageux.

Défauts: Imprudent, égocentrique, pas assez tenace.

Ce qu'il pense en lui-même: Je n'ai pas de temps à perdre...

Ce que les autres disent de lui: Quelle bombe d'énergie... Impossible de le suivre!

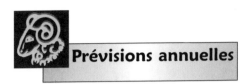

Prévisions annuelles

Si, en 2002, Saturne vous incite à la sagesse, Jupiter augmente par ailleurs votre impulsivité. C'est donc dire que vous serez souvent tiraillé entre une action réfléchie et un de vos fameux coups de tête. Optez pour la circonspection et vous ne serez pas déçu; en voulant aller trop vite en affaires, vous risquez de vous mettre les pieds dans les plats. L'année s'annonce animée, ce qui est excellent pour vous, qui détestez les temps morts. Malgré tout, ne vous laissez pas étourdir par le tourbillon des événements, gardez les deux pieds sur terre.

Santé Le mauvais aspect de Jupiter dans votre signe vous prédispose aux excès de toutes sortes; cette configuration planétaire vous fait croire que vous êtes invincible. Attention donc à la gourmandise; ne prenez pas non plus de risques inutiles et tâchez de ne pas vous mettre à plat en abusant de vos forces. Si vous avez des ennuis, les cinq derniers mois pourraient vous permettre de remonter la pente pour peu que vous fournissiez quelques efforts. Moralement, vous êtes d'attaque et vous devriez conserver vos belles dispositions tout au long de l'année.

Sentiments Voici une période en or pour vous rapprocher des êtres compatibles qui partagent votre vie. Toutefois, vous n'aurez plus de patience pour les parasites ni pour ceux qui font obstacle à votre bonheur. Bref, une année de grandes décisions durant laquelle vous approfondirez les liens avec ceux qui en valent le coup, et vous mettrez à la porte une fois pour toutes ceux qui vous nuisent. Entre le 1er août et le 31 décembre, vous traverserez un cycle d'extraordinaire popularité; plein de beau monde s'en vient… et même l'amour pour les solitaires!

Affaires Rappelons-le, vous avez tout intérêt à éviter les gestes irréfléchis. Pensez-y deux fois avant de vous lancer dans une aventure qui pourrait vous laisser un goût amer; ne vendez pas la peau de l'ours avant de l'avoir tué et ne croyez pas non plus tout ce qu'on vous dira. Mauvaise année pour vous insurger contre l'autorité ou défier la loi. D'un autre côté, si vous misez sur des valeurs sûres, vous vous en féliciterez. Quelques ajustements seront probablement nécessaires au travail, mais, croyez-moi, votre souplesse et votre coopération seront grandement appréciées, voire récompensées plus tard cette année. Retour de la chance à partir du 1er août, même dans les loteries.

Bélier

Janvier						
D	**L**	**M**	**M**	**J**	**V**	**S**
		1 F	2 F	3	4	5
6	7	8	9 F	10 F	11 F	12 D
13●D	14	15	16	17	18	19
20	21	22	23	24	25	26
27 D	28○D	29 F	30 F	31		

○ Pleine lune F Jour favorable
● Nouvelle lune D Jour défavorable

Santé

J usqu'au 19, vous vous sentirez plutôt indolent. Par contre vous conserverez un bon moral et votre intuition sera aiguisée. Par la suite, l'arrivée de Mars dans votre signe vous conférera un regain d'énergie, mais risque de vous valoir une blessure si vous n'êtes pas sur vos gardes. Durant cette même période, évitez les excès, car votre santé ou votre silhouette pourraient en pâtir.

Sentiments

D urant les trois premières semaines, il vaudrait mieux être prudent pour ne pas provoquer une dispute avec un membre de votre entourage. Vous aurez l'impression qu'on se désintéresse de vous, ce qui vous rendra taciturne. Le reste du mois s'annonce nettement plus joyeux: on vous traitera avec gentillesse et votre vie sociale deviendra plus excitante.

Affaires

L es choses vont un peu trop lentement à votre goût, ce qui vous irrite royalement. Toutefois, ce n'est pas en agissant de façon impulsive ou en vous rebiffant que vous améliorerez votre sort, loin de là. Profitez-en plutôt pour faire le point, pour mettre de l'ordre dans vos idées et pour commencer à planifier. Bientôt, vous pourrez passer à l'action.

Février						
D	L	M	M	J	V	S
					1	2
3	4	5	6 F	7 F	8 D	9 D
10 D	11	12●	13	14	15	16
17	18	19	20	21	22	23 D
24 D	25 F	26 F	27○	28		

○ Pleine lune   F   Jour favorable
● Nouvelle lune   D   Jour défavorable

Santé

La planète Mars se trouve toujours dans votre signe. Pas étonnant que vous ayez de l'énergie à revendre. Cette configuration, rappelons-le, prédispose également aux accidents. Si vous demeurez attentif et si vous prenez vos précautions, rien de fâcheux ne devrait vous arriver. Un brin d'anxiété vous dérange durant la première quinzaine, mais vous retrouverez votre aplomb par la suite.

Sentiments

Jusqu'au 12 des aspects favorables de Vénus, de Neptune et d'Uranus devraient vous valoir beaucoup de succès sur le plan affectif. Des amitiés emballantes, des invitations et des sorties à profusion ainsi qu'un rapprochement ou une rencontre amoureuse ensoleilleront cette période. Le reste du mois sera peut-être moins trépidant, mais placé sous le thème de la douceur et de la tendresse.

Affaires

Vous êtes ultra-dynamique, mais il semble que vous ayez du mal à canaliser vos actions. Il est vrai que le timing ne joue pas toujours en votre faveur. Un bon moyen d'en venir à bout: demeurez centré sur vos objectifs et tâchez de ne pas vous disperser. Gardez-vous des sous de côté, car une dépense imprévue risque de vous tomber dessus.

Mars						
D	**L**	**M**	**M**	**J**	**V**	**S**
					1	2
3	4	5 F	6 F	7 D	8 D	9 D
10	11	12	13	14●	15	16
17	18	19	20	21	22	23 D
24 D	25 F	26 F	27	28○	29	30
31						

○ Pleine lune   F   Jour favorable
● Nouvelle lune   D   Jour défavorable

Santé

Dès le 2, vous serez libéré de l'influence parfois oppressante de Mars, vous pourrez donc évoluer en toute quiétude. Ceux qui ont eu des ennuis entrent dans une phase de rapide récupération. Ajoutons que vous serez en beauté, que vous retrouverez un éclat et un charisme que vous n'aviez plus depuis quelques semaines. Excellent mois pour vous prendre en main.

Sentiments

Du 8 au 31, Vénus visitera votre signe: c'est un gage de bonheur peu commun. Les solitaires pourraient avoir le coup de foudre pour une personne fascinante tandis que ceux qui sont en couple retomberont littéralement amoureux de leur partenaire. Des semaines exquises également sur le plan de l'amitié et de la vie sociale.

Affaires

Voici que tout va plus rondement. Les obstacles disparaissent, vous frappez enfin à la bonne porte, bref, vous vous rapprochez de votre but. Une idée géniale pourrait vous rapporter gros. Au fait, vos finances aussi deviennent plus encourageantes, mais saurez-vous résister à cette acquisition qui vous tente depuis quelque temps?

			Avril			
D	**L**	**M**	**M**	**J**	**V**	**S**
	1	2 F	3 F	4 D	5 D	6
7	8	9	10	11	12	13●
14	15	16	17	18	19 D	20 D
21 F	22 F	23	24	25	26○	27
28	29 F	30 F				

○ Pleine lune   F Jour favorable
● Nouvelle lune   D Jour défavorable

Santé

Décidément, ça va de mieux en mieux. Vous êtes tellement stimulé que parfois votre entourage a du mal à vous suivre. C'est vrai que pendant la première quinzaine vous avez tendance à être survolté, que vous avez peine à vous détendre, mais dans le fond vous vous sentez plutôt bien. Le reste du mois, vous serez plus calme et plus «recentré».

Sentiments

La plus belle période se situe assurément entre le 14 et le 30. Vous aurez l'occasion de voir beaucoup de nouveau monde, votre communication avec vos proches s'améliorera sensiblement et vous pourriez enfin trouver la solution à un problème qui s'était installé entre vous et quelqu'un que vous aimez bien. Une surprise agréable vous attend durant la dernière semaine.

Affaires

Les activités se succèdent à un rythme effréné, mais vous arrivez toujours à faire face à la musique. Un changement dont vous rêviez depuis longtemps pourrait prendre forme entre le 15 avril et le 28 mai. Bonne période également pour les déplacements de plaisance ou d'affaires. Les commerçants et tous ceux qui sont en contact avec le public vivront un cycle particulièrement faste.

Mai						
D	**L**	**M**	**M**	**J**	**V**	**S**
			1 D	2 D	3 D	4
5	6	7	8	9	10	11
12●	13	14	15	16 D	17 D	18 F
19 F	20	21	22	23	24	25
26○	27 F	28 F	29 D	30 D	31	

○ Pleine lune et éclipse lunaire de pénombre   F   Jour favorable
● Nouvelle lune   D   Jour défavorable

Santé

La majorité des planètes vous avantagent en ce mois. Le moment serait parfait pour soigner vos petits bobos, pour prendre de bonnes résolutions, pour vous refaire une beauté, pour débuter un programme d'exercices ou un régime bref, pour travailler activement pour votre mieux-être. Vous allez si bien qu'on dirait que vous avez 10 ans de moins!

Sentiments

Avec une telle conjoncture, vous avez tout ce qu'il faut pour être heureux. Une sortie transforme la vie des solitaires alors que les autres se rapprochent de leur douce moitié. En société, ça promet d'être électrisant, partout où vous passerez, vous ferez des ravages. Un enfant vous confie une excellente nouvelle ou fait un geste dont vous pouvez être très fier.

Affaires

Voici un mois en or, c'est le cas de le dire, pour faire des démarches, pour vous trouver du boulot ou pour effectuer certains changements. Des heures supplémentaires, un surcroît de besogne, un nouveau contrat ou carrément un deuxième emploi apportent de l'eau au moulin. Rappelons-le, les déplacements sont toujours favorisés. Vous cherchez une nouvelle demeure? Vous pourriez bien trouver quelque chose à votre goût.

Juin

D	L	M	M	J	V	S
						1
2	3	4	5	6	7	8
9	10●	11	12 D	13 D	14 F	15 F
16 F	17	18	19	20	21	22
23 F	24○F	25D	26D	27	28	29
30						

○ Pleine lune et éclipse lunaire de pénombre   F   Jour favorable

● Nouvelle lune et éclipse solaire annulaire   D   Jour défavorable

Santé

Les éclipses, le carré de Mars et Jupiter dans votre signe alourdissent passablement le climat de ce mois. Ne tenez pas votre bien-être pour acquis; en effet, le moment serait bien mal choisi pour commettre des abus ou pour courir des risques. Si vous n'y prenez garde, une défaillance ou une blessure risque de vous ralentir. Je compte donc sur vous pour demeurer sur le qui-vive.

Sentiments

Ici non plus, les astres ne jouent pas vraiment en votre faveur. N'essayez pas d'imposer votre point de vue, on ne le prendrait pas. Un membre de votre famille éprouve des difficultés, ce qui vous affecte par ricochet. Entre le 15 et le 30, une bonne nouvelle ou un cadeau viendra vous dérider.

Affaires

Inutile de vous emporter, ça ne ferait qu'envenimer la situation. Même si l'on se montre injuste ou trop exigeant envers vous, vous avez tout intérêt à prendre votre mal en patience. De toute façon, dès le milieu du mois prochain, vous commencerez à voir poindre la lumière au bout du tunnel. Mieux encore, vous pourriez sortir vainqueur d'une impasse que vous croyez actuellement sans issue. En attendant, attention aux coups de tête avec votre argent!

Bélier

			Juillet			
D	**L**	**M**	**M**	**J**	**V**	**S**
	1	2	3	4	5	6
7	8	9	10●D	11 D	12 F	13 F
14	15	16	17	18	19	20 F
21 F	22 D	23 D	24○D	25	26	27
28	29	30	31			

○ Pleine lune   F Jour favorable
● Nouvelle lune   D Jour défavorable

Santé

Bien qu'il n'y ait pas d'éclipse ce mois-ci, vous demeurez soumis à la quadrature de Mars jusqu'au 14; restez donc sur vos gardes et faites attention à vous. Le reste du mois s'annonce beaucoup plus favorable; vous remonterez rapidement la pente et vous retrouverez également le sourire.

Sentiments

Si le mois commence de façon plutôt orageuse, l'atmosphère devrait changer en cours de route. La seconde quinzaine s'annonce même très réjouissante; vous pourrez régler un différend qui vous opposait à un être cher, vous vous ferez de nouveaux amis ou vous renouerez avec d'anciens copains. Les soucis d'ordre familial s'estompent.

Affaires

Ici également, le mois se divise en deux périodes très distinctes. D'ici le 15, vous aurez l'impression de patauger, de n'essuyer que frustrations et retards; après, le vent tournera. En effet, les choses se mettront alors à débloquer, vous vous rapprocherez de votre but. Une fois la poussière retombée, vous pourrez bondir vers de nouveaux sommets.

Août						
D	**L**	**M**	**M**	**J**	**V**	**S**
				1	2	3
4	5	6 D	7 D	8●F	9 F	10
11	12	13	14	15	16 F	17 F
18 F	19 D	20 D	21	22○	23	24
25	26	27	28	29	30	31

○ Pleine lune	F Jour favorable
● Nouvelle lune	D Jour défavorable

Santé

V ous êtes bel et bien sorti de votre période noire, et voici que les astres vous favorisent grandement. Bon mois pour vous ressaisir, pour vous reprendre en main et pour régler définitivement tout ce qui accrochait. Du 6 au 27, vous manquerez parfois de motivation pour le faire, mais, croyez-moi, l'effort en vaut le coup!

Sentiments

A vec Jupiter et Mars dans votre cinquième secteur, vous avez le charisme d'une grande vedette. Voilà plus qu'il n'en faut pour séduire la personne de vos rêves ou pour reconquérir votre chéri(e). On réclame votre présence partout à la fois, votre agenda est joliment rempli. Partout où vous irez, non seulement vous amuserez-vous, mais en plus vous ferez une impression du tonnerre.

Affaires

E nfin, voici que le vent tourne. La chance, qui vous avait boudé depuis plusieurs mois, se remet à vous sourire, même dans les jeux de hasard. Une proposition alléchante, un nouvel emploi à la hauteur de vos aspirations, une augmentation de salaire, un poste permanent ou une promotion sont autant de possibilités en ce mois. Un vieux problème se règle finalement.

Septembre						
D	**L**	**M**	**M**	**J**	**V**	**S**
1	2 D	3 D	4 D	5 F	6●F	7
8	9	10	11	12	13 F	14 F
15 D	16 D	17	18	19	20	21○
22	23	24	25	26	27	28
29	30 D					

○ Pleine lune   F Jour favorable
● Nouvelle lune   D Jour défavorable

Santé

L'opposition de Mercure à votre signe vous rend plus vulnérable. Rien de très grave, si ce n'est que vous vous tourmentez avec des riens et que vous êtes un brin plus enclin aux faux mouvements, au rhume et aux troubles digestifs. Du repos ainsi qu'une saine hygiène de vie en viendront à bout. Vous êtes bien indécis, suivez plutôt votre première idée.

Sentiments

Votre charisme n'a pas du tout faibli, mais on dirait que vous restez plus à l'écart. Vous vous montrez sélectif et vous ne laissez pas n'importe qui vous approcher. Votre conjoint ou un enfant éprouve quelques ennuis; en discuter avec vous l'aide à trouver une solution. Bon mois pour mettre les choses au clair avec un frère ou une sœur.

Affaires

Après l'effervescence du mois dernier, celui-ci s'annonce un tantinet plus routinier. Rassurez-vous, il n'y a rien de vilain à l'horizon; au contraire, vous continuez à gravir des échelons. Une réponse que vous attendez risque de vous parvenir en retard, mais n'ayez crainte, les nouvelles seront bonnes. Quelques chances dans les loteries durant la première semaine.

Octobre

D	L	M	M	J	V	S
		1 D	2 F	3 F	4	5
6●	7	8	9	10 F	11 F	12 D
13 D	14 D	15	16	17	18	19
20	21○	22	23	24	25	26
27 D	28 D	29 F	30 F	31 F		

○ Pleine lune   F   Jour favorable
● Nouvelle lune   D   Jour défavorable

Santé

Au cas où la protection de Jupiter ne suffirait pas à vous protéger de l'opposition de Mercure et Mars, prenez donc quelques précautions supplémentaires. Ceci vous gardera à l'abri tant d'un accident que d'un malaise. Vous avez du mal à contrôler votre stress, sans doute qu'un peu de relaxation vous ferait le plus grand bien.

Sentiments

Vos proches ne partagent pas toujours vos opinions. Cependant, si vous usez de douceur et si vous gardez votre calme, vous finirez très certainement par vous entendre avec eux. Inutile de revenir sur le passé, ça ne vous vaudra que des problèmes. Une personne dont vous aviez perdu la trace vous donne enfin de ses nouvelles… mais tenez-vous vraiment à renouer avec elle?

Affaires

Au cours de la première quinzaine, les événements seront plutôt positifs, bien que les choses n'iront pas assez vite à votre goût. Par la suite, vous auriez intérêt à mettre des gants blancs pour ne pas froisser un client, un collègue ou votre patron. Essayez de suivre le courant sans résister et dites-vous que bientôt votre marge de manœuvre sera bien plus grande.

Novembre						
D	**L**	**M**	**M**	**J**	**V**	**S**
					1	2
3	4●	5	6	7 F	8 F	9 D
10 D	11	12	13	14	15	16
17	18	19○	20	21	22	23 D
24 D	25 D	26 F	27 F	28	29	30

○ Pleine lune et éclipse lunaire de pénombre F Jour favorable
● Nouvelle lune D Jour défavorable

Santé

Mercure cesse de s'opposer à votre signe, par conséquent, vous devriez commencer à retrouver votre calme; après le 19, vous aurez même un moral à toute épreuve. Par contre, Mars est toujours dans le décor et vous devez continuer à vous prémunir contre les blessures, les infections et les malaises de toutes sortes.

Sentiments

Votre sensualité se réveille, au grand bonheur de votre conjoint. On peut vous annoncer un mois sous le thème de la tendresse et du romantisme, c'est sans doute pour cette raison que vous avez moins envie de quitter votre petit nid. Une situation embrouillée concernant un membre de votre entourage immédiat se dénoue à partir du 20.

Affaires

Bien que ce ne soit pas encore parfait, les tensions commencent à se relâcher et vous avancez plus librement. Entre le 19 et le 30, un changement soudain ou une réponse positive à une démarche vous remplit de joie. Les anciens conflits continuent à se régler, le fardeau est bien moins lourd sur vos épaules. Petites chances au jeu durant la seconde quinzaine.

Décembre						
D	**L**	**M**	**M**	**J**	**V**	**S**
1	2	3	4●F	5 F	6 D	7 D
8	9	10	11	12	13	14
15	16	17	18	19○	20 D	21 D
22 D	23 F	24 F	25	26	27	28
29	30	31 F				

○ Pleine lune	F Jour favorable
● Nouvelle lune et éclipse solaire totale	D Jour défavorable

Santé

Dès le 2, vous serez débarrassé de l'opposition de Mars. Vous pourrez donc avancer sans avoir à redouter constamment les pépins. Moralement, la première semaine s'annonce fantastique; par la suite, vous ressentirez quelque peu les effets de l'éclipse, ce qui pourrait se traduire par quelques moments de nervosité ou un vague sentiment d'insécurité.

Sentiments

Vous vous montrez parfois bien intransigeant. Il est vrai que vous n'aimez pas les demi-mesures, mais parfois il faut donner une chance au coureur. Cessez de chercher la bête noire, concentrez plutôt votre attention sur tous les efforts que l'on déploie pour vous faire plaisir. Un membre de la famille cherche à vous marcher sur les pieds, tant pis pour lui, vous le remettrez à sa place en un rien de temps.

Affaires

Vous entrez dans un cycle de transformation. De nouveaux défis s'offrent à vous; on pourrait également vous proposer des activités qui sortent de votre champ d'action habituel. Une démarche laborieuse finit par donner des résultats positifs. Au jeu, vous pourriez décrocher un petit prix. Bon mois pour les déplacements de tous les types.

TAUREAU
Du 21 avril au 20 mai

Quand on parle des taureaux, on pense bien souvent à ceux qui hantent les arènes d'Espagne, des animaux vifs et combatifs. Décidément, ils ont peu de choses en commun avec vous, qui êtes un être lent et tranquille. En fait de taureau, vous ressembleriez plutôt à cette bonne vache de campagne qui broute paisiblement, sans se compliquer l'existence.

Amoureux de la nature, de la campagne, de la verdure, vous trouvez le moyen d'avoir une boîte à fleurs ou un jardinet même au cœur de la ville. Il vous faut absolument un espace vert pour égayer votre paysage.

Ce qui frappe au premier abord, lorsqu'on vous rencontre, c'est votre fidélité et votre stabilité. Vous n'êtes pas du genre à déménager tous les ans et à vous faire de nouveaux amis toutes les semaines. Votre domicile, vos biens, vos amis, vous y tenez et vous les gardez précieusement. Le temps qui passe n'émousse pas vos sentiments: au contraire, il les renforce. Pour vous, vos petites habitudes, vos vieilles pantoufles, vos vieux amis et vos bons voisins sont très importants, et vous n'êtes pas prêt à tout chambarder. En amour, c'est la même chose. Vous ne recherchez pas la passion dévorante mais plutôt un attachement, une grande amitié et une forte complicité avec l'élu de votre coeur. Vous vous montrez dévoué et sincère, mais vous avez aussi le souvenir tenace et la mémoire longue. Vous n'acceptez ni le mensonge ni la tromperie, et s'il arrivait que vous subissiez ces outrages, vous vous en souviendriez longtemps. D'ailleurs, votre mémoire est remarquable.

Vous savez retrouver la moindre de vos petites choses: les papiers, les petits cadeaux que les enfants vous ont fait trois ans plus tôt, ce que votre patron vous a dit au téléphone le mois précédent. Peu importe ce dont il s'agit, vous oubliez fort peu de choses.

Les mauvaises langues se moqueront de cette faculté en disant que vous avez un esprit lent, que vous mettez du temps à comprendre les explications ou les raisonnements et que, pour cette raison, vous apprenez tout par cœur. Laissez-les parler! Chez vous, il n'y a pas de place pour la désorganisation: tout est classé, rien ne se perd. Vous êtes méthodique, responsable et déterminé... un peu têtu, parfois! L'important, c'est d'arriver au but, pas à pas, lentement mais sûrement. Vous connaîtrez parfois des retards, des délais parce qu'il vous faudra surmonter des obstacles; mais en prenant votre temps, vous réussissez à éviter l'échec.

Ce dont vous avez une sainte horreur, c'est d'être poussé dans le dos. Vous ne fonctionnez bien qu'en allant à votre propre rythme. Les délais trop courts et les situations urgentes vous déplaisent; vous connaissez vos capacités et vos limites, et vous savez que travailler dans l'urgence vous empêche d'exprimer votre talent à pleine capacité.

En fait, vous détestez les changements trop radicaux. Que ce soit au boulot ou à la maison, qu'il s'agisse d'implanter un système informatique, d'être muté dans le quartier voisin, de changer de couvre-lit ou de déménager, tout cela crée un petit sentiment de panique en vous. Pourtant, une fois habitué à votre nouvelle réalité (ça prend un petit bout de temps), vous reconnaîtrez que ce changement en a valu la peine. Mais sur le coup, vous ne trouvez pas ça drôle ni attrayant.

Vous avancez lentement mais sûrement, ce qui vous permet d'atteindre votre but, même si c'est parfois long. Vous avez une patience d'ange, mais puisque vous vous montrer craintif, vos peurs peuvent vous empêcher d'agir ou minent votre moral.

Ce n'est pas parce que vous prenez tout votre temps que vous n'appréciez pas les plaisirs de la vie, au contraire. Vous avez un faible pour la bonne chère, les vins capiteux, les belles choses. Sérieux et prévoyant, vous savez exactement ce qu'il faut faire pour vous les procurer. Comme vous souffrez d'insécurité, vous savez aussi prévoir les coups dures et vous ménagez des portes de sortie. Vous êtes rarement pris au dépourvu et vous savez faire de petites économies pour les jours plus difficiles.

Vous êtes une personne terre à terre qui attache une certaine importance à l'univers matériel. Cet aspect de la vie n'est pas sans vous causer quelques inquiétudes qui font sourire vos proches. Petit à petit, vous faites votre nid, et vous parvenez sans grand sacrifice à vivre avec une certaine aisance. Et évidemment, c'est là que les cigales qui ont chanté tout l'été viennent voir le Taureau, qui a su se faire fourmi.

Comment se comporter avec un Taureau?

Le Taureau possède un esprit très cartésien. Avec lui, un plus un, ça fait toujours deux. Il refuse les généralités, les on-dit ou les «je pense bien», les «peut-être que»; lorsque vous discutez avec un

Taureau il vaut mieux être sûr de ce que vous dites. Oubliez aussi les théories métaphysiques vaseuses. Il comprend mieux ce qu'il voit que ce qu'il entend. Donc, si vous le pouvez, prouvez vos assertions par A+B, et autant que possible par écrit.

Ne tentez pas de l'entraîner dans des projets à peine ébauchés ou fantaisistes. De toute façon, il sera incapable de prendre une décision sur-le-champ; il lui faudra peser le pour et le compte et il s'assurera d'avoir tout bien compris avant de se décider. Il doit y penser et se faire à une idée, ce qui, vous le constaterez, peut demander un temps fou. De bonnes occasions lui passent ainsi sous le nez, mais il ne s'en formalise pas.

Le Taureau est quelqu'un de méthodique qui ne peut pas partir sur les chapeaux de roue. Ce sera à vous de l'encourager et de l'aider à se lancer. Mais une fois parti, vous verrez qu'il ira loin. Il appréciera votre aide, mais surtout pas qu'on le pousse dans le dos. S'il se sent pressé et obligé d'agir à la hâte, il refusera tout simplement d'avancer.

Vos relations avec un Taureau seront harmonieuses si vous évitez tout conflit. N'oubliez pas qu'il possède une mémoire phénoménale et qu'il n'oublie jamais rien, que ce soit le bien ou le mal qu'on lui a fait. En respectant son besoin essentiel de calme et de sécurité, vous développerez une bonne relation avec lui

Si vous voulez qu'il vous suive dans une activité qui vous plaît mais qui n'est pas forcément de son goût, essayez le «donnant-donnant» avec lui; normalement, ça marche toujours très bien avec un Taureau. Après tout, un plus un, ça fait deux.

Ses goûts

On l'a vu, le Taureau adore la campagne et la nature. S'il n'y habite pas, il la recréera chez lui avec des plantes, des meubles anciens ou rustiques. Être propriétaire de sa maison est une autre de ses priorités. Il aime porter des vêtements sobres et classiques. Ce n'est décidément pas quelqu'un qui suit la mode de près; il préfère garder ses vêtements longtemps.

À table, le Taureau fait honneur à la bonne chère. N'hésitez pas à lui servir des portions généreuses. Les plats en sauce, les salades et les produits laitiers lui plaisent davantage. Il savoure, il déguste; cela fait plaisir à voir. Par contre, il a tendance à abuser et à manger trop.

Son potentiel

Pas à pas, le Taureau va son petit bonhomme de chemin, avec détermination et sans se laisser arrêter par quoi que ce soit. Il n'est pas un être vif et il réagit mal sous la pression et les urgences. Le court terme, ce n'est pas dans ses cordes. Mais dans les projets à longue échéance, il se révèle fantastique. Il ne prend pas de risques, mais il ne commet pas d'erreurs.

On l'a dit, le Taureau est matérialiste. Pour cette raison, il est imbattable dans les métiers de gestion, d'administration, de la construction, de l'ébénisterie et de l'immobilier. Il réussira également bien dans l'artisanat, l'esthétique, la coiffure, l'alimentation et la restauration. Il a beau être craintif, il ne perd pas de vue ses intérêts personnels. Avec un dollar, il est capable d'en faire 10.

Ses loisirs

C'est un être terre à terre. Il préférera donc les loisirs paisibles et rentables: il peut s'occuper en bricolant ou en réparant un objet utile. Vous voulez lui faire plaisir, alors proposer lui de réparer le robinet qui coule, de construire une terrasse ou de coudre des rideaux pour la chambre d'amis plutôt que de l'emmener danser. Et imaginez les économies ainsi réalisées; lui, il y a déjà pensé! C'est une personne très habile de ses mains pour construire, pour fabriquer; il n'est peut-être pas rapide, mais ce qu'il fait est bien fait, et c'est du solide! Au jardin aussi, il connaît la réussite. Le Taureau aime la nature et a le pouce vert.

Les jours de pluie, le Taureau aime jouer à des jeux de société où son sens de la stratégie et son intelligence seront mis au défi. Il apprécie les jeux de cartes, le bridge et les échecs, où il se révèle un excellent stratège. De tels loisirs lui permettent de mettre sa timidité de côté pour socialiser avec des partenaires de jeu.

À la cuisine, homme ou femme, le Taureau consacrera des heures à mijoter des petits plats que vous n'oublierez pas de sitôt. Pour lui, cuisiner est un véritable plaisir, et même un art.

Le natif du Taureau a de nombreux talents dans différents domaines: artisanat, poterie, céramique. Bref, il sait produire de ses propres mains. Comme le signe du Taureau correspond à la gorge, beaucoup d'entre eux chantent et ont une très belle voix.

Paradoxe de sa nature, au cinéma ou en lecture, il préfère des œuvres d'aventures ou de comédie, malgré sa personnalité pantouflarde. Peut-être préfère-t-il vivre la grande aventure à travers des personnages de fiction?

Sa décoration

Le Taureau aime être à l'aise dans son environnement. Il dispose d'un intérieur très confortable: de gros fauteuils moelleux, des meubles solides et, bien souvent, une table de salle à manger de grandes dimensions (il aime tant manger). En tant qu'amoureux de la campagne, le Taureau optera souvent pour un mobilier rustique.

En général, il s'entoure d'objets anciens, mais sans pour cela sacrifier son confort; une belle armoire ancienne lui conviendra, mais une chaise qui branle, ce n'est guère pour lui.

Signe de terre, le Taureau est très attaché aux possessions matérielles; il préfère avoir sa propre maison, qu'il considère comme un bon investissement. Il la choisira solide, agréable et entourée d'un lopin de terre verdoyant, dans la mesure du possible. La céramique, le bois, la brique et la pierre sont les matériaux qu'il préfère et il les utilise, même si sa résidence se situe en plein centre-ville. À peine la porte de sa demeure franchie, on s'y sent comme à la campagne. Le Taureau n'est pas non plus du genre à tout chambouler. Les meubles changent rarement de place et bien que son intérieur ne soit pas très moderne, il est très chaleureux.

Son budget

Le Taureau est un être sérieux qui a le sens de l'économie et qui est très habile de ses mains. Donc, sur le plan financier, il pourrait être avantagé par rapport à d'autres. Néanmoins, on l'entend souvent dire que les temps sont durs, que les taxes sont élevées, que les enfants dépensent trop. Bref, le Taureau n'a pas d'argent à jeter par les fenêtres... il compte et recompte chaque sou. Et même s'il vient de gagner le gros lot, n'ayez crainte, ce n'est pas lui qui aura la folie des grandeurs et qui dilapidera sa fortune sans réfléchir.

Toutefois, il n'est pas non plus comme un écureuil qui engrange sans dépenser. Il sait saisir au vol d'excellentes occasions, et peu de bonnes affaires lui passent sous le nez. Pour lui, l'épargne est un mode de vie. Sage au travail, sage en amour, pourquoi serait-ce différent lorsqu'il pense à son porte-monnaie? L'argent ne se trouve pas le long des trottoirs, et il en est pleinement conscient. C'est un être prévoyant, mais qui semble souffrir un peu d'insécurité. On ne sait jamais ce qui peut arriver. Il aurait même tendance à exagérer sur ce point: la famine et la disette rôdent... Bien sûr, rien de cela n'arrive, mais il s'inquiète et ne se laissera jamais surprendre dans une mauvaise posture financière. Ses proches le taquinent même sur son côté pingre... tout en sachant très bien à quelle porte frapper lorsqu'eux-mêmes sont dans le besoin.

Notre Taureau a probablement un petit bas de laine bien gonflé; il ne l'avouera jamais, mais il trouvera toujours quelques dollars cachés çà et là, si le besoin s'en fait sentir.

Quel cadeau lui offrir?

Puisqu'il a le sens pratique, offrez-lui quelque chose d'utile, tout simplement. Son petit côté bricoleur sera servi, si vous lui donnez des outils ou du matériel pour faire travailler ses dix doigts. Jardinage, couture ou artisanat sont aussi des passe-temps qui l'occupent; ce sont donc de bonnes pistes à explorer pour lui faire plaisir.

Un portefeuille, un logiciel de comptabilité personnelle, une boîte ouvragée pour classer ses certificats de placement ou un petit coffre-fort: soyez assuré qu'il s'en servira, puisque l'argent compte beaucoup pour lui.

On l'a vu, le Taureau a une bonne fourchette et il ne résistera pas à un bon vin, du caviar, des gâteaux raffinés ou encore à un dîner gastronomique. Un parfum bien choisi peut également le mettre en joie, car le Taureau est très sensible aux odeurs.

Les enfants Taureau

Sages, très sages, les bébés Taureau sont dociles, souriants, faciles à vivre et beaux à croquer! Ils le resteront même en grandissant. Il suffit de discuter avec eux, de leur expliquer les choses et de les prendre avec douceur, et tout se passera bien. S'ils sont contrariés, ils boudent et ils peuvent bouder longtemps, car même très jeunes, ils ont déjà une bonne mémoire et n'oublient rien.

Manquant parfois d'assurance et de confiance en eux, ces enfants Taureau ont besoin d'être entourés, aimés et soutenus par leurs proches. Sur le plan scolaire, quelques difficultés peuvent surgir, car ils ne sont pas très rapides et demandent beaucoup d'explications. Par contre ce sont des élèves appliqués et motivés lorsqu'ils savent qu'on les soutient. Ils feront leur chemin dans la vie si, très jeunes, on les habitue à des changements, car ils cherchent plutôt la stabilité. On leur donnera ainsi une meilleure confiance dans leurs moyens et les incitera à repousser leurs limites.

L'ado Taureau

Tu es un être réfléchi, sérieux et prudent. Tu ne peux évoluer que dans le calme et la stabilité, et tu es très perturbé dès que l'on te bouscule ou que tu te sens menacé dans ta tranquillité.

Même si certaines personnes te diront que tu es trop lent, tu leur prouveras que tu fais rarement des erreurs, car tu réfléchis beaucoup avant d'entreprendre quoi que ce soit, et qu'avec ton talent, tu deviens très doué pour réussir tout ce que tu fais. D'ailleurs, tu peux tout accomplir, du moment que tu n'es pas dérangé et que tu as tout ton temps pour analyser la situation avant de te lancer dans une entreprise quelconque. Tes goûts musicaux et tes talents artistiques sont importants, et tu adores ça.

Tu es également un être très près de la nature, ce qui te permet de te ressourcer et de faire le point. Tu aimes te retrouver à la campagne pour préparer tes plans, mais surtout pour oublier les petits tracas quotidiens. Par contre, un imprévu, un chambardement, un changement brusque, et te voilà bien ennuyé. Tu supportes mal le stress et tu ne te sens pas bien lorsqu'il y a trop de transformations autour de toi.

Tu es têtu et il est bien difficile de te faire changer d'idée. Mais tu es aussi quelqu'un de loyal et d'honnête, sur qui l'on peut compter. Par contre, tu es sensible; alors, prends garde de ne pas te faire manipuler. Sur le plan financier, puisque tu es raisonnable, ne t'en fais pas, tu iras loin.

Tes études

Tu es très assidu et appliqué, donc il n'y a pas grand-chose à ton épreuve. Tes travaux sont généralement faits bien longtemps d'avance, tu révises bien pour réussir tes examens et tu planifies tes études et ton avenir. Tu possèdes la détermination et la persévérance nécessaires pour mener tes projets à terme. Tu es aussi prudent, et tu sais où tu t'en vas... Ne t'inquiète pas, le temps travaille pour toi, tu réussiras à atteindre tous les buts que tu t'es fixés et ceux que tu te fixeras dans l'avenir.

Ton orientation

Ton choix de carrière peut surprendre, mais ton bon jugement est ton meilleur atout. Il s'agit de ta vie, tu connais tes capacités et tu sais ce que tu peux faire. Puisque tu as de la suite dans les idées, les métiers liés à la planification, à la comptabilité, à l'administration, à la psychologie, au commerce et à l'immobilier te conviendront très bien. Le chant, la musique, l'art, la terre, le travail manuel sont aussi des domaines qui t'attirent dans lesquels tu réussiras. L'aspect financier de ta vie d'adulte t'inquiète, mais n'aie aucune crainte, tu te prépares un bel avenir.

Tes rapports avec les autres

Les gens que tu côtoies savent qu'ils peuvent compter sur toi, car tu es quelqu'un de sérieux. Tu as des idées bien arrêtées, et il est difficile de te les faire changer. Par contre, tu ne les imposes pas aux autres. Pour être à l'aise, il te faut un environnement stable. Tu as de bons copains avec qui tu t'entends très bien, souvent même mieux qu'avec les membres de ta famille. Tu aimes tes amis, tu les protèges, tu leur donnes beaucoup. Mais il serait bon aussi que tu saches recevoir!

Ils sont eux aussi

Roy Dupuis, Serge Thériault, Barbra Streisand, Claude Dubois, Michel Barrette, Luc De Larocheière, Ginette Reno, Michelle Pfeiffer, Billy Joel, Salvador Dali, Pauline Lapointe, Louise Portal, Stevie Wonder, Gaston L'Heureux, Jean Leloup, Claude Michaud, Denise Filiatrault, Janet Jackson, Cher, Claude Blanchard, Dorothée Berryman, Guy Mongrain, Marie Plourde, Joëlle Morin, Suzanne Champagne, Patrick Huard.

Pensée positive pour le Taureau

J'avance avec confiance sur le chemin de ma vie. J'accepte tous les bienfaits futurs et présents, en me donnant le droit d'en profiter.

Pensée positive spéciale pour 2002

Je m'ouvre davantage aux autres qui me comprennent de mieux en mieux; je donne et je reçois.

Le subconscient nous dirige toujours selon nos pensées. En répétant le plus souvent possible ces pensées conçues tout spécialement pour vous, vous vous attirerez plein de belles choses.

Signe: Taureau

Élément: Terre

Catégorie: Fixe

Symbole: ♉

Points sensibles: Gorge, sinus, nuque, thyroïde, seins, système glanduaire. Bonne résistance générale.

Planète maîtresse: Vénus, planète du bonheur intime.

Pierres précieuses: Émeraude, jade, corail.

Couleurs: Les couleurs pastel et les tons de vert.

Fleurs: Muguet, pivoine, toutes les fleurs des champs.

Chiffres chanceux: 3-9-13-18-23-36-39-45-49.

Qualités: Persévérant, méthodique, pondéré, d'une patience à toute épreuve.

Défauts: Anxieux, matérialiste, lent.

Ce qu'il pense en lui-même: Pourquoi vouloir changer quelque chose quand ça peut rester pareil?

Ce que les autres disent de lui: Si on ne le pousse pas, il sera encore à la même place dans dix ans!

Votre remontée se poursuit de plus belle et, à partir de votre anniversaire, vous avancerez à une vitesse fulgurante. Vous faites table rase du passé, vous vous remettez parfaitement des expériences traumatisantes que vous avez connues. À compter du printemps, vous serez animé par une telle soif de vivre qu'on vous reconnaîtra à peine; plus brave, plus fonceur, vous embrasserez une nouvelle étape de votre existence avec confiance. Vous aurez parfaitement raison!

Santé

Année de récupération, de remise en forme et de libération. Dès votre anniversaire, vous devriez vous sentir bien comme cela n'est pas arrivé depuis longtemps; vous donnerez carrément l'impression de rajeunir tant sur le plan physique que moral. Vous serez également moins casanier. Vous aurez le goût de bouger davantage et de voir des gens nouveaux, ce qui aura des répercussions positives sur votre santé et votre moral. Entre le 1er août et le 31 décembre, lorsque Jupiter fera carré à votre signe, freinez vos pulsions de gourmandise, car l'embonpoint vous guette.

Sentiments

Comme vous avez envie de nouer de nouvelles amitiés et de rafraîchir votre cercle de connaissances, ne vous étonnez pas si la vie met sur votre route de nouvelles personnes compatibles avec vous et avec qui vous partagerez beaucoup de choses; cette tendance se manifestera particulièrement à partir de votre anniversaire. Il pourrait même être question d'une formidable rencontre pour les solitaires. Si vous êtes déjà engagé dans une relation, vous aurez tous les atouts en main pour donner à celle-ci un nouvel élan.

Affaires

Excellente année pour reprendre le contrôle de la situation, que ce soit sur le plan professionnel ou financier. Un retour aux études, un cours de perfectionnement, une mutation ou carrément un nouvel emploi sont autant de moyens de gravir des échelons. Vous vous débarrasserez de certaines dettes, vos placements prendront de la valeur et vous aurez également quelques possibilités de remporter un prix secondaire dans les loteries. Bonne année pour les déménagements, les acquisitions ou les ventes immobilières, les rénovations ainsi que les voyages. L'achat d'un nouveau véhicule pourrait vous tenter. Les commerçants ou ceux qui voudraient se lancer en affaires seront avantagés, à condition qu'ils oublient toute forme d'association.

Janvier

D	L	M	M	J	V	S
		1 D	2 D	3 F	4 F	5 F
6	7	8	9	10	11	12 F
13●F	14 F	15 D	16 D	17	18	19
20	21	22	23	24	25	26
27	28○	29 D	30 D	31 F		

○ Pleine lune   F   Jour favorable
● Nouvelle lune   D   Jour défavorable

Santé

Vous commencez l'année en grande forme! Jusqu'au 19 vous afficherez une robustesse et une vitalité à toute épreuve. Par la suite, nous ne décelons rien de grave, mais il est possible que vous vous sentiez plus fatigué. Du repos et une alimentation énergisante en viendront aisément à bout. Psychologiquement, vous vous en faites avec des riens; c'est un peu dans votre nature...

Sentiments

Du 1er au 20, vous bénéficiez d'un aspect très favorable de Vénus qui mettra du piquant dans votre vie de couple et qui devrait aussi vous apporter de nombreuses invitations. Vous reverrez d'anciens copains que vous aviez un peu négligés, vous vous ferez également de nouveaux amis. La conduite d'un enfant ou d'un proche vous irrite; passez l'éponge, et bientôt vous en rirez.

Affaires

Les trois premières semaines s'annoncent particulièrement constructives. Bon temps pour insuffler un nouvel élan à votre carrière, pour décrocher un contrat, pour faire des démarches ou pour faire prendre de l'expansion à votre entreprise. Quelques chances dans les loteries et une bonne nouvelle sur le plan financier viendront parfaire ce tableau réjouissant.

Février						
D	L	M	M	J	V	S
					1 F	2
3	4	5	6	7	8 F	9 F
10 F	11 D	12●D	13	14	15	16
17	18	19	20	21	22	23
24	25 D	26 D	27○F	28 F		

○ Pleine lune   F Jour favorable
● Nouvelle lune   D Jour défavorable

Santé

La présence de Mars dans votre douzième secteur continue de gruger quelque peu votre énergie. À certains moments, vous semblez abattu et trop songeur. Peut-être devriez-vous penser à un petit tonique ou tout simplement à mettre un peu d'ordre dans votre vie. Votre flair est extraordinaire; d'ailleurs, vous feriez mieux d'écouter votre intuition.

Sentiments

Du 12 février au 8 mars, vous traverserez une période exquise puisque Vénus et Jupiter vous caresseront toutes deux de leurs chauds rayons. Une telle conjoncture a d'heureuses répercussions tant sur le plan intime que sur celui de l'amitié; une sortie pourrait même permettre aux solitaires de faire une belle rencontre. On vous lance toutes sortes d'invitations; pas d'hésitation, acceptez aussitôt!

Affaires

Même si les choses n'avancent pas à vive allure, vous gagnez du terrain. Au besoin, on pourrait faciliter la réalisation d'un de vos projets ou vous donner un sérieux coup de main; n'ayez pas peur de demander de l'aide. Bon mois pour les voyages et les déplacements, et si vous voulez tenter votre chance au jeu, faites-le durant la seconde quinzaine.

			Mars			
D	**L**	**M**	**M**	**J**	**V**	**S**
					1	2
3	4	5	6	7	8 F	9 F
10 D	11 D	12 D	13	14●	15	16
17	18	19	20	21	22	23
24	25 D	26 D	27 F	28○F	29	30
31						

○ Pleine lune   F Jour favorable
● Nouvelle lune   D Jour défavorable

Santé

À partir du 2, Mars quittera votre douzième secteur pour entrer dans votre signe. Vous pourrez alors dire adieu à la fatigue et au manque de motivation; toutefois, cette configuration planétaire engendre aussi des risques de blessure; soyez donc sur vos gardes pour ne pas vous faire mal. Du 12 au 30, vous ressentirez d'avantage de sérénité et une grande paix intérieure.

Sentiments

Je vous rappelle que d'ici le 8, vous êtes toujours dans les bonnes grâces de Vénus et que vous avez tout ce qu'il faut pour vous réjouir de votre vie amoureuse et sociale. Le reste du mois n'annonce rien de vilain, l'exubérance fera place à la douceur, au calme et au romantisme. Le comportement d'un enfant ou vos échanges avec celui-ci s'améliorent après le 12.

Affaires

Vous avez tellement de projets en tête que vous ne savez plus par où commencer. D'ailleurs, on risque de vous trouver passablement désorganisé pendant la première quinzaine, ce qui n'est pas du tout dans votre nature. Par la suite, vous agirez de manière plus structurée; les résultats ne se feront pas attendre.

Taureau   **84**

Avril						
D	**L**	**M**	**M**	**J**	**V**	**S**
	1	2	3	4 F	5 F	6 D
7 D	8 D	9	10	11	12	13●
14	15	16	17	18	19	20
21 D	22 D	23 F	24 F	25	26○	27
28	29	30				

○ Pleine lune   F Jour favorable
● Nouvelle lune   D Jour défavorable

Santé

Mars demeure chez vous jusqu'au 14. S'il est vrai que ceci augmente votre dynamisme, il ne faut pas oublier le risque d'accident. À vous d'être sur vos gardes. Du 15 au 30, votre ciel sera dénué d'influence négative; vous pourrez agir comme bon vous semble. Bon mois pour vous prendre en main, perdre quelques kilos ou vous refaire une beauté.

Sentiments

Avec le séjour de Vénus dans votre signe, vous êtes en droit de vous attendre à toutes sortes de bonnes choses. Vos amours seront suaves, et on vous traitera aux petits oignons. Mais il n'y a pas que votre chéri qui redoublera de gentillesse; vos amis feront de même, tout comme les nouvelles personnes que vous rencontrerez.

Affaires

Votre vie privée vous procure beaucoup de joie, mais les bonnes nouvelles ne s'arrêtent pas là. Au travail aussi, on vous estime et on vous respecte. Une marque d'appréciation, voire une augmentation de salaire ou une prime, pourrait justement en témoigner. Une agréable surprise concernant vos finances est à prévoir, alors pourquoi ne pas vous acheter un petit billet de temps à autre?

Mai

D	L	M	M	J	V	S
			1 F	2 F	3 F	4 D
5 D	6	7	8	9	10	11
12●	13	14	15	16	17	18 D
19 D	20 F	21 F	22 F	23	24	25
26○	27	28	29 F	30 F	31 D	

○ Pleine lune et éclipse lunaire de pénombre   F   Jour favorable
● Nouvelle lune   D   Jour défavorable

Santé

Vraiment, rien ne vous arrête! En plus de vous sentir dange-reusement en forme, vous avez des nerfs d'acier. L'éclipse de ce mois n'en vient même pas à bout. Tant mieux! Profitez-en donc pour faire des réserves d'énergie et pour vous débarrasser une fois pour toutes de ce qui vous dérangeait.

Sentiments

Du 21 mai au 15 juin, vous bénéficierez d'un transit fort avantageux de Vénus et de Jupiter. Si vous êtes seul et qu'on vous invite à sortir, ne refusez surtout pas, car c'est l'occasion où vous pourriez connaître la personne de votre vie. Ceux qui sont vraiment engagés dans une relation retomberont amoureux avec leur partenaire. D'ici là, absolument rien de vilain à signaler.

Affaires

De grâce, ne perdez pas de temps à vous demander si ça vaut la peine d'agir, car vous traversez actuellement une période particulièrement avantageuse. Les démarches en vue d'amé-liorer votre situation professionnelle ou financière seront assurément couronnées de succès. Un conseil toutefois, ne signez pas de docu-ments officiels sans savoir exactement ce à quoi vous vous engagez. Belles occasions au jeu lors des dix derniers jours.

Juin						
D	**L**	**M**	**M**	**J**	**V**	**S**
						1 D
2	3	4	5	6	7	8
9	10●	11	12	13	14 D	15 D
16 D	17 F	18 F	19	20	21	22
23	24○	25 F	26 F	27 D	28 D	29 D
30						

○ Pleine lune et éclipse lunaire de pénombre   F Jour favorable
● Nouvelle lune et éclipse solaire annulaire   D Jour défavorable

Santé

S'il est vrai que vous alliez bien le mois dernier, celui-ci s'annonce encore mieux. Vous vous sentez tellement en forme que vous donnez l'impression de rajeunir. Vous êtes beau comme un cœur, ce qui vous des compliments de toutes sortes. Excellente période pour les bonnes résolutions, l'exercice physique ou toute démarche en vue de parfaire votre bien-être.

Sentiments

Souvenez-vous que la première quinzaine est placée sous une configuration du tonnerre, grâce à laquelle votre destinée amoureuse pourrait connaître un nouvel envol. En société, c'est pareil; on vous traite avec énormément d'égards. La fin du mois est peut-être plus tranquille, mais il n'y a absolument pas lieu de vous en plaindre.

Affaires

Voici un de vos meilleurs mois. Le moment est venu d'aller de l'avant, de présenter vos demandes et d'assurer votre avenir. Financièrement, vous êtes béni par les dieux, vous pourriez même décrocher un prix secondaire dans une loterie. Si vous cherchez une nouvelle demeure ou si vous voulez rénover celle que vous avez déjà, là aussi les astres jouent en votre faveur.

Juillet						
D	**L**	**M**	**M**	**J**	**V**	**S**
	1	2	3	4	5	6
7	8	9	10●	11	12 D	13 D
14 F	15 F	16	17	18	19	20
21	22	23 F	24○F	25 F	26 D	27 D
28	29	30	31			

○ Pleine lune   F Jour favorable
● Nouvelle lune   D Jour défavorable

Santé

J usqu'au 14, la conjoncture continue de vous avantager, mais par la suite, vous devrez vous montrer plus vigilant. En effet, on décèle alors un risque de blessure ainsi qu'une tendance à moins bien gérer le stress. Prenez vos précautions, trouvez un moyen et surtout le temps de vous détendre, vous traverserez ainsi cette quinzaine sans difficulté.

Sentiments

L a plus belle période se situe du 11 au 31. Tant vos amours que votre vie sociale devraient vous combler de bonheur. D'ici là, surveillez ce que vous direz, car vos propos pourraient blesser quelqu'un qui vous affectionne. Du 7 au 22, un enfant, un frère ou une sœur pourrait vous confier une excellente nouvelle.

Affaires

C 'est la première quinzaine qui offre le plus de possibilités. Préférez-la à la seconde pour mettre vos projets en chantier ou pour entreprendre des négociations. Vos finances continueront de progresser tout au long du mois et vous avez encore la main heureuse au jeu. Les déplacements d'agréments ou d'affaires sont de bon augure.

Août						
D	L	M	M	J	V	S
				1	2	3
4	5	6	7	8●D	9 D	10 F
11 F	12	13	14	15	16	17
18	19 F	20 F	21 D	22○D	23	24
25	26	27	28	29	30	31

○ Pleine lune   F   Jour favorable
● Nouvelle lune   D   Jour défavorable

Santé

En ce mois, Mars continue de faire un carré à votre signe et, pour compliquer davantage les choses, Jupiter vient le rejoindre. Ce n'est absolument pas le moment de courir des risques, de commettre des abus ou de vous laisser aller, car vous en paierez les conséquences. Moralement, la première semaine présente un indice élevé de tension; toutefois, aussitôt celle-ci terminée, vous devriez retrouver votre aplomb.

Sentiments

Jusqu'au 7, toutes les chances sont de votre côté, tant dans votre vie privée que sur le plan des mondanités. Les trois autres semaines méritent davantage de doigté; vos proches n'apprécieraient guère que vous vous ingériez dans leurs affaires ou que vous les critiquiez.

Affaires

Ça ne va pas tout à fait rondement, mais ce n'est quand même pas une raison pour capituler. Creusez-vous un peu les méninges, et je vous assure que vous trouverez une solution pour chaque problème que vous rencontrerez. À vrai dire, on peut parler d'obstacles, mais certainement pas d'échecs.

Septembre						
D	**L**	**M**	**M**	**J**	**V**	**S**
1	2	3	4	5 D	6●D	7 F
8 F	9	10	11	12	13	14
15 F	16 F	17 D	18 D	19 D	20	21○
22	23	24	25	26	27	28
29	30					

○ Pleine lune   F Jour favorable
● Nouvelle lune   D Jour défavorable

Santé

Quel soulagement! Mars vous a enfin laissé en paix. Si vous avez éprouvé des difficultés durant les dernières semaines, vous pouvez désormais trouver un remède à vos maux. La seule chose qui pourrait vous faire du tort en ce mois, ce sont les abus. À vous de vous contrôler un brin. Psychologiquement aussi, on vous retrouve en bien meilleure forme.

Sentiments

La présence de Vénus dans votre septième secteur à compter du 8 vous incite au romantisme. Cependant, cette configuration planétaire nous pousse souvent à nourrir des désirs irréalistes. Avant de tomber sur la tête de votre partenaire, prenez donc quelques instants pour discerner tous les efforts qu'il fait pour vous plaire.

Affaires

À la condition de ne pas prendre de risque et de ne pas faire de folies avec vos sous, vous avez devant vous un mois particulièrement constructif, durant lequel vous pourrez gravir d'importants échelons. Tous les efforts que vous fournirez au travail donneront des résultats encourageants, et ce à court et à moyen termes.

Octobre						
D	**L**	**M**	**M**	**J**	**V**	**S**
		1	2 D	3 D	4 F	5 F
6●	7	8	9	10	11	12 F
13 F	14 F	15 D	16 D	17	18	19
20	21○	22	23	24	25	26
27	28	29 D	30 D	31 F		

○ Pleine lune F Jour favorable

● Nouvelle lune D Jour défavorable

Santé

La première quinzaine se présente sous d'excellents auspices. Vous avez tous les atouts en main pour profiter pleinement de la vie. Si vous voulez que le reste du mois soit à l'avenant, tâchez de vous prémunir contre les infections, les désordres digestifs et les faux mouvements. Bien que tout aille comme sur des roulettes, vous avez tendance à broyer du noir et à ne pas faire suffisamment confiance à l'avenir.

Sentiments

C'est un peu le même scénario que le mois dernier qui tend à se répéter. Vous vous sentez amoureux, mais en même temps vous êtes constamment sur le dos de votre partenaire. Celui-ci a beau vous donner toutes sortes de preuves de ses bons sentiments, vous en voulez toujours plus. Un membre de votre famille connaît des ennuis de santé; il devrait toutefois se rétablir assez rapidement.

Affaires

Jusqu'au 16, vous conserverez un contrôle parfait de la situation; les événements obéiront au scénario que vous aviez imaginé. Du 17 au 31 cependant, vous n'aurez pas toujours le dernier mot, et serez sans doute obligé de vous adapter à certaines situations imprévues. Faites preuve de souplesse; c'est ainsi que vous en viendrez à bout.

Novembre						
D	**L**	**M**	**M**	**J**	**V**	**S**
					1 F	2 F
3	4●	5	6	7	8	9 F
10 F	11 D	12 D	13	14	15	16
17	18	19○	20	21	22	23
24	25	26 D	27 D	28 F	29 F	30

○ Pleine lune et éclipse lunaire de pénombre		F	Jour favorable
● Nouvelle lune		D	Jour défavorable

Santé

La digestion, les voies respiratoires, les nerfs et le dos demeurent des points sensibles tout au long du mois. Si vous faites attention à vous et que vous adoptez un mode de vie plus sain, vous devriez traverser la grisaille sans difficulté et déjouer les effets de l'éclipse lunaire qui se produit dans votre signe.

Sentiments

Vous avez tout ce qu'il faut pour être heureux; dommage que vous ne vous en rendiez pas compte. Vous avez tort d'imaginer que l'herbe est plus verte chez le voisin; plusieurs donneraient tout ce qu'ils ont pour être à votre place. Un proche se mêle un peu trop de vos affaires; attention, il va vous faire sortir de vos gonds.

Affaires

Le mois s'annonce très occupé; vous n'aurez guère de temps à vous. Au moins, toutes les activités que vous menez de front vous permettent non seulement de gagner du terrain, mais aussi de consolider votre position pour l'avenir. Bon temps pour faire des économies ainsi que pour les investissements à long terme.

Décembre

D	L	M	M	J	V	S
1	2	3	4●	5	6 F	7 F
8 D	9 D	10 D	11	12	13	14
15	16	17	18	19○	20	21
22	23 D	24 D	25 F	26 F	27	28
29	30	31				

○ Pleine lune
● Nouvelle lune et éclipse solaire totale

F   Jour favorable
D   Jour défavorable

Santé

Vous voici beaucoup plus calme. Vous avez à nouveau des nerfs d'acier; ça tombe bien, car vous risquez d'en avoir besoin. Actuellement, Mars s'oppose à votre signe, ce qui risque de vous entraîner dans une chute ou de provoquer une blessure si vous êtes distrait ou si vous ne prenez pas toutes vos précautions.

Sentiments

Votre communication avec votre entourage devrait s'améliorer à partir du 9. Ceci ne veut pas dire qu'il n'y aura plus du tout d'altercations, mais plutôt que vous finirez pas vous entendre, ce qui n'était pas nécessairement le cas au cours des dernières semaines. Des nouvelles qui viennent de loin ou quelqu'un que vous n'aviez pas vu depuis longtemps devraient vous apporter de beaux moments.

Affaires

Certaines personnes semblent s'employer à ralentir vos élans ou à contrecarrer vos efforts. Laissez-les faire. Entre le 9 et le 31, vous trouverez un moyen ingénieux pour déjouer leurs plans, et peut-être même pour vous en débarrasser. Ne prenez pas de risque avec votre argent, ne croyez pas tout ce qu'on vous dira et faites attention aux achats impulsifs.

GÉMEAUX
Du 21 mai au 21 juin

Les deux personnages que représente votre signe sont tout à fait significatifs de votre double personnalité. Vous pouvez rapidement passer d'un extrême à l'autre, et même faire les choses en double.

Vous ne passez pas inaperçu: toujours actif, toujours à gesticuler et à discuter vivement, vous donnez parfois l'impression d'être une vraie tornade.

Vous êtes aussi un habile communicateur, qui peut donner son opinion sur une multitude de sujets, même lorsque vous en ignorez les tenants et les aboutissants. Personne ne peut vous prendre en défaut, tellement vous donnez l'impression de tout connaître.

Vous êtes un être qui a besoin de contacts humains pour s'épanouir pleinement. La solitude et l'isolement vous donnent froid dans le dos. Vous avez besoin de donner votre point de vue et d'avoir un public pour l'écouter. Vous êtes quelqu'un de très populaire, de bien entouré; vous avez besoin d'une vie sociale bien remplie.

Parfois, on vous pense frivole et léger. À première vue, vos amitiés peuvent sembler superficielles, et vous êtes un touche-à-tout qui ne peut s'arrêter pour développer un aspect particulier de ses relations ou de ses connaissances. En fait, vous fuyez simplement l'ennui. Qui pourrait vous en vouloir pour cela?

Mais vous possédez surtout d'énormes dons pour œuvrer en communications, dans les médias, en journalisme, dans la vente ou dans l'enseignement. La nouveauté est votre moteur. Chaque jour qui passe vous permet d'apprendre et de découvrir de nouvelles facettes de l'existence, d'essayer une multitude de choses, de relever de nouveaux défis. Il faut que votre vie bouge et vous n'avez pas de temps à perdre pour des questionnements inutiles et stériles. D'ailleurs, avec un esprit aussi vif et curieux, vous vous ouvrez de larges horizons; vos champs d'intérêt sont variés et nombreux, et vous ne pouvez vous limiter à ne faire qu'une chose à la fois.

Vous êtes capables de mener deux ou trois activités de front, à la surprise de tous. Vous pouvez téléphoner tout en écrivant un texte à votre ordinateur, vous rasez en conduisant, préparer un repas en aidant les enfants à faire leur devoir, regarder la télévision en faisant des exercices, bref vous êtes étourdissant! Ce que vous faites dans une journée demanderait plusieurs jours à n'importe qui d'autre, et évidemment votre agenda est plus que rempli: sorties, amis à rencontrer, cours du soir, invitations de la dernière minute, travail, passe-temps préférés, bref vous essayez de tout faire, de ne rien manquer dans la vie.

Évidemment, vous êtes une personne un peu stressée, voire nerveuse. On le serait à moins. Vous avez une âme d'adolescent et, physiquement, vous ne faites pas votre âge. Vous représentez tellement la jeunesse éternelle que vieillir vous fait peur. Pourtant, vous garderez toujours votre cœur de 20 ans, même quand vous en aurez 90, alors ne vous tracassez pas trop pour cela.

En amour aussi, butiner ne vous fait pas peur. On pourrait même croire à certains moments que c'est votre passe-temps préféré. Pourtant, vous êtes attaché à votre partenaire. Mais vous pensez qu'il n'y a pas de mal à regarder ailleurs, simplement pour voir. C'est sans doute un Gémeaux qui a inventé le flirt, car vous adorez vous amuser. En véritable paon que vous êtes, vous déployez vos charmes, faites des yeux de biche, et savez séduire comme personne. Mais lorsque votre proie se rend et succombe, vous filez à toute vitesse... vous vous rappelez soudainement que vous aviez un autre rendez-vous.

Vous garder à la maison, vous empêcher de sortir et de voir des gens est impossible. Vous êtes un courant d'air et avez besoin de votre liberté.

Comment se comporter avec un Gémeaux?

Puisque les Gémeaux est le signe de la liberté, l'imprévu sera toujours la norme. Changer d'activités, d'amis ou même d'humeur, souvent sans raison, n'est pas une exception dans son cas, mais bien la règle. Un Gémeaux peut se dire fatigué et avoir envie de passer une soirée tranquille à regarder la télévision, puis se lever brusquement pour aller faire la foire dans la boîte de nuit la plus proche de son domicile.

Avec lui, une existence de tout repos n'est pas possible. L'ennui le gagne rapidement et l'horripile. Pour le rendre heureux, il faut absolument lui concocter un programme époustouflant, avec une multitude d'activités et de gens. Le mieux est de le déstabiliser, de jouer de multiples personnages, de fuir la conformité et de le surprendre. Ce n'est qu'ainsi qu'il sera heureux et ravi.

Pour se ressourcer, il doit absolument se dépenser et s'étourdir avec des activités à l'extérieur, sans vous, et rencontrer beaucoup de gens différents. Ouvrez-lui la porte, et il en profitera au maximum avant de vous revenir avec mille et une histoires à vous raconter. Chercher à le retenir, c'est le perdre à coup sûr.

Pour se faire apprécier d'un Gémeaux, il faut être prêt à parler, à discuter, à se livrer et surtout à le contredire parfois, car il adore argumenter et convaincre. Si vous cherchez à avoir le dernier mot, il sera ravi, car il aime les gens qui savent lui tenir tête et qui ont un esprit vif et inventif.

Pour gagner son estime, montrez-lui votre indépendance, ayez vos propres occupations, rencontrez vos amis. Il ne cherche pas la docilité chez son partenaire, car pour lui la docilité devient vite de l'ennui, et l'ennui le fait fuir.

Alors, sortez, intéressez-vous à de multiples sujets et, lorsque vous le croiserez entre la cuisine et le salon, entre deux portes, vous aurez plein de trucs surprenants à lui raconter; vous éveillerez ainsi son intérêt, vous l'intriguerez, et il cherchera à se rapprocher de vous. Il sera là pour vous écouter d'une oreille attentive et pour discuter de tout ce que vous aurez découvert.

Ses goûts

Le Gémeaux s'intéresse à tout et à tous. Par contre, il ne peut fixer son attention très longtemps sur un sujet, et dès qu'il a découvert le pourquoi du comment, il passe à autre chose. Il peut se passionner pour la biologie moléculaire le lundi, l'histoire du vélo le mardi et finir la semaine en se demandant quelle est la philosophie qui sous-tend le système politique de la Corée du Nord en plein XXIe siècle. Bref, le sujet l'intéresse, mais en connaître les détails, très peu pour lui. Il survole pour se faire une idée, mais va rarement au fond des choses.

Sa demeure n'est pas non plus une petite maison conventionnelle de banlieue; elle est plutôt à son image, décontractée et grouillante d'activité. Chez lui, c'est presque portes ouvertes. Sa silhouette d'adolescent est mise en valeur par ses vêtements décontractés. La cravate ou les talons aiguilles, très peu pour le Gémeaux. D'ailleurs, il se crée son propre style, qui n'est jamais le même, et évolue au jour le jour, au gré de son humeur, mais, surtout pas selon les circonstances. On le remarquera... n'est-ce pas ce qu'il recherche de toute façon?

Comme il est toujours pressé, il est un habitué des établissements de restauration rapide. Il mange vite, sans goûter, car souvent il fait une autre activité en même temps qu'il se nourrit. Il n'a pas de temps à perdre à savourer. Mais il aime les repas à plusieurs services. D'ailleurs, il n'est pas rare de le voir picorer dans l'assiette des autres pour varier son menu; mais si vous faites la même chose, il vous fera les gros yeux.

Son potentiel

Le Gémeaux est une personne intelligente qui manie très bien les idées et les concepts; malheureusement, parce qu'il s'intéresse à trop de choses, il est aussi superficiel et ne parvient pas à s'intéresser en profondeur à quoi que ce soit.

Il est le candidat idéal pour les entreprises de communications et de relations publiques, pour les médias, le journalisme en particulier, mais aussi pour la vente, l'enseignement, l'animation et la comédie. D'ailleurs, quoi qu'il fasse, il est toujours en représentation. Il aime se montrer et s'amuser. Il est brillant, très habile de ses mains, et sa dextérité est légendaire.

Quelle que soit son occupation, il s'arrangera toujours pour organiser des activités et des sorties de toutes sortes. Il aime raconter des anecdotes, planifier des rencontres avec des compétiteurs, discuter de ce qu'il y a à faire... bref faites-lui confiance pour vous divertir et vous organiser un emploi du temps des plus variés et chargés. Car s'il peut tout faire en même temps, il pense que les autres sont aussi aptes que lui à mener plusieurs activités de front.

Ses loisirs

On l'a vu, le Gémeaux se désintéresse rapidement d'une activité lorsqu'il la maîtrise bien. Le changement, le renouveau et de nouvelles découvertes sont nécessaires pour lui éviter l'ennui. Il lui faut à tout prix passer à autre chose. Ses loisirs doivent être stimulants et non répétitifs, car il en changera.

Intelligent et curieux, il adore apprendre: il n'est pas rare de le voir s'inscrire à plusieurs cours en même temps, et souvent bien différents les uns des autres. Qu'il s'agisse de cuisine méditerranéenne ou de mécanique automobile, tout l'intéresse... enfin, jusqu'à ce qu'il en comprenne les rudiments; après, il voudra passer à une autre chose qui le captivera aussi. Il aime acquérir de nouvelles connaissances, et la lecture lui permet d'apprendre et de s'évader. Il est doué pour l'écriture car il a une imagination très féconde.

Le Gémeaux aime par-dessus tout les contacts humains, il est particulièrement attiré par les activités mondaines ou sociales. Il n'est pas rare de le voir dans un lancement de livre, à une première au théâtre, même après une épuisante journée de travail. Il déborde d'énergie lorsqu'il est question d'être en société. Il peut même fois accepter deux ou trois invitations la même journée. Ça l'emballe de courir d'un endroit à l'autre, de communiquer, de discuter, de parler, de voir du monde, bref de se montrer et de nouer des relations, même fugaces.

Il a un côté intellectuel très développé, mais il aime aussi beaucoup faire marcher ses dix doigts, car il se sait fort habile. Le piano, les activités manuelles et les arts sont les domaines qui lui plaisent le plus, et il peut exceller dans la danse, le massage ou la graphologie. Pas un domaine ne le rebute et tout l'intéresse vraiment, mais son intérêt s'émousse rapidement. Il cherche constamment de nouvelles sources d'intérêt, de nouvelles passions qui sauront l'emporter et le faire vibrer.

Au cinéma, il vaut mieux lui proposer une nouveauté, car il aura sans doute vu tous les films à l'affiche depuis quelques semaines. Emmenez-le voir le dernier succès dont tout le monde parle, celui qui fait scandale ou encore un spectacle qui l'étonnera. Par la suite, un souper au restaurant sera de mise, bien entendu pour discuter de ce qu'il vient de voir.

Sa décoration

Le Gémeaux a un décor qui ressemble bien à sa personnalité, c'est-à-dire changeant. Et on ne parle pas de juste bouger les meubles. Non. Il n'hésitera pas à renouveler toute sa décoration de fond en comble. Ainsi, il pourrait avoir un intérieur japonais avec des meubles laqués et, d'un seul coup, se retrouver avec un ameublement digne d'un film de science-fiction, avec de l'acier inoxydable et des blocs de verre dans tous les coins. En fait, à y regarder de plus près, on constatera que quelle que soit sa décoration, il préférera un style dépouillé et plutôt moderne, mais il ne faut jamais jurer de rien avec lui, car on ne sait jamais... Par contre, comme il s'agit d'un signe d'air, notre fameux courant d'air appréciera les fenêtres, la lumière et les pièces à aires ouvertes. Il se choisira souvent une résidence ou un appartement aux étages supérieurs, pour avoir une vue imprenable sur le monde.

Il n'est pas du genre à se terrer à la campagne, car il a besoin d'une vie sociale trépidante, de recevoir et de voir beaucoup de gens. La vie citadine lui convient bien, et surtout les tours d'habitation d'où il peut contempler le monde à ses pieds.

Assurément, ses goûts le portent vers le contemporain; les nouveautés et l'exclusivité exercent un attrait puissant sur lui. Ce qui brille l'attire particulièrement, notamment les miroirs qui multiplient les espaces, les couleurs pâles, les teintes nuancées et rares, presque indéfinissables, le verre qui joue avec la lumière. Son intérieur fait jaser ceux qui le voient, et c'est justement l'effet recherché.

Son budget

Sur le plan financier aussi, le Gémeaux est bien changeant: c'est tout ou rien. Il peut se faire écureuil, économiser sou par sou, planifier son budget, choisir ses placements, puis, tout flamber en une soirée ou lors d'une expédition de magasinage... Et il ne partait pas pour ça!

Évidemment, ses finances subissent des fluctuations: l'argent rentre mais sort souvent aussi rapidement. Il n'hésite jamais à dépenser pour acquérir un objet qui lui plaît, en se disant qu'il s'occupera des factures plus tard, en temps utile. Bien entendu, quand elles arrivent, il est parfois pris de court, mais il ne s'en fait pas pour si peu. Il jongle entre les rentrées d'argent et les sorties, les dettes et les surplus, et finit toujours par s'en sortir... jusqu'à la fois suivante.

Quel cadeau lui offrir?

Le meilleur cadeau est celui qui le surprendra et qui lui laissera un souvenir dont il pourra parler longtemps.

S'il s'agit d'un passionné de lecture, les récentes parutions l'intéressent toujours. Il a l'esprit ouvert, alors n'ayez pas peur de choisir un sujet qu'il ne connaît pas du tout: il adore découvrir et bientôt il vous donnera des leçons là-dessus.

Les œuvres ou les magazines qui traitent de nombreux thèmes lui plaisent bien; les revues sur la littérature ou le cinéma aussi. Du papier à lettres, des stylos (il les perd constamment!) seront aussi les bienvenus. Puisqu'il passe des heures au bout du fil, vous pourriez lui offrir un téléphone portable, ou encore un appareil de type Palm, ou un abonnement à Internet, pour qu'il garde contact avec tout le monde.

Certains Gémeaux sont des collectionneurs. Une pièce originale ou rare pour enrichir sa collection sera appréciée. Vous pouvez aussi lui offrir un gadget inutile mais surprenant qui l'intriguera et fera jaser lorsqu'il le montrera à ses amis.

Les enfants Gémeaux

Les petits Gémeaux sont curieux de tout. Ils posent mille et une questions. Il sont vifs et brillants. Leur esprit est constamment en éveil. Avant même de savoir parler, ils gazouillent sans arrêt. En fait, ils en ont tellement à dire qu'ils apprennent à parler très tôt, et dès ce moment, la paix et la tranquillité de la famille sont perturbées.

Les questions s'enchaînent et ils vous laissent à peine le temps de répondre que déjà de nouvelles interrogations surgissent. Très tôt, ils ont tendance à avoir le dernier mot. Ce n'est pas de tout repos, mais ils sont si adorables.

Ils sont également bien entourés; ils ont de nombreux amis qu'ils inviteront à dîner ou à dormir à la maison, sans vous prévenir. Rapidement, la maison se transformera en hall de gare; ils déborderont d'activités, et c'est tout juste s'il leur restera du temps pour aller à l'école et pour dormir... Toujours par monts et par vaux, il vous arrivera de les chercher, car une activité n'attend pas l'autre. On les croit occupés dans leur chambre à faire leurs devoirs, on se retourne et on les voit en train de jouer sur la pelouse.

Très habiles de leurs mains, les enfants Gémeaux bricolent, dessinent admirablement et sont très adroits. Avec eux, le donnant-donnant marche bien, car ils aiment négocier. S'ils nettoient leur chambre, vous devrez les conduire à leur match de soccer. Ne cédez pas rapidement à leurs demandes, parce qu'ils en profiteront pour quémander une autre faveur et vous n'en sortirez plus. Avec eux, vous n'aurez jamais le dernier mot. Ils sont très vifs, ont un esprit brillant, même s'ils ont déjà une petite tendance à être superficiels.

Ils ne tiennent pas en place et sont vraiment très sociables. Apprenez-leur toutefois à planifier leur horaire, à déterminer leurs priorités, à concentrer leurs efforts et stimulez-les afin qu'ils aient le goût d'approfondir les choses au lieu de papillonner constamment de l'une à l'autre. S'ils aiment le sport, offrez-leur une activité qui demande une constante remise en question de leur capacité physique: la gymnastique acrobatique, par exemple.

L'ado Gémeaux

En astrologie ton signe correspond à l'adolescence. Éternellement jeune, tu conserveras toute ta vie l'idéalisme qui te caractérise maintenant. Tu a un signe d'air, ce qui te donne un intérêt pour de multiples activités. Ton entourage te reprochera peut-être de changer trop souvent d'idée, mais tu évolues rapidement et tu as besoin de relever constamment de nouveaux défis, d'apprendre de nouvelles choses, de tenter de nouvelles expériences.

Tu t'intéresses à tout, et cela t'ouvre des horizons et te permet de rencontrer beaucoup de gens très différents. Tu aimes t'exprimer, communiquer, côtoyer beaucoup de monde. Tu es bavard mais, finalement, tu parles peu de ce que tu ressens.

Polyvalent et spontané, ta soif d'apprendre est immense, et ce besoin d'en savoir plus fait de toi quelqu'un de brillant et dont on recherche la compagnie. Fais attention toutefois de ne pas trop disperser tes énergies, car la superficialité te guette.

Avec toi, tout va vite. Tu mènes plusieurs projets et activités de front, et tu en as d'autres en vue. Tu es aussi un être émotif: tes opinions et tes goûts changent très rapidement, et peu de gens comprennent comment tu peux dire blanc un jour et noir le lendemain, mais, en réalité, tu es fidèle à toi-même.

Tes études

Tu t'intéresses à tellement de choses, qu'il est difficile pour toi de te bâtir un programme d'études cohérent. Pense à long terme. Quels sont les domaines qui t'intéressent le plus? Concentre-toi sur ces sujets, quitte à suivre des cours complémentaires dans d'autres champs d'intérêt. Fixe-toi un objectif et essaie de ne pas le perdre de vue, même s'il y a tellement de choses intéressantes dans ce monde. Tu as tout le temps de les découvrir plus tard. Tu as une intelligence très vive, qui te permet de te débrouiller et d'avoir des résultats plus que convenables, mais il ne faut pas te demander de te concentrer pour travailler avec assiduité et application. Tu as plutôt tendance à étudier ou à faire tes travaux à la dernière minute, à survoler la matière pour en saisir les principes plutôt qu'à bien la comprendre, ce qui peut te jouer des tours.

Ton orientation

Choisir sa voie lorsqu'on s'intéresse à tellement de choses, lorsqu'on a des talents multiples peut devenir un vrai casse-tête. Tes projets d'avenir changent constamment, et tu ne parviens pas à te fixer définitivement. Le mieux pour toi est donc d'opter pour une carrière qui te permettra de déployer tes multiples talents. N'oublie pas que tu peux profiter de tes loisirs pour explorer de nombreux domaines. L'écriture, le journalisme, la traduction, la vente, le commerce, le tourisme, les relations publiques, le travail de bureau et la mécanique de précision sont des milieux professionnels qui pourraient te convenir, car le travail n'y est pas routinier. De plus, très souvent, les natifs de ton signe mènent de front deux carrières totalement différentes, tout en ayant de multiples activités en dehors; donc, ne t'inquiète pas, tu pourras essayer tout ce qui te tente, sans trop te limiter.

Tes rapports avec les autres

Les autres sont excessivement importants dans ta vie. Tu es très sociable et tu as besoin d'être entouré de nombreux amis pour échanger des idées et pour étaler tes connaissances, il faut bien l'avouer. En fait, tu réussis presque toujours à avoir le dernier mot, car tu connais une multitude de choses sur tout, ce qui te permet de donner ton opinion sur des sujets très variés. Tu te lies facilement, et ta vie sociale est trépidante. Ton cercle d'amis est très important dans ta vie; il est donc important pour toi de bien les choisir, car ils pourraient exercer une grande influence sur toi.

Gémeaux

Pensée positive pour le Gémeaux

Je suis en paix avec toutes les facettes de ma personnalité; je suis en harmonie avec moi-même et j'ouvre la porte à de multiples bénédictions.

Pensée positive spéciale pour 2002

Une nouvelle étape de ma destinée se présente, je l'accueille en toute confiance.

Le subconscient nous dirige toujours selon nos pensées. En répétant le plus souvent possible ces pensées conçues tout spécialement pour vous, vous vous attirerez plein de belles choses.

Signe: Gémeaux

Élément: Air

Catégorie: Double

Symbole: ♊

Points sensibles: Poumons, bronches, bras, épaules, mains, tension, nervosité, insomnie.

Planète maîtresse: Mercure, planète du commerce.

Pierres précieuses: Topaze, cristal, aigue-marine.

Couleurs: Tous les bleus, gris, kaki.

Fleurs: Marguerite, jasmin, rose jaune.

Chiffres chanceux: 3-4-16-17-23-26-34-37-43-44.

Qualités: Intelligent, sociable, vif, concilliant, brillant, communicateur, expressif, habile, convaincant.

Défauts: Bavard, superficiel, frivole, instable, parfois un peu profiteur.

Ce qu'il pense en lui-même: Je peux parler de n'importe quoi.

Ce que les autres disent de lui: Il parle tellement! Réussirons-nous à placer un mot?

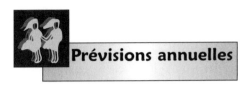
La planète Saturne s'est installée dans votre signe; s'il est vrai que sa présence se fait parfois lourdement sentir, elle pousse aussi au dépassement de soi, à la quête de nouveaux objectifs. Saturne est la planète des bilans. Son passage nous force à nous arrêter pour voir où nous en sommes. Elle nous permet de faire du ménage dans notre vie, nous obligeant à porter un regard analytique sur nos expériences passées. Le moment est venu non seulement de remettre certaines choses en question, mais aussi de vous interroger sur la direction à donner à votre avenir. Une année de transformation, d'évolution dont vous sortirez grandi.

Santé

Saturne étant l'astre de la sagesse, il vaut mieux adopter une saine hygiène de vie; en agissant de la sorte, vous ne devriez éprouver aucun ennui. Mais il faut commencer dès maintenant, car si vous attendez, le temps pourrait vous rattraper. Comme nous l'avons vu précédemment, cette planète nous place devant les résultats de nos actions passées mais, heureusement, il est encore temps d'y voir!

Sentiments

La preuve que vous changez est que désormais vous misez davantage sur la qualité que la quantité des relations que vous entretenez. Vous ressentez moins le besoin de vous étourdir auprès d'une multitude de gens; vous voulez de la profondeur et de la durabilité. Ceux qui ne vous apportent pas ce que vous souhaitez risquent de ne plus faire partie du décor; il y a longtemps que vous reportez certaines décisions mais, à présent, vous avez le courage de passer aux actes. Vous apprenez à vous connaître. Par conséquent, vous êtes beaucoup plus branché sur vos véritables besoins. Un membre de votre entourage ou de votre famille aura probablement besoin de votre réconfort.

Affaires

Ici aussi, c'est la remise en question qui domine. Certaines activités ne vous passionnent plus, tandis que d'autres tirent à leur fin. Bien entendu, vous serez parfois obligé de vous ajuster, de réviser votre tir, voire de changer de cap; les changements qui se produiront vous permettront toutefois de découvrir de nouveaux horizons. Ne faites pas de folies avec votre argent; de toute façon, vous commencez à songer à faire des économies, ce qui est une excellente idée. À partir du 1ᵉʳ août, vous pourrez compter sur l'appui de Jupiter pour vous recycler ou pour donner suite à vos projets. Durant cette deuxième phase, un petit gain n'est pas impossible.

Janvier						
D	L	M	M	J	V	S
		1	2	3 D	4 D	5 D
6 F	7 F	8	9	10	11	12
13●	14 D	15 F	16 F	17 D	18 D	19 D
20	21	22	23	24	25	26
27	28○	29	30	31 D		

○ Pleine lune		F	Jour favorable
● Nouvelle lune		D	Jour défavorable

Santé

La quadrature de Mars n'est pas un transit facile à vivre. Heureusement, elle ne dure jamais très longtemps, si bien qu'à partir du 19, vous en serez débarrassé. D'ici là, prenez soin de votre santé et demeurez sur vos gardes afin de ne pas vous blesser. Moralement, l'ensemble du mois s'annonce positif.

Sentiments

La première quinzaine risque de vous valoir quelques désillusions; un conflit avec un membre de votre entourage pourrait également survenir. Un parent ou une personne âgée vous cause quelques inquiétudes. La seconde partie du mois promet d'être plus encourageante. Au programme: des réconciliations, des rencontres agréables, une vie sociale nettement plus stimulante et des échanges fructueux.

Affaires

Ici aussi, votre destin obéit au même cycle: un début de mois décevant suivi d'une période plus productive. N'allez pas trop vite en affaires, prenez plutôt le temps de planifier et de bien cibler vos objectifs; vous pourrez passer aux actes durant la deuxième moitié du mois. Une démarche ou une demande que vous avez faite pourrait donner des résultats concrets.

Février						
D	L	M	M	J	V	S
					1 D	2 F
3 F	4	5	6	7	8	9
10	11 F	12●F	13 D	14 D	15 D	16
17	18	19	20	21	22	23
24	25	26	27○D	28 D		

○ Pleine lune   F Jour favorable
● Nouvelle lune   D Jour défavorable

Santé

Vous voici beaucoup plus en forme. Votre énergie est moins vacillante, vous devenez de plus en plus résistant. Intellectuellement, vous exceller, vous avez l'œil vif et un sens de la répartie étonnant. La seule ombre au tableau, c'est que vous ne vous aimez guère. Pourquoi ne pas en profiter pour soigner votre apparence ou pour adopter un nouveau look?

Sentiments

Les 12 premiers jours offrent les meilleures possibilités sur le plan amoureux. C'est le temps de reconquérir votre chéri ou de régler un différend; par la suite, pesez bien les mots que vous utiliserez pour sauvegarder l'harmonie. En amitié et en société, tout le mois est palpitant; vous nouerez de nouvelles relations et reprendrez contact avec des copains que vous aviez négligés.

Affaires

Mois très constructif. Le moment est venu de présenter vos demandes, de faire des gestes concrets pour améliorer votre situation professionnelle. Ne faites pas l'indépendant si on veut vous donner un coup de pouce. En effet, vous bénéficiez d'appuis précieux qui ne demandent pas mieux que de vous faciliter la vie.

D	L	M	M	J	V	S
					1 F	2 F
3	4	5	6	7	8	9
10 F	11 F	12 F	13 D	14●D	15	16
17	18	19	20	21	22	23
24	25	26	27 D	28○D	29 F	30 F
31						

Mars

○ Pleine lune   F Jour favorable
● Nouvelle lune   D Jour défavorable

Santé

Vous en avez assez de l'hiver; votre moral s'en ressent. Vous semblez plus fatigué, impatient et distrait. Au lieu de vous plaindre sans arrêt, pourquoi ne pas trouver quelque chose qui vous stimule? Un cours, un passe-temps ou un peu d'exercice vous remettront rapidement sur le piton.

Sentiments

La première semaine s'annonce un peu pénible; vous n'arrivez pas à communiquer avec vos proches, vous avez l'impression qu'on vous délaisse ou qu'on ne fait pas attention à vous. Heureusement, le reste du mois vous vaudra toutes sortes de joies, ainsi qu'une multitude de marques d'affection. Une amitié amoureuse pourrait égayer la vie des solitaires.

Affaires

Les 12 premiers jours sont propices aux démarches, aux négociations et aux signatures de contrats. Le reste du mois exige davantage de discernement; ne croyez pas tout ce qu'on vous dira, ne lâchez pas la proie pour l'ombre. Au travail, vous déplorez certaines lenteurs ou un manque de coordination. Gardez votre calme et dites-vous que ce n'est que temporaire.

Avril						
D	**L**	**M**	**M**	**J**	**V**	**S**
	1	2	3	4	5	6 F
7 F	8 F	9 D	10 D	11	12	13●
14	15	16	17	18	19	20
21	22	23 D	24 D	25 F	26○F	27
28	29	30				

○ Pleine lune	F Jour favorable
● Nouvelle lune	D Jour défavorable

Santé

Drôle de conjoncture! Durant la première quinzaine, vous manquez d'énergie, mais vous avez un bon moral. Au cours de la seconde, votre vitalité augmente sensiblement; toutefois, la nervosité vous tiraille. Entre le 14 et le 30, vous auriez tout intérêt à vous prémunir contre les infections et les blessures de toutes sortes.

Sentiments

On ne peut pas dire que tout est rose. Vous vous inquiétez pour un membre de votre entourage tandis que vous déplorez un manque de communication avec un autre. Si indépendant d'habitude, vous semblez présentement à la merci des autres. Si vous attendez qu'on vous fasse plaisir, vous risquez d'être déçu. Profitez-en donc pour vous gâter et pour investir dans votre propre bien-être.

Affaires

Jusqu'au 14, les retards et les frustrations continuent malheureusement de s'accumuler. Par la suite, des changements inattendus se produiront, ce qui peut vous déstabiliser pendant un moment. Dans le fond, c'est peut-être ce qu'il faut pour que vous puissiez enfin vous lancer dans quelque chose de plus profitable. Ne courez aucun risque avec votre argent et protégez-vous des voleurs.

						Mai
D	**L**	**M**	**M**	**J**	**V**	**S**
			1	2	3	4 F
5 F	6 D	7 D	8 D	9	10	11
12●	13	14	15	16	17	18
19	20 D	21 D	22 D	23 F	24 F	25
26○	27	28	29	30	31 F	

○ Pleine lune et éclipse lunaire de pénombre   F   Jour favorable
● Nouvelle lune   D   Jour défavorable

Santé

Le moment serait mal venu de relâcher votre vigilance. Les effets combinés de Mars, de Mercure, de Saturne et de l'éclipse pourraient vous jouer des tours. Par contre, en adoptant une meilleure hygiène de vie et en gardant un bon équilibre, vous éviterez les pépins. Soignez vos petits bobos sans tarder, ne soyez pas dans la lune et ne prenez aucun risque inutile.

Sentiments

Des hauts et des bas. Tantôt vous vivrez des épisodes de douceur et peut-être même de passion, tantôt vous vous heurterez à la plus totale indifférence. Un membre de votre famille vit des choses difficiles, ce qui vous affecte par ricochet. Un ami vous ouvre grand les bras; il trouve le moyen de vous réconforter et de vous donner espoir.

Affaires

Le climat est lourd. Parfois, vous nagez en pleine incertitude; vous en avez assez de piétiner sur place, vous avez envie de tout balancer par-dessus bord. Pourtant, un geste irréfléchi ne ferait qu'envenimer la situation. Honnêtement, la meilleure chose à faire c'est de patienter: dès le mois prochain, la conjoncture sera meilleure. D'ici là, continuez à vous protéger des individus malhonnêtes.

Gémeaux   **110**

			Juin			
D	**L**	**M**	**M**	**J**	**V**	**S**
						1 F
2 D	3 D	4 D	5	6	7	8
9	10●	11	12	13	14	15
16	17 D	18 D	19 F	20 F	21	22
23	24○	25	26	27 F	28 F	29 F
30 D						

○ Pleine lune et éclipse lunaire de pénombre   F   Jour favorable
● Nouvelle lune et éclipse solaire annulaire   D   Jour défavorable

Santé

Mars est enfin sorti de votre signe; vous pouvez désormais avancer sans toujours craindre un pépin. Comme la première éclipse se produit dans votre signe, vous ne devriez pas relâcher trop tôt votre vigilance. Une distraction, un excès de nervosité ou quelques ennuis respiratoires sont encore possibles.

Sentiments

Les tensions diminuent progressivement pour faire place à un cycle plus reposant. Entre le 15 et le 30, vous bénéficierez d'influences encourageantes tant en amour que sur le plan social. Vous vous amuserez ferme; à vrai dire, vous passerez de si beaux moments que vous finirez pas oublier les désagréments des dernières semaines. Le dialogue avec vos proches cesse d'être à sens unique, ce qui vous transporte de joie.

Affaires

Assez c'est assez! Le temps est enfin venu de vous attaquer à ce qui ne marche pas. Bon mois pour changer de travail ou vous trouver un emploi, si vous n'en aviez pas. Un problème qui s'éternisait pourrait finalement se régler. Les casse-tête financiers cessent de s'accumuler; vous commencez à voir la lumière au bout du tunnel. Mais n'allez pas tout compromettre en vous lançant dans un épisode de magasinage effréné.

Gémeaux

			Juillet			
D	**L**	**M**	**M**	**J**	**V**	**S**
	1 D	2	3	4	5	6
7	8	9	10●	11	12	13
14 D	15 D	16 F	17 F	18	19	20
21	22	23	24○	25 F	26 F	27 D
28 D	29 D	30	31			

○ Pleine lune	F Jour favorable
● Nouvelle lune	D Jour défavorable

Santé

Les influences planétaires ne cessent de s'améliorer. Du 14 au 31, vous pourrez vous débarrasser d'un trouble qui vous empêchait de fonctionner à plein depuis quelque temps. Au lieu de vous sentir léthargique, voire abattu, vous afficherez un dynamisme et une vigueur qu'on enviera. Libération morale après le 7, et retour graduel de la joie de vivre.

Sentiments

Si vous trouviez votre vie ennuyante au cours des derniers mois, ce n'est plus le cas maintenant. Une invitation n'attend pas l'autre; on vous propose de nombreuses sorties et même un petit voyage. Finis également les tracas à cause d'un parent ou d'un enfant. Avec votre conjoint, la première quinzaine s'annonce exquise; par la suite, il risque d'être un peu plus bougon mais ce n'est rien de sérieux.

Affaires

Vous continuez de gagner du terrain. Les démarches que vous effectuerez en vue d'améliorer votre situation financière ou professionnelle porteront des fruits. L'instabilité qui prévalait au travail tire à sa fin; vous pouvez désormais envisager un avenir plus sécurisant.

Août						
D	**L**	**M**	**M**	**J**	**V**	**S**
				1	2	3
4	5	6	7	8●	9	10 D
11 D	12 F	13 F	14	15	16	17
18	19	20	21 F	22○F	23 D	24 D
25 D	26	27	28	29	30	31

○ Pleine lune   F Jour favorable
● Nouvelle lune   D Jour défavorable

Santé

Le 1er, Jupiter, la grande bénéfique, commencera à exercer une influence positive sur votre signe, et ça se poursuivra pendant plusieurs mois. En plus de ressentir un relâchement de la pression, vous pourriez enfin trouver une solution à tout ce qui vous ralentissait depuis plusieurs mois. Vous disposez d'une bonne dose d'énergie, vous faites des choses que vous aviez négligées. Bravo!

Sentiments

Du 7 au 31, vous jouirez de l'appui de Vénus, ce qui vous permettra de donner un nouveau sens a votre destinée amoureuse. Les solitaires pourraient rencontrer un être doux et compatible, tandis que ceux qui sont déjà en couple pourront grandement améliorer la qualité de leur relation. Vous rayonnez de beauté, on sollicite votre présence partout, on vous traite aux petits oignons, bref vous avez tout ce qu'il faut pour être heureux.

Affaires

Le mois s'annonce tellement positif que vous ne devriez pas perdre une seule seconde. Allez de l'avant, mettez vos projets en branle, plaidez votre cause, faites des démarches puisque toutes ces initiatives vous rapporteront beaucoup. Vous avez le goût de relever de nouveaux défis et le timing s'y prête parfaitement.

Gémeaux

Septembre

D	L	M	M	J	V	S
1	2	3	4	5	6●	7 D
8 D	9 F	10 F	11	12	13	14
15	16	17 F	18 F	19 F	20 D	21○D
22	23	24	25	26	27	28
29	30					

○ Pleine lune   F Jour favorable
● Nouvelle lune   D Jour défavorable

Santé

Si le bon aspect de Mercure vous confère vivacité d'esprit et nerfs d'acier, il n'en est pas de même de la quadrature de Mars; celle-ci pourrait vous valoir une défaillance ou un accident. Je compte sur vous pour que vous preniez les précautions nécessaires pour éviter ces désagréments. La première semaine est propice aux soins de beauté.

Sentiments

Du 1er au 8, votre vie demeure un véritable tourbillon; vos amours sont passionnées, les mondanités se succèdent à un rythme effréné. Le reste du mois n'augure rien de vilain, disons tout simplement qu'il s'annonce plus tranquille. De toute façon, ça ne vous fera pas de tort de prendre ça un peu plus mollo et de passer quelques instants avec vos proches. Au fait, un parent pourrait avoir besoin de votre aide.

Affaires

N'allez pas croire que le cycle positif est terminé, simplement parce que vous essuyez un refus ou que votre vitesse de croisière semble ralentir. Il est vrai que des retards ou des frustrations sont possibles, mais vous êtes désormais beaucoup mieux armé pour en venir à bout. Il n'y a pas de véritable danger à l'horizon, si ce n'est que votre orgueil, qui est blessé.

Gémeaux 114

			Octobre			
D	**L**	**M**	**M**	**J**	**V**	**S**
		1	2	3	4 D	5 D
6●F	7 F	8	9	10	11	12
13	14	15 F	16 F	17 D	18 D	19
20	21○	22	23	24	25	26
27	28	29	30	31		

○ Pleine lune	F	Jour favorable
● Nouvelle lune	D	Jour défavorable

Santé

Tenez le coup jusqu'au 16, puisque Mars est toujours dans les parages. On continue donc à prendre soin de sa santé et à se protéger contre les accidents. Par la suite, le vent tourne complètement, et on vous retrouve robuste et optimiste. Ceux qui auraient eu des ennuis remonteront rapidement la pente. Psychologiquement, vous allez de mieux en mieux.

Sentiments

C'est du 16 au 31 que vous vivrez les plus beaux moments. Votre vie intime vous vaudra mille et un bonheurs tandis qu'en société et avec vos amis, vous vous amuserez ferme. D'ici là, il risque encore d'y avoir certaines complications avec un membre de votre famille.

Affaires

Ne misez pas trop sur la première quinzaine, celle-ci comporte quelques obstacles. Par contre, le reste du mois est extraordinaire et pourrait vous permettre d'atteindre votre but; vous serez hyper occupé, mais ça rapportera. De bonnes nouvelles sur le plan professionnel et financier. La concrétisation d'un projet vous permettra d'envisager l'avenir de façon plus sereine.

Gémeaux

Novembre

D	L	M	M	J	V	S
					1 D	2 D
3 F	4●F	5	6	7	8	9
10	11 F	12 F	13 D	14 D	15 D	16
17	18	19○	20	21	22	23
24	25	26	27	28 D	29 D	30 F

○ Pleine lune et éclipse lunaire de pénombre   F Jour favorable

● Nouvelle lune   D Jour défavorable

Santé

Un autre très bon mois à l'horizon! Vous êtes à la fois dynamique et résistant; rien ne semble vous atteindre. La seule chose qui puisse vous déranger un peu, c'est votre nervosité ou votre insécurité. Pourtant, si vous vous branchez sur votre petite voix intérieure, vous sentirez que vous n'avez aucune véritable raison de vous inquiéter.

Sentiments

La présence de Mars dans votre cinquième secteur vous confère un charisme inhabituel. Des compliments et des marques d'attention en témoigneront. Votre conjoint fait de gros efforts pour vous faire plaisir, mais attention, on dirait que vous en voulez toujours plus. Au lieu de penser à ce que vous n'avez pas, concentrez-vous plutôt sur le positif.

Affaires

Vous vous sentez ambitieux et motivé. Voilà d'excellentes dispositions qui vous permettront de gravir encore d'importants échelons. Votre flair vous permet de saisir au vol une occasion du tonnerre. Tout va très vite; vous n'avez guère de temps à vous, mais vos progrès sont considérables. Une bonne surprise vous attend. Excellent mois pour les investissements sérieux et les projets à long terme.

Décembre						
D	**L**	**M**	**M**	**J**	**V**	**S**
1 F	2	3	4●	5	6	7
8 F	9 F	10 F	11 D	12 D	13	14
15	16	17	18	19○	20	21
22	23	24	25 D	26 D	27 F	28 F
29	30	31				

○ Pleine lune
● Nouvelle lune et éclipse solaire totale

F Jour favorable
D Jour défavorable

Santé

Mise à part une légère fragilité sur le plan digestif et respiratoire, vous vous portez fort bien. Durant les neuf premiers jours, vous ressentirez les effets de l'éclipse; un sommeil agité, quelques accès de nervosité et des pensées négatives sont possibles. Par la suite, vous retomberez sur vos pattes.

Sentiments

Votre conjoint traverse une période d'incertitude, mais celle-ci a davantage à voir avec ses affaires ou son travail qu'avec vous. Avec quelques efforts, vous pourriez trouver les mots pour l'apaiser. Début de mois difficile en ce qui concerne un enfant; les désagréments s'estomperont toutefois bien avant Noël.

Affaires

Vous trouvez que vous en avez trop sur les épaules, qu'on vous prend pour Samson. N'empêche que vous passez au travers les difficultés même si la pression est énorme par moments. Vous réussirez à contourner un vieux problème qui refait surface. Une rentrée d'argent ou une prime risque de passer en frais pour la voiture ou pour la maison.

CANCER
Du 22 juin au 23 juillet

Comme l'indique la carapace de votre signe, représenté par un crabe, vous êtes un être solide, doux et tendre à l'intérieur. En fait, il y en a peu comme vous dans le zodiaque. Pour cette raison, vous êtes d'excellents parents, c'est dans votre nature.

La Lune exerce une véritable influence sur votre signe; ses cycles et ses lunaisons se font sentir davantage dans votre cas. Toute votre vie est marquée au sceau des rayons lunaires, même votre humeur. Cela est si évident que certaines personnes vous qualifient de lunatique, car vous changez au fil de l'influence lunaire.

Votre imagination est si fertile qu'il n'est pas rare que vous soyez dans la lune, à vous laisser porter par vos rêveries.

Néanmoins, lorsqu'il est question de votre famille, de vos enfants, de votre entourage, vous êtes quelqu'un d'excessivement terre à terre, peut-être trop parfois. Vous êtes toujours prêt à dorloter, à gâter, à aider vos proches, mais surtout vos chers petits. Avec ces derniers, vous aurez tendance à vous montrer surprotecteurs. Vous cherchez avant tout à les rendre heureux et vous vous inquiétez, bien souvent sans raison. Même lorsqu'ils seront adultes, ou vieux, vos enfants resteront vos enfants, et vous vous en ferez toujours pour leur bien-être, quitte parfois à les étouffer avec vos cajoleries.

Les Cancer sont les mamans poules et les papas-gâteaux par excellence. S'ils n'ont pas d'enfants, les Cancer jetteront leur dévolu sur ceux des autres, car pour eux une vie sans enfants n'est pas pensable. Les Cancer attirent les enfants, qui savent bien qu'il y a toujours une petite friandise à croquer dans leurs garde-manger, un mot gentil ou un conseil désintéressé et sincère à recevoir.

Le drame du Cancer est qu'il a si peur de faire de la peine, de déplaire qu'il aura du mal à dire non, à trancher, à se décider. Cela est probablement dû à l'aspect féminin de ce signe, car même les

Cancer

hommes Cancer, persuadés de la supériorité du mâle, ont du mal à refuser quelque chose lorsqu'on sait les prendre.

Le Cancer a besoin de son cocon pour se sentir bien. Son logis devient alors un refuge, une forteresse, une carapace où il se sait en sécurité et heureux. Il n'est guère facile de le faire sortir de son antre. Le Cancer hésite, remet au lendemain, et il faut vraiment insister pour le forcer à bouger. Il trouve toujours un bon prétexte pour rester tranquillement dans son petit nid.

Par contre, si on le brusque, si on insiste, le Cancer finit par s'amuser et prendre plaisir aux activités qu'on l'a obligé à faire. Il restera réticent à mettre le nez dehors, même en sachant pertinemment ce qui l'attend et qu'il appréciera ce que vous lui proposerez. Par contre, si c'est son enfant qui a besoin de lui, alors le Cancer se précipitera pour lui apporter son aide; une armée entière ne saurait l'arrêter.

La vie du Cancer est rythmée par les repas. Savoureux, invitants, les petits plats qu'il propose enchantent les palais les plus fins. Il a toujours une nouveauté à faire goûter, un petit délice à proposer. Être invité chez un Cancer, c'est être convié à un banquet d'odeurs, de saveurs et de mets délectables. Bien sûr, la restauration, l'hôtellerie, l'alimentation sont des domaines qui lui conviennent tout à fait. D'ailleurs, même si vous n'en faites pas votre métier, manger est si important dans votre vie que vous trouverez toujours le moyen de concocter un petit plat pour vos amis... ou pour vous-même! Ce n'est pas un Cancer qui se laissera mourir de faim.

En plus de bien soigner son estomac, le Cancer sait également s'occuper de son esprit, et il ne manque pas d'inspiration. Le matin est la période idéale pour vous laisser aller à la rêverie. Vous n'arrivez pas à démarrer votre journée sans avoir pris le temps nécessaire pour vous réveiller.

Une fois que vous commencez votre journée toutefois, vous débordez d'énergie. L'influence de la Lune se fait encore une fois sentir, car vous êtes capable de durer et de durer encore. On se demande si vous avez besoin de dormir autant, ou si c'est pour rêver que vous paressez au lit le matin.

On l'a dit, vous n'hésitez jamais à venir à la rescousse de vos proches. Vous avez un cœur d'or. Votre conjoint, vos enfants, vos amis l'admettent. Pourtant, on vous reproche d'en faire un peu trop parfois. Vous êtes si dévoué que vos proches passent avant tout. Vous les chouchoutez jusqu'à saturation. Et vous vous rongez les sangs lorsqu'ils sont au loin: on ne sait jamais... si quelque chose leur arrivait!

L'éventail de vos soucis, quand il s'agit de votre entourage, est vraiment très large. Vous vous en faites pour une bosse au front, un retard devient un accident dans votre imagination ou mille et une inquiétudes vous accaparent soudainement l'esprit pour un oui ou pour un non. Vos proches en rient... mais parfois jaune, car ils vous trouvent un peu exaspérant.

Vous dorlotez ceux que vous aimez jusqu'à ce qu'ils n'en puissent plus. Vous les enfermez, les couvez, les nourrissez, les suralimentez jusqu'à épuisement. Ils se plaignent de ne pas pouvoir respirer. Pourtant, dans le fond, ils aiment bien ça, car une maman, un papa, un conjoint ou un ami Cancer, c'est la félicité. Il prend souvent les tracas quotidiens sur ses épaules et facilite la vie de tous au maximum.

Comment se comporter avec un Cancer?

Le mieux est de le laisser s'occuper de vous. Il veillera à ce que vous ne manquiez de rien: «As-tu faim? T'as pas un petit creux?» Il sera toujours disposé à vous prêter une oreille attentive et s'il pense que vous lui cachez vos tracas, il s'imaginera le pire. Dans ces conditions, il vaut mieux vous confier pour éviter qu'il ne s'en fasse avec des riens.

La pure logique n'est guère son fort; il préférera s'en remettre à ses émotions, même lorsqu'il discute avec vous. Intuitif, il peut rapidement déceler que quelque chose vous pose problème. Vous aurez beau tenter de plus prouver par A plus B qu'il s'en fait pour rien, il se fiera davantage à son intuition qu'à vos arguments.

Le Cancer est rongé par l'insécurité, il a besoin d'être constamment rassuré, et il faut lui donner confiance en lui, car sur ce plan, le déficit est grand. Il apprécie la moindre de vos petites attentions; il est donc primordial qu'il se sente aimé et épaulé. Faites-le-lui savoir.

Si vous ne parvenez pas à le convaincre d'entreprendre telle ou telle activité ou de vous accompagner pour telle ou telle visite, il suffit de lui dire que sa présence fera plaisir aux enfants et vous le verrez vite enfiler sa plus belle tenue pour vous suivre sans plus poser de questions. Ça marche presque à tous les coups.

Il faut l'inciter à sortir, à voir des gens, à pratiquer des activités à l'extérieur, sinon il ne réfléchira qu'à ses soucis, réels ou imaginaires. Il ne le fera pas de lui-même. Insistez: il ne sait pas dire non, et vous pourrez l'emmener où vous voudrez. Par la suite, il vous remerciera.

Ses goûts

Chez le Cancer, les plaisirs de la table priment. C'est au milieu de son petit monde, qu'il est le plus heureux. Il vous offrira un repas copieux et délicieux. Le Cancer savoure sa nourriture comme d'autres savourent la vie; pour lui, les deux sont intimement liés. Il a le sens de l'hospitalité et vous pouvez frapper à sa porte, de jour comme de nuit, elle est toujours ouverte pour ses amis, sa famille et surtout ses enfants. Évidemment, une bonne assiette les y attend.

Son antre est un nid chaleureux, rempli d'objets aux formes invitantes, et de souvenirs. On s'y sent bien, et on a l'impression que les ennuis quotidiens y sont absents. Lui-même apprécie son repaire, voilà pourquoi il ne veut pas en sortir. Souvent, le Cancer est propriétaire de sa petite maison, car elle fait partie de sa carapace; c'est son élément de protection, l'endroit où il aime se retrouver.

Si votre vieille voisine court derrière les petits-enfants de la rue pour leur offrir les biscuits qu'elle vient de faire, c'est certainement une belle grand-maman Cancer.

Son potentiel

Le Cancer est d'un altruisme exacerbé. C'est dans sa nature. Il n'est donc pas rare de le voir œuvrer comme infirmière ou responsable du service à la clientèle de son entreprise.

Sa nature gourmande sera également bien servie dans l'alimentation, l'épicerie, la restauration (quel cordon-bleu!) et l'hôtellerie. Il aime également la psychologie, les soins à autrui, l'éducation, les services de garderie et la comptabilité.

Son côté protecteur lui permet souvent de gagner sa vie dans un domaine où il pourra laisser parler ses penchants pour l'humanité tout entière. S'il a choisi un métier moins lié au service au public, il demeurera néanmoins attentif au bien-être d'un collègue, d'un confrère ou d'un employé qui a des problèmes. Il ne peut s'empêcher de s'inquiéter pour les autres.

Ses loisirs

Le Cancer a besoin de sentir tout son petit monde tout autour de lui pour être vraiment bien. Il préférera donc avoir des activités familiales plutôt que des sorties dans les boîtes de nuit à la mode... Si vous avez besoin de son aide pour garder le petit dernier, pour préparer un repas alors que vous êtes alité, appelez-le, il arrivera en moins de temps qu'il n'en faut pour le dire.

D'ailleurs, notre Cancer aime bien cuisiner, il est gourmand, d'accord, mais c'est aussi pour lui un bon moyen de réunir autour de lui tous ceux qu'il aime. Il n'hésitera pas à passer des heures dans la cuisine pour vous concocter des petits plats. Et si vous discutez recettes avec lui, alors ce super cordon-bleu vous éblouira par ses talents et ses connaissances culinaires.

Son esprit de famille est très développé et, pour cette raison, l'histoire ou la généalogie sauront l'attirer. Très attaché aux souvenirs, aux objets anciens ou aux bricolages des enfants, il pourrait même devenir collectionneur.

Si vous décidez de l'emmener au cinéma ou de lui acheter un roman, n'hésitez pas à cultiver son côté fleur bleue. Les grandes histoires de tendresse et de romantisme sauront le ravir, surtout si la fin consiste en une envolée lyrique sur fond de retrouvailles, de mariage ou d'amour passionné.

Sa décoration

On sait que le Cancer aime bien se protéger sous sa carapace et offrir un refuge aux membres de sa famille. Son intérieur sera donc confortable, chaleureux et douillet. Son petit nid lui permet de se retrancher d'un monde qui va trop vite et qui se fait trop stressant. Chez lui, vous vous sentirez en sécurité, protégé et choyé.

Sa décoration peut sembler hétéroclite, car il aime les objets, et il en a accumulé au fil des ans. Il y en a partout. Cet adepte du cocooning s'est créé un cocon douillet où l'histoire de sa petite famille peut se lire au moyen des nombreux souvenirs qui y sont exposés: des photos, le premier soulier de l'aîné, les trophées sportifs du benjamin, un beau dessin de sa cadette, qui aura bientôt 50 ans... mais qu'à cela ne tienne, le Cancer a tout conservé. Si un membre de sa famille cherche un document familial, il est à peu près assuré de le retrouver dans les nombreux souvenirs entreposés chez lui.

La Lune gouverne son signe. Le Cancer aura donc tendance à s'entourer de rondeur. On constate cela en examinant les meubles anciens qu'il aime: les sièges profonds, les consoles et les commodes aux formes rebondies. Chez lui, aucune arête; tout accentue le sentiment de douceur et de bien-être, qui frappe dès qu'on arrive chez lui. On se sent tellement bien chez lui qu'il est souvent bien difficile de s'en aller... les enfants le savent bien.

Son budget

Le Cancer est un être sage. On pourrait même le qualifier de peureux. Il ne risquera pas ses économies sur un coup de tête.

Avec lui, le mot modération a tout son sens. Il pèse sans cesse le pour et le contre avant de délier les cordons de sa bourse. Si une dépense peut attendre, s'il n'est pas sûr, il y réfléchira deux fois. Et s'il se sent pressé de prendre une décision, il se rebellera et se renferma bien vite dans sa carapace.

Ce n'est pas un être pingre, mais il connaît bien la valeur des choses. Il mise sur la qualité plutôt que la quantité. Sa voiture, même chère, durera longtemps et lui assurera la sécurité qu'il recherche. Sa maison sera solide et située dans un quartier où sa valeur augmentera avec les années.

Il sait investir dans des obligations ou des actions stables; ce n'est pas lui qui courra un risque à la Bourse. Il préfère y aller d'un train pépère, mais arriver à bon port. D'ailleurs, il se décide lentement, mais ne se trompe pas. Son avenir est planifié et sa retraite, bien préparée. C'est un être sage qui ne mettra pas sa sécurité en péril.

Pour dépanner un être cher, voilà quelqu'un sur qui on peut compter. Il accourra, et souvent avec les bras chargés d'une multitude de solutions... quand ce ne sera pas de présents.

Quel cadeau lui offrir?

Il est relativement facile de faire plaisir à un Cancer. Puisque son intérieur a tellement d'importance à ses yeux, un petit quelque chose pour sa maison, un bibelot, un souvenir ou un objet sera grandement apprécié, surtout si cela ajoute encore un peu de rondeur à son environnement.

Puisque la cuisine est sa passion, ne pas hésiter à lui offrir des livres de recettes, des ustensiles, de la vaisselle, des accessoires pour sa table, ou un grand gueuleton dans un bon restaurant.

En fait, c'est plus le geste en lui-même qui comptera à ses yeux, donc vous n'aurez pas besoin de vous ruiner pour lui faire plaisir. Par exemple, un objet fait de vos mains, ou mieux encore par un enfant, le ravira.

Un dessin, une poterie, une peinture, un coussin au crochet, un pull tricoté de vos mains, une vieille photographie de vos ancêtres communs agrandie et encadrée, voilà ce qu'il appréciera. Et n'ayez crainte, votre cadeau occupera une place de choix parmi ses plus chers souvenirs.

Les enfants Cancer

Un bébé Cancer est un bébé facile. On ne l'entend jamais, il fait ses nuits, dort beaucoup et ne pleurniche pas, à moins justement qu'on l'ait empêché de faire un gros dodo.

Ce sera aussi un petit glouton qui aimera bien le sein de sa maman, plus que le biberon d'ailleurs.

Affectueux, sensible et obéissant, ce formidable bout de chou cherchera toujours à faire plaisir. Les petits garçons sont très attachés à leur maman et le resteront toute leur vie, il faut donc leur apprendre à voler de leurs propres ailes et ne pas trop les couver, car ils pourraient s'accrocher à vous et ne pas prendre leur envol.

L'enfant Cancer gardera toute sa vie un indéfectible souvenir de la maison de son enfance et de sa famille. Il faudra le pousser hors du nid lorsque le temps sera venu, sinon il pourrait bien continuer à y trouver refuge à la moindre inquiétude. En fait, il reviendra souvent vers vous pour chercher sa dose de tendresse.

L'enfant Cancer a un cœur d'or; il pourrait donner tout ce qu'il a à ses petits camarades moins bien lotis. Il devra apprendre à être plus réaliste, à ne pas trop dépendre des autres, à ne pas trop chercher à surprotéger ses frères ou ses sœurs pour s'épanouir dans la vie.

L'ado Cancer

En tant que signe d'eau, le jeune Cancer a une sensibilité à fleur de peau. Tu ressens l'influence de ton milieu familial, et ta mère occupe une place prépondérante dans ta vie, parfois même à ton insu.

Affectueux, tranquille et plutôt réservé, ton imagination très féconde te porte à la rêverie. Le plus important pour toi est de te sentir aimé et tu te montres prévenant et aimable avec tous ceux qui t'entourent, allant même parfois au-devant de leurs désirs, avant qu'ils les aient exprimés. Lorsque quelqu'un se montre intransigeant avec toi, ou si tu penses qu'on s'en prend à un membre de ta famille, tu deviens dur et tu ne te laisses pas faire.

Ta sensibilité te rend un peu timide; tu ne donnes pas ta confiance facilement et, dans un nouveau groupe, tu as tendance à rester à l'écart. Pourtant, lorsque tu es entouré de ceux qui t'aiment, tu t'ouvres: tu te sens vraiment à l'aise.

À l'instar de la Lune qui gouverne ton signe, tu es quelqu'un de changeant. On te trouve parfois capricieux, voire girouette. La raison de ta versatilité est que ta vie émotive guide tes états d'âme.

L'avenir t'inquiète un peu, mais tu dois apprendre à apprécier tout ce que la vie met de bon sur ton chemin, sans trop t'arrêter à ses aspects les moins jolis!

Tu es profondément humaniste et généreux, tu as un très grand cœur, un sens profond de la famille. La fidélité et la loyauté ne sont pas les moindres de tes qualités. Tu attends le grand amour, car tu accordes beaucoup de valeur aux sentiments. Tu rêves même d'une petite famille bien à toi, que tu pourras aimer, protéger et gâter.

Tes études

Pour que tu donnes un bon rendement, il te faut un environnement d'étude chaleureux. Les polyvalentes géantes et les cégeps impersonnels t'effraient. Malgré tout, comme tu es doué et travailleur, tu réussis à te débrouiller. Décider de ton orientation est par contre un véritable casse-tête. Que choisir? Tu as tellement d'aptitudes et de talents. Mais tu es un peu lent. Tu veux être sûr de faire le bon choix, de ne pas te lancer à l'aveuglette dans un domaine qui ne te plaira pas à 100 %. Prends ton temps, fais confiance à tes capacités et à tes qualités, et tout ira bien. Une fois que ton choix sera fait, ce sera sans aucun doute le bon.

Ton orientation

Musique, écriture et poésie, peinture, tous les arts te plaisent. Tes talents artistiques sont variés et immenses. Même si tu décides de ne pas les utiliser pour en faire ta carrière, il te faut les développer car ils seront une bonne base de ressourcement. Tu as une solide imagination et si tu sais bien l'utiliser, elle te permettra de mieux canaliser ton émotivité. L'alimentation ou le travail avec les enfants sont d'autres secteurs qui pourraient te plaire. Les techniques de garderie, l'enseignement, l'histoire, la géographie, la diététique, la restauration, l'hôtellerie, les services de traiteur, le cinéma, les soins infirmiers, la médecine, la gestion, la décoration, le jardinage, l'immobilier, la plomberie, le commerce, les antiquités sont autant de domaines qui te permettront d'exprimer tes capacités. Tu vois: tu as le choix.

Tes rapports avec les autres

Tu pressens les événements et les situations. Si un de tes proches est en difficulté, ton intuition te préviendra. Tu as du flair, mais tu ne t'y fies pas assez. Très sensible à l'opinion de tes amis, tu seras ton plus dur critique. Bien sûr, tu es le meilleur juge, mais ne te laisse pas influencer, forge-toi ta propre opinion sans te ranger à celle du voisin, par commodité.

Tu es un ami formidable; ta générosité, tes attentions et ta gentillesse font de toi une personne très recherchée. Et en plus, on te sait très fidèle en amitié comme en amour. Il est à peu près sûr que tu as gardé tes meilleurs amis depuis l'école maternelle ou primaire.

Ils sont eux aussi

Meryll Streep, Jean-Pierre Ferland, Robert Charlebois, Garou, George Michael, Claire Lamarche, Sylvie Tremblay, Charles Biddle jr, Renée Claude, Sylvester Stallone, Ringo Starr, Nathalie Simard, Tom Hanks, Michel Louvain, Yves Corbeil, Carlos Santana, Marie-Josée Taillefer, Michel Tremblay, Tom Cruise, Isabelle Adjani, Joanne Prince.

Pensée positive pour le Cancer

Je vais de l'avant en toute confiance. Je suis libéré de mon passé et je deviens réceptif à tout ce que la vie et les autres veulent me donner de bon.

Pensée positive spéciale pour 2002

Je reçois avec joie tous les bienfaits que la vie m'envoie, je les utilise avec discernement.

Le subconscient nous dirige toujours selon nos pensées. En répétant le plus souvent possible ces pensées conçues tout spécialement pour vous, vous vous attirerez plein de belles choses.

Signe: Cancer

Élément: Eau

Catégorie: Cardinal

Symbole: ♋

Points sensibles: Appareil digestif, foie, estomac, rate, pancréas, sein, glandes mammaires. Dyspepsie, digestion lente, besoin de beaucoup de sommeil.

Planète maîtresse: La Lune, qui représente l'émotivité.

Pierres précieuses: Perle, onyx, pierre de lune

Couleurs: Blanc, gris, argent, toutes les couleurs pastels.

Fleurs: Rose blanche, lys, nénuphar.

Chiffres chanceux: 3-8-11-15-23-29-33-35-46-48

Qualités: Sensible, esprit de famille, dévoué, hospitalier, bienveillant, tenace, très maternelle.

Défauts: Indécis, peureux, rêveur, lent à démarrer, accrocher à sa mère, dépressif, vit dans ses souvenir et dans le passé.

Ce qu'il pense en lui-même: Qu'est-ce que je pourrais faire pour faire plaisir aux enfants?

Ce que les autres disent de lui: Les enfants d'abord, les autres ensuite.

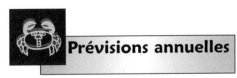

Vous êtes sur le point d'entamer une année dont vous vous souviendrez long-temps. La présence de Jupiter dans votre signe vous fera vivre plusieurs événe-ments inhabituels; en plus de transformer l'existence, ce transit provoque aussi une importante évolution de la personnalité. On ressent profondément le désir de se lancer dans de nouvelles aventures, de relever d'autres défis. Ce qui nous satisfai-sait autrefois, ne suffit plus à nous contenter; on a besoin de recommencer à neuf.

Santé

Si Jupiter apporte le goût de mordre dans la vie à belles dents, elle est également responsable d'une diminution de la volonté. N'abandonnez pas trop vite vos sages résolutions, sans quoi vous pourriez perdre du terrain; attention également de ne pas retomber dans vos mauvaises habitudes. Ceux qui feront des efforts pour gar-der la forme ou la retrouver seront largement récompensés, mais ceux qui se laisseront aller risquent d'avoir quelques ennuis de silhouette ou de santé. Psychologiquement, l'année s'annonce sous le thème de l'optimisme, de la bonne humeur et de la joie de vivre.

Sentiments

Vous osez enfin sortir de votre coquille, et ce, dans tous les sens! D'abord vous par-lez beaucoup plus, vous arrivez à dire ce que vous avez sur le cœur, vous n'en-caissez plus les coups sans dire un mot, mieux encore, vous apprenez à demander, ce qui étonnera votre entourage… Mais comme vous vous débarrassez aussi de vos peurs, vous tenez votre bout. Qui vous aime vous suive! Sinon, tant pis pour eux. D'autre part, les pantoufles et le sofa confortable vous tentent moins; vous avez envie de mettre le nez dehors et de voir du nouveau monde. Ça tombe bien, car une multitude d'agréables rencontres sont sur le point de se produire. D'ailleurs une grosse surprise attend les solitaires!

Affaires

Si vous avez de grands projets, c'est le moment de passer aux actes. En effet, les gestes que vous ferez en vue de donner un nouvel élan ou direction à votre car-rière rapporteront gros. La seule recommandation qu'on ait à vous faire est de prendre garde aux erreurs de jugement; ne soyez pas naïf, ne faites confiance à per-sonne sans avoir dûment vérifié la véracité de ses allégations. Vous vous sentez ambitieux, et l'année se prête justement aux réalisations d'envergure. Un chiffre d'affaires à la hausse, une promotion, un nouvel emploi mieux rémunéré ou une augmentation de salaire sont autant de possibilités. La chance sera tellement dans le décor que vous aurez même la main heureuse au jeu. Bonne année pour les tran-sactions immobilières, les voyages et pour vous mettre des sous de côté.

Janvier

D	L	M	M	J	V	S
		1	2	3	4	5
6D	7D	8F	9F	10	11	12
13●	14	15	16	17F	18F	19F
20D	21D	22	23	24	25	26
27	28○	29	30	31		

○ Pleine lune   F   Jour favorable
● Nouvelle lune   D   Jour défavorable

Santé

Vous débutez l'année en grande forme! Si vous voulez que ça perdure, prenez quelques précautions à partir du 19, sans quoi vos excès ou une distraction risquent de ralentir vos élans. En plus des chutes et des blessures, vous devriez vous méfier des troubles du système digestif et des maux de dos.

Sentiments

Vous nagez en plein romantisme. Pourtant, vous ressentez une vague insatisfaction; essayez de ne pas trop y penser; à la fin du mois, cet étrange sentiment disparaîtra. En société, vous faites des ravages; on s'arrache littéralement votre présence. Un parent tente encore de vous traiter comme si vous étiez un enfant; une bonne discussion et tout rentrera dans l'ordre.

Affaires

Les trois premières semaines constituent votre meilleure période; c'est si favorable que vous pourriez même décrocher un prix à une loterie. Bon temps pour les démarches, les initiatives, les nouveaux projets et pour prendre de l'expansion. Un voyage vous tente? C'est simple: partez avant le 19.

Février						
D	L	M	M	J	V	S
					1	2D
3D	4F	5F	6	7	8	9
10	11	12●	13F	14F	15F	16D
17D	18	19	20	21	22	23
24	25F	26	27○	28		

○ Pleine lune   F Jour favorable

● Nouvelle lune   D Jour défavorable

Santé

L e mauvais aspect que Mars prend actuellement dans votre signe devrait vous inciter à la plus grande prudence. Soyez sur vos gardes pour ne pas vous faire mal dans vos déplacements ou lorsque vous utilisez un objet dangereux; votre digestion et votre dos continueront à vous déranger aussi longtemps que vous ne changerez pas vos habitudes de vie. Entre le 12 et le 28, vous pourriez prendre une bonne résolution ou améliorer votre apparence.

Sentiments

D u 12 février au 8 mars, vous bénéficierez de l'influence positive de Vénus, ce qui contribuera à mettre du piquant dans votre vie amoureuse et sociale. Les couples se rapprocheront tandis que les solitaires rencontreront, lors d'une sortie, une personne qui fera chavirer leur cœur. Avec la famille, ça brasse un peu, mais vous ne cédez plus à leur chantage.

Affaires

A u travail les choses ne se passent pas comme vous le souhaitez; vous vous sentez à la merci des autres. Inutile de trop vous en faire, car vous en sortirez gagnant. Une dépense imprévue vous tombe dessus, mais vous trouvez la somme qu'il faut, presque par magie. Au fait, n'oubliez pas d'acheter un billet de loterie entre le 11 et le 28.

131   **Cancer**

Mars

D	L	M	M	J	V	S
					1D	2D
3F	4F	5	6	7	8	9
10	11	12	13F	14●F	15D	16D
17D	18	19	20	21	22	23
24	25	26	27	28○	29D	30D
31F						

○ Pleine lune	F	Jour favorable
● Nouvelle lune	D	Jour défavorable

Santé

Bonne nouvelle, la planète Mars cesse de vous embêter le 2; vous serez alors débarrassé des risques de toutes sortes. Si vous avez eu des pépins dernièrement, le moment est venu d'y remédier. Il n'y a que la gourmandise qui risque de vous jouer des tours entre le 8 et le 31. Moralement, vous traverserez une période en or du 12 au 30; vous vous libérerez d'une multitude de contraintes passées.

Sentiments

N'oubliez pas que Vénus continue de veiller sur vos amours et vos sorties jusqu'au 8; si vous êtes seul, gardez l'œil ouvert. Le reste du mois s'annonce doux et agréable. En amitié, vous vivrez de nombreuses joies à partir du 3, vous consoliderez les liens qui vous unissent aux autres, vous ferez également la connaissance d'une personne surprenante.

Affaires

La grisaille du mois dernier fait place à un cycle beaucoup plus propice à la réalisation de vos projets. Les obstacles tombent un à un et vous surmontez facilement le problèmes. Alors que le mois dernier on vous mettait des bâtons dans les roues, voici que désormais on est prêt à vous appuyer. Les déplacements, les démarches et les voyages demeurent favorisés, tandis qu'au jeu, vous vous débrouillez encore très bien.

			Avril			
D	L	M	M	J	V	S
	1F	2	3	4	5	6
7	8	9F	10F	11D	12D	13●D
14	15	16	17	18	19	20
21	22	23	24	25D	26○D	27F
28F	29	30				

○ Pleine lune   F Jour favorable
● Nouvelle lune   D Jour défavorable

Santé

Le mois se divise en deux parties très différentes. Durant la première quinzaine, vous aurez une énergie et une résistance peu communes, mais le moral fera des siennes. Par la suite, c'est l'inverse qui se produira: vos nerfs deviendront beaucoup plus solides. En contrepartie, vous vous sentirez plus douillet et plus fatigué.

Sentiments

Jusqu'au 26, on peut dire que les astres sont de votre côté. La complicité qui vous unit à votre conjoint ira en grandissant; vous rigolerez aussi beaucoup ensemble. Avec les amis, des heures de plaisir vous attendent. Quant à ce membre de votre famille qui s'ingérait dans vos affaires, il cessera de vous importuner après le 13, probablement parce que vous le remettrez à sa place.

Affaires

Si vous devez effectuer une démarche importante ou mettre un projet en chantier, tâchez d'agir avant le 14, car vous disposez alors de la meilleure conjoncture. Bien que la seconde moitié du mois n'annonce rien de désastreux, il se peut que vous rencontriez quelques obstacles et que vous deviez subir des retards. Certes, votre ténacité en viendra à bout.

			Mai			
D	**L**	**M**	**M**	**J**	**V**	**S**
			1	2	3	4
5	6F	7F	8F	9D	10D	11
12●	13	14	15	16	17	18
19	20	21	22	23D	24D	25F
26○F	27	28	29	30	31	

○ Pleine lune et éclipse lunaire de pénombre   F Jour favorable
● Nouvelle lune   D Jour défavorable

Santé

Nous décelons encore une tendance à la lassitude tant morale que physique. Probablement qu'en vous changeant les idées, en bougeant un peu plus et en vous alimentant sainement, les choses se replaceraient. L'inactivité vous garde dans cet état de léthargie et vous pousse à trop réfléchir; vous ressassez de vieilles affaires et vous vous énervez pour rien.

Sentiments

Au cours des trois premières semaines, vous serez enclin à l'introspection, vous ne laisserez pas non plus n'importe qui vous approcher. Il semble même que la compagnie de certaines gens que vous appréciez habituellement vous tape sur les nerfs. Heureusement, vous sortirez de votre coquille après le 21 et vous communiquerez plus aisément avec les autres.

Affaires

Tout se déroule avec lenteur; vos démarches mettent du temps à aboutir, tandis qu'au travail vous faites du surplace. Je vous garantis qu'en insistant un peu vous finirez par faire évoluer la situation. Chances dans les loteries au cours de la dernière semaine. Bon temps également pour changer d'air.

D	L	M	M	J	V	S
						1
2F	3F	4F	5D	6D	7	8
9	10●	11	12	13	14	15
16	17	18	19D	20D	21F	22F
23	24○	25	26	27	28	29
30F						

○ Pleine lune et éclipse lunaire de pénombre   F Jour favorable

● Nouvelle lune et éclipse solaire annulaire   D Jour défavorable

Santé

L'arrivée de Mars dans votre signe coïncide avec un important regain d'énergie. Cependant, ce transit planétaire apporte aussi des risques d'accidents; ce n'est donc pas le moment de courir des risques. Autre chose à proscrire: les excès en tous genres. Abuser de vos forces ou de la bonne chère finirait par avoir raison de votre bonne forme.

Sentiments

Plusieurs planètes dans votre signe augmentent votre charisme, voire votre sex-appeal. Pas étonnant que les solitaires fassent une conquête de taille; quant aux autres, ils ont tout ce qu'il faut pour séduire à nouveau leur partenaire. Les invitations arrivent de tous les côtés; vous êtes définitivement très en demande.

Affaires

Enfin, ça débloque! Les lenteurs et les obstacles cèdent la place à la chance. Tout ce que vous entreprenez fonctionne à merveille. Vous avez même d'intéressantes possibilités au jeu. Tout ce succès risque d'attirer des profiteurs; il vaut mieux ne pas vous associer ni croire tout ce qu'on vous dira. Très bon mois pour les voyages et les transactions immobilières.

Juillet

D	L	M	M	J	V	S
	1F	2D	3D	4D	5	6
7	8	9	10●	11	12	13
14	15	16D	17D	18F	19F	20
21	22	23	24○	25	26	27F
28F	29F	30D	31D			

○ Pleine lune   F   Jour favorable
● Nouvelle lune   D   Jour défavorable

Santé

Mars demeure dans votre signe jusqu'au 14. Par consé-quent, vous devez continuer à faire preuve de modéra-tion, de sagesse et de prudence. Par la suite, le ciel se dégage et vous retrouvez votre aplomb, vous pourriez même vous débarrasser de vos bobos. Votre moral est excellent; vous envisagez la vie avec opti-misme.

Sentiments

On ne cesse de vous inviter à gauche et à droite. Voici l'oc-casion de renouer avec d'anciennes connaissances, mais aussi de faire de nouvelles rencontres. Parlant de rencontre, les soli-taires pourraient avoir une grosse surprise entre le 11 et le 31. Un enfant vous confie une importante nouvelle entre le 7 et le 22.

Affaires

Un autre mois fort productif pendant lequel vous n'aurez pas le temps de vous ennuyer. Vous aurez à choisir entre deux propositions alléchantes; écoutez votre intuition, vous ne pour-rez pas vous tromper. Les déplacements d'affaires et d'agrément ainsi que les transactions immobilières demeurent avantagées. Dans les loteries, vous continuez à faire des jaloux.

Août						
D	**L**	**M**	**M**	**J**	**V**	**S**
				1	2	3
4	5	6	7	8●	9	10
11	12D	13D	14F	15F	16	17
18	19	20	21	22○	23F	24F
25F	26D	27D	28	29	30	31

○ Pleine lune　　　　F Jour favorable

● Nouvelle lune　　　D Jour défavorable

Santé

La bonne forme se maintient. Vous gérez très bien votre potentiel énergétique et vous semblez avoir un parfait contrôle de vos émotions. Si vous souhaitez améliorer ce magnifique tableau, il n'en tient qu'à vous; des cours de relaxation ou un programme d'exercices physiques vous permettront de conserver vos acquis pendant longtemps.

Sentiments

La première semaine s'annonce douce et facile. Il n'y a rien qui puisse vous chagriner. Pendant le reste du mois, votre conjoint aura besoin d'encouragements. Il est préoccupé: c'est ce qui explique qu'il ne prenne guère d'initiatives. Pourtant, si vous lui proposez des activités, il abondera très certainement dans votre sens. Entre le 6 et le 27, un enfant, un frère ou une sœur vous surprendra agréablement.

Affaires

La bonne période se poursuit de plus belle. Votre popularité est à la hausse; vous êtes donc très sollicité. En plus de tout ce que vous avez à faire, vous trouvez le moyen de caresser de nouveaux projets. Vos idées foisonnent et votre créativité est à son plus haut niveau. Tous vos déplacements demeurent avantageux.

Septembre						
D	**L**	**M**	**M**	**J**	**V**	**S**
1	2	3	4	5	6●	7
8D	9D	10F	11F	12	13	14
15	16	17	18	19	20F	21○F
22D	23D	24D	25	26	27	28
29	30					

○ Pleine lune F Jour favorable
● Nouvelle lune D Jour défavorable

Santé

Encore et toujours, un dynamisme du tonnerre! Ça fait plaisir de vous voir ainsi mordre à belles dents dans la vie. Vous allez si bien que ça se lit sur votre visage. Attendez-vous d'ailleurs à de nombreux compliments à partir du 8. Psychologiquement, c'est tantôt l'euphorie, tantôt l'angoisse. Par chance, cette dernière ne dure jamais bien longtemps.

Sentiments

Vous n'êtes pas souvent à la maison et quand vous y êtes c'est pour recevoir des amis ou la famille. Un proche semble bien indécis; vos bons conseils l'éclairent grandement, mais il a tôt fait de retomber dans son questionnement. En amour, ça s'annonce magnifique dès le 8; rencontres passionnantes ou rapprochements pleins de tendresse sont au programme.

Affaires

Même si les événements ne ressemblent pas toujours à ce que vous aviez prévu, vous marquez des points. Le départ ou la mutation d'une personne qui nuisait à votre ascension vous ouvre les portes grandes. On pourrait aussi vous demander de remplacer quelqu'un qui devra s'absenter; on vous propose des heures supplémentaires ou carrément un deuxième emploi.

Octobre						
D	**L**	**M**	**M**	**J**	**V**	**S**
		1	2	3	4	5
6●D	7D	8F	9F	10	11	12
13	14	15	16	17F	18F	19D
20D	21○D	22	23	24	25	26
27	28	29	30	31		

○ Pleine lune	F	Jour favorable
● Nouvelle lune	D	Jour défavorable

Santé

J usqu'au 16, tout ira comme dans le meilleur des mondes, mais la quadrature de Mars risque, par la suite, de vous jouer des tours. Si vous redoublez de prudence pour ne pas vous blesser, si vous gardez du temps pour vous reposer et si vous mettez un peu d'ordre dans votre vie, vous pourrez aisément échapper à la conjoncture.

Sentiments

S i en amour tout baigne dans l'huile, il n'en est pas de même avec les membres de votre famille. Quand ce n'est pas leur attitude déplaisante, ce sont leurs tracas financiers ou leurs problèmes de santé qui jouent avec vos nerfs. Vous en faites déjà bien assez pour eux, inutile de viser l'impossible. Avis aux solitaires: gardez les yeux ouverts!

Affaires

C 'est la première quinzaine qui offre les meilleures possibilités. Choisissez-la donc pour démarrer vos projets, pour ajuster votre tir, pour faire vos demandes et pour réorganiser vos conditions de travail. Une fois ceci bien en place, vous pourrez rester à l'abri des contretemps. Gare à votre amour des belles choses, qui pourrait faire un trou dans votre budget.

Cancer

Novembre						
D	**L**	**M**	**M**	**J**	**V**	**S**
					1	2
3D	4●D	5F	6F	7	8	9
10	11	12	13F	14F	15F	16D
17D	18	19○	20	21	22	23
24	25	26	27	28	29	30D

○ Pleine lune et éclipse lunaire de pénombre   F   Jour favorable
● Nouvelle lune   D   Jour défavorable

Santé

L'éclipse et le mauvais aspect de Mars ne sont pas de tout repos. Vous demeurez vulnérable, voilà pourquoi la prudence et la modération demeurent de mise. Moralement par contre, vous allez beaucoup mieux; vous n'avez plus le cafard, vous avez les deux pieds sur terre et vous ne vous énervez plus avec des chimères.

Sentiments

Le bonheur que vous procurent vos amours ne cesse de grandir. Un coup de foudre transformera l'existence des solitaires, tandis que les autres renoueront avec leur partenaire. La famille, quant à elle, continue à vous en faire voir de toutes les couleurs; mais désormais vous connaissez vos limites et vous ne laissez plus les autres exagérer.

Affaires

C'est votre vivacité d'esprit et vos réflexes ultrarapides qui vous permettront de tirer votre épingle du jeu. Une situation difficile se présentera au travail. Mais grâce à vos bonnes dispositions, vous trouverez rapidement une solution. Vous vous exprimez avec brio, on vous écoute d'une oreille attentive, bref on vous respecte.

Décembre						
D	**L**	**M**	**M**	**J**	**V**	**S**
1D	2F	3F	4●	5	6	7
8	9	10	11F	12F	13D	14D
15D	16	17	18	19○	20	21
22	23	24	25	26	27D	28D
29F	30F	31				

○ Pleine lune	F Jour favorable
● Nouvelle lune et éclipse solaire totale	D Jour défavorable

Santé

Dès le 2, vous serez libéré de la présence contraignante de Mars. Vous retrouverez votre bonne forme et votre robustesse. Si vous avez eu des pépins dans le passé, la solution est à votre porte. Excellente période pour vous prendre en main, pour régler les menus problèmes et repartir du bon pied.

Sentiments

Vénus et Mars dans votre cinquième secteur mettent énormément de piquant dans votre vie intime. Ceux qui n'auraient pas encore réglé leur problème de solitude auront le plus beau cadeau de Noël que l'on puisse imaginer; quant aux autres, ils retomberont littéralement en amour avec leur conjoint et le plus beau, c'est que ce sera réciproque. La famille cesse de vous causer des embêtements.

Affaires

Mois d'essor, de progrès et de renouveau. Certains projets qui semblaient paralysés pourraient enfin débloquer, et ce, à une vitesse vertigineuse. Au travail, vous mettez les bouchées doubles; on est estomaqué devant vos performances, et votre salaire en ressent les effets. On reconnaît vos mérites, de sincères félicitations en témoignent. Un vieux dilemme se règle: vous avez gain de cause.

LION
Du 24 juillet au 23 août

En bon Lion que vous êtes, vous régnez sur votre petit monde, et cela se voit. Vous êtes la vedette de votre cercle d'amis ou familial, et vous appréciez que les têtes se retournent sur votre passage. On vous remarque, et tout en vous contribue à cela: vos vêtements, vos attitudes, votre démarche, bref votre allure générale est féline et ne passe pas inaperçue.

Vous voulez être à la tête de la meute, partout et dans tout. Votre intérieur doit être le mieux tenu, votre carrière doit atteindre des sommets, vous devez remporter le plus important trophée sportif, vous devez diriger une multinationale, bref que ce soit pour récurer les chaudrons ou pour diriger une banque, vous ne jouerez jamais les seconds violons.

On ne peut pas dire que vous soyez mauvais perdant; vous êtes plutôt un gagnant qui a du panache et qui sait se montrer débonnaire et généreux avec autrui. La victoire vous va bien, il n'y a pas de doute là-dessus. Et souvent, vous la méritez. Énergique, ambitieux, ayant du cœur à l'ouvrage, vous vous donnez à 100 % ou, plutôt, à 200 %. Vous vous concentrez sur votre but, et votre ardeur est remarquable. Rien ne semble trop difficile à vos yeux, quitte à redoubler d'efforts pour atteindre votre but. Qu'il s'agisse d'un poste de direction, de l'aménagement de votre demeure, de vos cours de piano, tout est mis en œuvre pour contribuer à votre triomphe. Le résultat est remarquable et remarqué, et c'est le but que vous vous étiez fixé. Vous ne supportez pas l'indifférence.

Et bien sûr, quand on ne laisse pas indifférent, certains admirateurs nous soutiennent et d'autres nous envient. Vous serez donc souvent l'objet de jalousies et de critiques acerbes. Vous occupez toute la scène, et certains vous reprocheront de jouer à la star; ne vous en faites pas avec ces mesquineries, car dans le fond ces gens

143

Lion

vous envient et vous admirent. En fait, tout vous réussit si bien qu'on pourrait croire que vous parvenez à votre but sans effort, que tout vous tombe du ciel, et pourtant, vous travaillez d'arrache-pied pour obtenir tout ce que vous possédez... Vous savez si bien cacher vos efforts qu'on dirait que votre succès va de soi, vous avez tellement l'air d'être au-dessus de vos affaires.

Il en va de même sur le plan personnel. Vous dissimulez vos soucis, vos inquiétudes et votre chagrin; vous dites que tout va bien, même lorsque vous êtes désemparé. Vous êtes tellement habile pour cacher vos tracas que même vos proches n'y voient que du feu... et vous vous sentez bien seul dans ces moments-là.

Vous régnez sur votre entourage certes, mais vous n'êtes ni un être arrogant ni un avare. Vous êtes un roi qui veille attentivement sur ses sujets et vous savez vous montrer très généreux.

Démonstratif et ardent comme vous l'êtes, vous vivez vos amours sous le signe de la passion, et vous recherchez un partenaire qui vous fera honneur. Si en plus cette personne se montre indifférente ou est inaccessible, le défi n'en est que plus attirant pour le Lion, qui se lancera alors dans une véritable chasse.

En tant que maître du monde, vous avez un sens de la justice très élevé. Vous êtes une personne entière, honnête et droite, et vous demandez la même chose de votre entourage. Hélas! tout le monde ne vous ressemble pas. Ainsi, si vous vous associez, cette union sera profitable... à vos partenaires, car vous mettrez tout votre cœur et beaucoup de passion à votre travail, ce qui rapportera beaucoup à ceux qui en feront moins et qui vous laisseront agir. Vous donnez de bon cœur, mais vous ne pardonnerez pas de sitôt la duperie et le mensonge. Dans ces cas-là, le Lion en vous se réveille et gronde.

Comme leurs homologues des savanes, les femmes Lion seront souvent reines de leur foyer et pourront mener sans problème une carrière parallèle à leur vie domestique. Elles vont «chasser» pour rapporter de la nourriture.

Votre signe est celui du commandement, de la gestion, et, même si vous commencez au bas de l'échelle, vous finirez par obtenir un poste de direction. Vous avez un goût inné pour l'autorité; vous aimez décider de tout, choisir le film que votre conjoint veut voir, organiser les activités des enfants et jusqu'à donner votre avis sur la maison que votre sœur veut acquérir.

Vous êtes là pour tout organiser, tout diriger et il ne faut certainement pas que les autres viennent se mêler de vos affaires et vous dire quoi faire!

Votre point faible serait sûrement votre petit côté orgueilleux et vaniteux. Vous aimez la flatterie et cela peut vous jouer de vilains tours. Tout semble facile pour vous, et on a souvent tendance à croire que tout vous arrive sans effort alors que avez certainement travaillé très dur pour en arriver là et pour surmonter de nombreux obstacles. Mais une fois que vous avez réussi, avouez quand même que vous gonflez votre crinière d'orgueil!

Comment se comporter avec un Lion?

Le meilleur moyen de s'entendre avec un Lion est de ne pas s'opposer à lui. Il n'appréciera pas que vous le remettiez en question et pourrait en faire une affaire personnelle. Que vous vous mettiez en colère, que vous criiez, que vous tempêtiez n'y changera rien, au contraire, il s'entêtera. Par contre, le Lion n'est pas insensible à la logique et au bon sens; c'est donc la carte qu'il faut jouer pour le convaincre. Pour obtenir ce que vous désirez, vous pouvez aussi faire appel à ses émotions, à ses bons sentiments, c'est un être généreux qui ne vous tournera pas le dos en cas de besoin. Exposez-lui la situation et laissez-lui le plaisir de proposer son aide. Il aura l'impression que ça vient vraiment de lui et en sera d'autant plus heureux de vous donner un bon coup de main.

Le Lion a une haute opinion de lui-même; il aime bien qu'on fasse attention à lui. Au restaurant, à la maison ou en société, n'hésitez pas à lui laisser prendre la première place; il vous en sera reconnaissant... De toute façon, il la prendra, alors autant la lui laisser rapidement pour éviter les heurts. Le Lion aime s'afficher, se faire remarquer. Il aime les activités qui lui permettront de se montrer en public, invitez-le au théâtre, dans des premières et des lancements officiels. Par contre, vous devrez l'accompagner, car il a besoin de sa petite cour et déteste être seul.

Si vous avez des reproches à lui faire, attendez un tête-à-tête. Ne le faites jamais, au grand jamais, devant une tierce personne ou pire – quel outrage! – en public. Humilié, notre Lion ne vous le pardonnerait jamais. Et même s'il a tort, ne le contredisez pas devant les autres, soutenez-le quitte à rétablir les choses en privé, lorsqu'il sera mieux disposé à vous écouter. Si vos propos sont sensés et logiques, ou s'il pense vous faire plaisir, il rentrera ses crocs et, en bon gros minet généreux, il se laissera convaincre.

Le Lion soigne particulièrement son image publique; donc, ne lui faites jamais un affront devant les autres, car son âme de fauve saura vous le faire payer cher. Si vous réussissez à lui faire croire que vos idées sont les siennes, si vous ne le prenez pas à rebrousse-poil mais plutôt en jouant la carte de la douce caresse, le félin rugissant deviendra le plus gentil des chats et vous mangera dans la main... Ceci reste entre nous, bien entendu!

Ses goûts

Évidemment, le Lion a des goûts royaux. Il apprécie tout ce qui contribue à le mettre en valeur. Ses vêtements sont élégants, généralement griffés, un peu voyants mais classiques, souvent de teintes claires, beiges ou dorées. Il affiche des bijoux de prix, des pierres véritables, des fourrures bien choisies. Sa maison se remplit de beaux objets, généralement précieux, de dorures et surtout de miroirs qui reflètent ses atours. Il aimera un décor lumineux et luxueux.

À table, la mise en scène l'attire: l'argenterie, un chandelier, une table bien dressée. Dans la nature, le lion est un carnassier. Notre Lion aime aussi les viandes et les sauces raffinées. Il déguste avec élégance, se soucie du décorum et a de belles manières. Ce n'est pas lui qui vous fera honte à table, au contraire, sa présence rehaussera vos repas.

Son potentiel

Ce personnage royal ne se contentera sûrement pas d'un poste de subalterne. Le Lion veut toujours faire mieux que les autres; il consacre donc beaucoup de temps et d'énergie à sa carrière. L'avancement et les promotions, voilà ce qu'il recherche. Par contre, il n'hésitera jamais à commencer en bas de l'échelle, car il sait que son ardeur, ses talents et ses efforts le mèneront rapidement vers les plus hauts sommets de son entreprise. Le balayeur deviendra président de la compagnie.

Le Lion excellera dans les postes de commandement de l'administration, la gestion, la politique, le gouvernement, la finance, les affaires, la haute fonction publique, les postes de responsabilité, les grades les plus élevés de l'armée. Quoi qu'il fasse, il obtiendra un poste clé en peu de temps. D'ailleurs, les Lion sont d'excellents entrepreneurs et démarrent souvent leur propre entreprise ou travaillent à leur compte. Ils aiment dominer mais surtout pas se faire dominer.

Comme ils aiment se mettre en avant pour étaler leur allure féline, leur petit côté théâtral sera bien servi s'ils décident de monter sur les planches; il n'est pas rare de constater que bon nombre d'artistes, notamment des acteurs soient du signe du Lion. Ce sont des stars dans l'âme.

Ses loisirs

Même si c'est parfois à son insu, le Lion choisit des activités où il pourra briller. Ce n'est pas lui qui passera son temps le nez dans un moteur automobile; il risquerait de s'y salir. Par contre, demandez-lui de conduire une voiture de course, et il sera heureux d'afficher ses qualités. Le Lion aime les sports nobles: le golf, l'équitation, le tennis, le polo ou ceux qui donnent prestige, comme la formule 1. La victoire leur va très bien. Alors si en plus ils réussissent à devancer leurs adversaires, ils seront les plus heureux du monde.

Le Lion aime déployer ses talents, et surtout devant un public. Le théâtre, qu'il a dans le sang, et le chant lui conviennent tout à fait. Sous les feux de la rampe, il s'illumine; c'est une vraie vedette. Il aime aussi assister et se montrer à des spectacles haut de gamme.

Il a une vie mondaine brillante et n'hésite jamais à se faire remarquer. Si un photographe de presse est dans le coin, il s'arrangera pour figurer en bonne place sur les clichés. Et si par hasard, il se retrouve à la une des journaux, il ne se contiendra plus de joie.

En fait, le Lion évolue toujours comme si les caméras de télévision étaient braquées sur lui en permanence. Quoi qu'il fasse, cuisiner, planter un clou ou passer l'aspirateur dans le salon, il le fera sourire aux lèvres. Même ses vêtements de travail seront impeccables. Tout lui réussit, et le voir évoluer avec autant de brio fait les délices de ses admirateurs.

Sa décoration

Le Lion, en bon roi, n'habite pas une maison comme vous et moi, mais plutôt un palais. Il a des goûts grandioses; ce qu'il y a de mieux et de plus luxueux trouve toujours place dans son intérieur, et la dépense ne lui fait pas peur.

Des tapis épais et moelleux, probablement très pâles, blancs ou ivoire, vous accueillent à l'entrée de son antre. Ce qui frappe au premier coup d'œil, ce sont les miroirs: ils sont magnifiques et disposés de manière à refléter les bibelots précieux, les dorures, les objets de cristal. Des meubles très chers et des tentures imposantes viennent compléter une décoration riche et luxueuse. Le Lion possède un goût inné pour le beau. Il sait choisir les plus belles matières, le meilleur bois, les tissus les plus luxueux; il aime l'opulence et ça se voit. C'est d'ailleurs l'effet recherché.

Il se passionne pour les œuvres d'art, les meubles ayant beaucoup de style, les objets luxueux et n'hésite pas à s'en procurer, même à prix faramineux... Heureusement, malgré un décor chargé, il choisit des couleurs claires: crème, blanc ivoire, jaune doré, or brillant, ce qui crée un ensemble lumineux et impressionnant sans être oppressant. Le Lion adore aussi les mises en scène; s'il vous invite pour un petit goûter à l'improviste, les porcelaines, les dentelles délicates, les vases de cristal seront tout naturellement de la partie. Ce n'est pas la demeure de n'importe qui, et ça se voit.

Son budget

Avec un tel goût pour le luxe, on pourrait croire que le Lion se moque de son budget et pourrait allégrement se ruiner pour un bel objet. C'est vrai qu'il ne regarde pas à la dépense et qu'il aime les belles choses, mais c'est aussi un excellent administrateur qui sait planifier ses achats. Il sait comment se procurer ce dont il a envie, sans pour cela mettre en péril ses finances. Tout un art!

Ses revenus sont aussi bien gérés que son intérieur. Ses placements sont judicieux, et s'il vous donne des conseils financiers, soyez assuré qu'il sait de quoi il parle. Il n'est pas du genre à mettre tous ses œufs dans le même panier et il diversifie fort bien ses investissements: les valeurs mobilières et immobilières, la Bourse n'ont guère de secrets pour lui. Même avec un budget minuscule, il fera des merveilles et réussira à économiser tout en s'offrant de petits luxes, un véritable tour de force qui en impressionne plus d'un.

Les natifs du Lion ont un sens de la gestion bien aiguisé et ils aiment être leur propre maître. Donc, plutôt que de travailler pour autrui, la plupart décideront de se lancer en affaires, ce qui leur permettra d'exploiter plusieurs talents, sans avoir de comptes à rendre. Ils travaillent très fort pour parvenir au succès. Pourtant, tout semble si facile pour eux; plusieurs les envient.

Quel cadeau lui offrir?

Le Lion est un amateur de beaux objets. Tout le monde n'a pas les moyens de lui offrir un voyage autour du monde en paquebot de luxe ou une Ferrari, mais en respectant une petite règle toute simple, on peut lui faire un plaisir incommensurable, même si on ne lui offre qu'un t-shirt ou un bibelot: n'achetez que des articles de première qualité. Choisissez ce qu'il y a de mieux: une veste griffée, un vase de cristal, des fleurs de première qualité. Il appréciera davantage cela qu'une multitude de cadeaux sans valeur.

Le Lion aime qu'on fasse attention à lui; donc, votre présent sera considéré comme un hommage que vous lui rendez. Ne lui offrez donc pas d'argent; il en serait offensé. Notre Lion n'est pas à vendre! Il aura l'impression qu'il n'a pas d'importance à vos yeux; il appréciera plus un cadeau choisi avec amour qu'un chèque lui permettant d'acheter lui-même ce qui lui plaît.

Le cadeau idéal est un bijou: les diamants sont toujours appréciés. Mais si votre budget ne vous le permet pas, des parfums importés, des objets de luxe ou rares, des vêtements élégants (et préférablement griffés) ou des billets pour un spectacle couru sauront lui plaire. Quoi que vous décidiez de lui offrir, soignez particulièrement la présentation de votre cadeau (du papier de soie, un emballage élégant, un ruban doré), car son plaisir en sera décuplé.

Les enfants Lion

Dans un groupe d'enfants, le plus photogénique sera un petit Lion. Mêm s'il ne sait pas encore dire deux mots, dès que vous sortez un appareil photo, il affiche son plus beau sourire, prêt à vous charmer.

Même lorsqu'il est un bout de chou, le petit Lion fait des mimiques, prend des poses, sourit aux anges. Il a déjà du magnétisme et sait comment être le centre d'intérêt de son entourage. Ce n'est pas un enfant qui s'amuse seul dans son coin; il a besoin d'un public. À la garderie, à l'école, dans la ruelle avec ses copains, il continuera de voler la vedette. Il a besoin de briller et demande beaucoup d'attention. C'est un chef de groupe qui sait se faire respecter.

Avec un enfant Lion, il faut être présent et lui manifester de l'affection, même quand il se trompe ou lorsqu'il perd. Vous devez alors lui expliquer que d'autres aussi peuvent gagner et qu'un échec ne signifie nullement qu'il est bon à rien. Il doit comprendre qu'il ne peut pas être le premier partout, qu'il n'est pas nécessaire d'être toujours parfait en toute chose. Dites-lui que, malgré ses échecs occasionnels, vous l'aimez tout autant. Les Lion sont des enfants brillants, intelligents, travailleurs; vous serez très fier d'eux.

L'ado Lion

Ton signe fait honneur au roi des animaux. Comme lui, tu te fais remarquer, et cela te plaît énormément. Tu as tendance à gonfler ta crinière, à te pavaner un peu, sans méchanceté. Tu ne supportes pas d'être le deuxième; tu dois absolument être le premier en tout. Tu as une nature noble et généreuse, et tu es né pour diriger. Dans ton cercle d'amis, c'est probablement toi qui mènes, et lorsque ce n'est pas le cas, tu peux sortir tes griffes de fauve.

Tu t'exprimes facilement, tu donnes ton point de vue, parfois même lorsqu'on ne t'a pas demandé ton avis. En fait, tu as une assez haute estime de toi.

Quand tu ne te sens pas en forme, tu t'isoles dans ton coin jusqu'à ce que ça aille mieux; tu penses sûrement que c'est mieux pour ton image. Tu n'es pas du genre à t'étaler sur tes problèmes. Tu n'aimes pas te faire consoler; tu es bien trop indépendant pour cela. Tu cherches à préserver cette force de caractère que tu affiches en tout temps.

Par contre, lorsque ça va bien, tu n'hésites pas à te montrer et à briller de mille feux. Tu es intelligent, tu as bon cœur et tu es conscient de toutes tes capacités. Tu es fier aussi; si on te critique en public, si on te dénigre, cela te blesse profondément. L'opinion des autres compte beaucoup pour toi; tu cherches toujours à te mettre en valeur et à être au mieux de ta forme. Tu aimes les honneurs, mais reste sur tes gardes: ce monde est rempli de flatteurs qui pourraient te manipuler facilement.

Les beaux vêtements et le luxe sont ce que tu préfères, et tu réussis à te les offrir. Tu as des projets ambitieux et toute la volonté qu'il faut pour y parvenir. On dirait que tout vient aisément à toi, que tu n'as qu'à te pencher un peu pour récolter. Pourtant, on oublie tous les efforts que tu as faits pour parvenir à ton but. Tu mérites amplement ton succès, car tu travailles dur pour l'obtenir.

Tes études

Ton signe est fixe; lorsque ton choix est fait, la réussite te sourit. Les efforts ne te font pas peur et tu es prêt à y mettre toute l'énergie nécessaire pour atteindre tes objectifs qui, il faut bien le dire, sont assez grands. Tu aimes être le premier et la compétition te stimule. Les concours, les examens ne te troublent pas outre mesure; tu les prends comme de nouveaux défis. En équipe, tu dois apprendre à laisser un peu de place aux autres et à leur accorder le mérite de leurs bonnes idées. Cette façon de faire te permettra de diriger le groupe tout en sachant motiver tes troupes pour atteindre le succès.

Ton orientation

L'ambition est probablement le mot qui te caractérise le plus. Tu as mille et un projets. Ils sont parfois bien farfelus aux yeux des autres, mais laisse-les sourire et poursuis ta route sans te retourner. Tu connais tes capacités, tu peux juger de tes limites et tu es déterminé. Donc, rien ne peut te résister lorsque tu te mets en tête d'atteindre tes objectifs. Tu es un chef-né, un leader. Choisis plutôt une sphère d'activité où tu pourras t'épanouir. L'administration, la gestion, la finance, la politique, le génie, les relations publiques, les arts, le cinéma, le droit et la fonction publique sont des domaines où tu pourrais exprimer toutes tes qualités. Tu peux réussir dans n'importe quoi, si tu sens que tu peux montrer qui est le meilleur, c'est-à-dire toi. Un Lion ne peut se contenter d'un emploi subalterne et il est rare qu'il demeure un employé toute sa vie. Il commence parfois au bas de l'échelle, mais à force de travail, il finira par être au sommet de la hiérarchie. Les Lion pensent souvent à créer leur entreprise, peut-être est-ce déjà dans tes plans d'avenir?

Tes rapports avec les autres

Tu agis souvent comme le «chef de la bande», et tes amis occupent une place prépondérante dans ta vie sociale. Tu aimes rencontrer de nouveaux visages, surtout quand ils te permettent de te faire valoir. Par contre, tu es très attaché à tes amis; tu les aides, tu les défends et si tu sais t'imposer, tu sais aussi les protéger. Tu as une sainte horreur du mensonge et lorsque tu retires ta confiance à quelqu'un, il devra travailler fort pour la regagner. L'élément le plus faible chez toi, c'est que tu n'oses pas demander. Quémander n'est pas dans ta nature. Si ça ne va pas dans ta vie, tu préfères t'isoler et faire croire que tout va bien plutôt que de demander de l'aide. Tu es foncièrement honnête et tu t'attends à ce que tout le monde qui t'entoure le soit aussi.

Pensée positive pour le Lion

Je rayonne sur les autres et les nombreux bienfaits que je leur offre me sont rendus au centuple. Je suis un soleil bienfaiteur.

Pensée positive spéciale pour 2002

Je savoure de plus en plus la douceur et la simplicité qui m'entourent; j'accepte avec joie et reconnaissance l'aide que l'on m'offre.

Le subconscient nous dirige toujours selon nos pensées. En répétant le plus souvent possible ces pensées conçues tout spécialement pour vous, vous vous attirerez plein de belles choses.

Signe: Lion

Élément: Feu

Catégorie: Fixe

Symbole: ♌

Points sensibles: Coeur, système cardiovasculaire, taux de cholestérol, tension artérielle, infarctus, colonne vertébrale, maux de dos.

Planète maîtresse: Le Soleil, source de la vie.

Pierres précieuses: Diamant, brillant, rubis.

Couleurs: Les nuances du soleil et de l'or, jaune, beige.

Fleurs: Rose rouge, pensée, coquelicot.

Chiffres chanceux: 5-9-10-14-25-26-30-35-41-46.

Qualités: Noble, fier, généreux, énergétique, doué de magnétisme, vedette, juste.

Défauts: Orgueilleux, autoritaire, goût exagéré du luxe, vaniteux, en impose aux autres.

Ce qu'il pense en lui-même: Il faut absolument que je fasse mieux que les autres.

Ce que les autres disent de lui: Voilà notre vedette qui arrive!

Que c'est encourageant! Votre remontée se poursuit de plus belle, et plus le temps avance, plus vous gagnez du terrain. Honnêtement, il y a longtemps que vous n'avez pas été soumis à une conjoncture aussi favorable. Les influences négatives qui vous empêchaient d'avancer, qui vous ont fait reculer, appartiennent désormais au passé. Mieux encore, les bons aspects de Saturne vous permettront de regagner ce que vous aviez perdu et aussi de bâtir sur des bases très solides. Et si vous croyez que les bonnes nouvelles s'arrêtent ici, détrompez-vous, car à partir de votre anniversaire vous sentirez l'arrivée d'un fort courant de chance, y compris dans les jeux de hasard!

Santé

Le moment est venu de refaire vos forces et de vous remettre en forme. Les efforts déployés en ce sens donneront d'ailleurs des résultats spectaculaires. Même chose si vous entreprenez une thérapie ou devez subir un traitement médical. Bref, une année de renaissance durant laquelle votre entrain, votre joie de vivre ainsi que votre robustesse feront plaisir à voir. Après votre anniversaire, vous aurez tout intérêt à demeurer fidèle à vos bonnes résolutions puisque les excès auraient tôt fait d'altérer votre jolie silhouette ou votre santé.

Sentiments

L'époque des chagrins, des déceptions et des interminables remises en question est terminée. Vous voici dans un cycle beaucoup plus réjouissant. Je comprends que les expériences douloureuses que vous avez vécues vous ont rendu méfiant, que vous avez peur de vous faire avoir à nouveau, mais cette année il y aura sur votre route bien des gens qui auront la patience et surtout le doigté nécessaire pour vous apprivoiser. Vous reprendrez goût aux sorties, vous nouerez de belles amitiés, et vos amours seront plus suaves.

Affaires

L'année se divise en deux parties. D'ici le mois d'août, vous trimerez dur et vous vous emploierez soit à stabiliser votre situation, soit à lui donner une nouvelle direction. Vous investirez beaucoup de temps et d'énergie dans vos activités, mais contrairement aux années passées, cette fois, les résultats semblent très prometteurs. Par la suite, ce sera carrément le retour de la chance. Tout ce que vous entreprendrez marchera comme sur des roulettes; vous aurez gain de cause dans d'anciens litiges, vous brasserez des affaires d'or, sans oublier que vous aurez la main heureuse au jeu. Ce sera une excellente période pour les transactions immobilières, les placements sérieux, les voyages et le commerce en général.

Janvier						
D	**L**	**M**	**M**	**J**	**V**	**S**
		1	2	3	4	5
6	7D	8D	9F	10F	11F	12
13●	14	15	16	17	18	19
20F	21F	22D	23D	24D	25	26
27	28○	29	30	31		

○ Pleine lune   F Jour favorable
● Nouvelle lune   D Jour défavorable

Santé

Un brin d'indécision ou de mélancolie vous empêche de profiter pleinement du début du mois. Par la suite, vous retrouverez votre optimisme et toute votre vigueur. Vous aurez de l'énergie à revendre, votre intuition vous indiquera avec clarté la route à suivre, bref, vous fonctionnerez à merveille. Période parfaite pour faire de l'exercice ou pour profiter du plein air.

Sentiments

Même si vous maîtrisez la situation, un vague sentiment d'insatisfaction semble vous habiter au cours de la première quinzaine; vous avez l'impression qu'on vous juge, que votre point de vue ne compte pas pour beaucoup. Tout ça sera balayé rapidement par la suite. Vous recevrez une multitude d'invitations et de propositions alléchantes, ce qui vous changera les idées tout en vous permettant de prendre un peu de recul par rapport à vos proches.

Affaires

Bon mois pour mettre un point final à certaines situations ou affaires qui stagnaient et pour préciser votre direction. Un peu de ménage s'impose, cela vous permettra de repartir du bon pied. Retour de la chance après le 19. Un conseil: ne contrevenez pas à la loi, même sur la route, vous vous feriez attraper.

Février						
D	**L**	**M**	**M**	**J**	**V**	**S**
					1	2
3	4D	5D	6F	7F	8	9
10	11	12●	13	14	15	16F
17F	18D	19D	20D	21	22	23
24	25	26	27○	28		

○	Pleine lune	F	Jour favorable
●	Nouvelle lune	D	Jour défavorable

Santé

Pas facile de résister à la gourmandise durant les deux premières semaines. Qu'importe, vous êtes radieux et vous pouvez bien vous offrir une gâterie de temps à autre. De toute façon, vous aurez tôt fait de reprendre vos bonnes habitudes. L'énergie qui vous habite continue d'être fulgurante; certains ont du mal à vous suivre.

Sentiments

Jusqu'au 12, vous vous poserez bien des questions sur le comportement changeant d'un proche. Un jour c'est une chose; le lendemain, c'est le contraire, bref vous ne savez trop sur quel pied danser. Cette situation s'arrangera, ne vous en faites pas. Le reste du mois vous apporte douceur et calme; le confort douillet de votre petit nid convient à un rapprochement.

Affaires

La chance est de votre côté, pas vraiment dans les jeux de hasard, mais plutôt dans toutes vos entreprises. Les démarches que vous entreprendrez pour améliorer votre vie professionnelle seront couronnées de succès. Bon mois pour vous mettre en valeur, pour postuler un nouvel emploi, pour voyager ou pour conclure une transaction.

Lion

Mars						
D	**L**	**M**	**M**	**J**	**V**	**S**
					1	2
3D	4D	5F	6F	7F	8	9
10	11	12	13	14●	15F	16F
17F	18D	19D	20	21	22	23
24	25	26	27	28○	29	30
31D						

○	Pleine lune	F	Jour favorable
●	Nouvelle lune	D	Jour défavorable

Santé

L'arrivée de la planète Mars au carré de votre signe vous recommande de faire attention à vous. En effet, vous n'êtes pas à l'abri d'une chute ou d'un accident. En prenant les précautions qui s'imposent, vous pourrez déjouer la conjoncture. Moralement aussi, vous devrez vous surveiller, car vous aurez souvent les nerfs en boule. Pourtant, rien de cela n'y paraît; vous avez un charisme surprenant.

Sentiments

Entre le 8 et le 31, Vénus pourrait provoquer un coup de foudre pour les solitaires et mettre du piquant dans la vie des couples. Dans votre famille, une situation corsée se présente; vous aurez besoin de tout votre sang-froid. Un proche se sent déprimé au début de mois; vos bonnes paroles l'aideront toutefois à s'en sortir.

Affaires

Même si ce n'est pas du premier coup, vous finirez par avoir gain de cause. Au travail, le climat est lourd, les choses ne vont pas rondement, ça tiraille de tous les côtés. Financièrement, vous avez l'impression qu'on vous fait poireauter. Tenez le coup, ce n'est que passager, dès le milieu du mois prochain les obstacles tomberont.

Avril						
D	**L**	**M**	**M**	**J**	**V**	**S**
	1D	2F	3F	4	5	6
7	8	9	10	11F	12F	13●F
14D	15D	16	17	18	19	20
21	22	23	24	25	26○	27D
28D	29F	30F				

○ Pleine lune	F	Jour favorable
● Nouvelle lune	D	Jour défavorable

Santé

La planète Mars continue de se faire menaçante jusqu'au 14. Souvenez-vous toutefois que vous pouvez déjouer son influence en prenant vos précautions; votre vitalité est légèrement à la baisse. Le reste du mois s'annonce beaucoup plus clément; vous sentirez les tensions se relâcher et votre énergie revenir petit à petit.

Sentiments

Quand ce n'est pas un jeune qui vous inquiète, c'est votre conjoint qui se replie sur lui-même. Avouons que la communication n'est pas toujours aisée avec votre entourage immédiat. Heureusement qu'il y a vos amis, sur qui vous pouvez compter et qui sont disposés à vous écouter.

Affaires

La première quinzaine apporte encore des contrariétés, voire des frustrations; ne vous obstinez pas et prenez tout ça avec un grain de sel. Dès le 15, vous aurez la voie libre, vous ferez de nombreux progrès et vous sentirez que vous approchez du but. Bonne période pour le renouveau, les démarches et les changements.

157

Lion

			Mai			
D	**L**	**M**	**M**	**J**	**V**	**S**
			1	2	3	4
5	6	7	8	9F	10F	11D
12●D	13D	14	15	16	17	18
19	20	21	22	23	24	25D
26○D	27F	28F	29	30	31	

○ Pleine lune et éclipse lunaire de pénombre   F   Jour favorable
● Nouvelle lune   D   Jour défavorable

Santé

La plupart des planètes vous avantagent. C'est donc dire qu'avec un minimum d'efforts, vous devriez fonctionner à merveille. L'éclipse n'a rien de menaçant. Cependant, un léger mal de dos n'est pas écarté. Psychologiquement, vous vous êtes libéré de certaines fausses idées qui vous empêchaient d'évoluer.

Sentiments

Les tensions et le manque de communication que vous déploriez au cours des dernières semaines ont cédé leur place à un cycle beaucoup plus prometteur. Vous vous mettez d'accord avec vos proches, vous réglez ce qui n'allait pas. Vos amours reposent d'abord et avant tout sur un sentiment d'amitié profond. Quels complices vous faites!

Affaires

Vous voici sur une excellente lancée. Vos entreprises se mettent à progresser, votre position se confirme, vos démarches portent des fruits. Un mouvement de groupe sert très bien vos intérêts. Bon mois pour vous mettre à la page, vous recycler ou vous familiariser avec de nouvelles technologies.

				Juin			
D	**L**	**M**	**M**	**J**	**V**	**S**
						1
2	3	4	5F	6F	7F	8D
9D	10●	11	12	13	14	15
16	17	18	19	20	21D	22D
23F	24○F	25	26	27	28	29
30						

○ Pleine lune et éclipse lunaire de pénombre   F   Jour favorable
● Nouvelle lune et éclipse solaire annulaire   D   Jour défavorable

Santé

Ce ne sont pas vos nerfs qui vous jouent des tours, mais plutôt vos émotions. Vous êtes hypersensible, vous prenez tout au pied de la lettre; c'est rare qu'on vous retrouve aussi dépendant des autres. Physiquement, vous avez tendance à vous laisser aller, vous manquez de ressort et probablement aussi de motivation. À vous de vous prendre en main!

Sentiments

Rappelons-le, vous attendez trop de vos proches, particulièrement pendant la première quinzaine. En prenant quelques initiatives, vous feriez plaisir à tout le monde, à vous le premier. Même chose quand vous attendez que les autres devinent vos besoins; ça irait bien mieux si vous parliez un peu plus.

Affaires

Le mois n'est pas mauvais, n'empêche qu'il se déroule avec une certaine lenteur, et dans un climat d'incertitude. Aucune menace grave à l'horizon, mais en attendant, c'est agaçant, j'en conviens. Pourquoi ne pas en profiter pour faire un bilan ou carrément prendre des vacances?

Lion

Juillet						
D	**L**	**M**	**M**	**J**	**V**	**S**
	1	2F	3F	4F	5D	6D
7	8	9	10●	11	12	13
14	15	16	17	18D	19D	20F
21F	22	23	24○	25	26	27
28	29	30F	31F			

○ Pleine lune   F   Jour favorable
● Nouvelle lune   D   Jour défavorable

Santé

La première quinzaine vous plonge encore dans la léthargie et l'hypersensibilité. Par la suite, vous vous sentirez ragaillardi, tant moralement que physiquement. Mais en échange, vous devrez vous protéger contre les blessures et les accidents. Bon temps pour un régime ou une remise en beauté.

Sentiments

La présence de Vénus puis de Mars dans votre signe vous confère un magnétisme étonnant. Votre vie sociale redevient excitante, vous renouez avec d'anciennes connaissances et faites également plein de nouvelles rencontres. Le climat est à la fête; ce n'est sûrement pas vous qui vous en plaindrez.

Affaires

Les choses laissent encore à désirer jusqu'au 14; le reste du mois offre de bien meilleures occasions. Vous en aurez assez d'être à la merci du destin ou des autres; vous prendrez votre situation bien en main et la transformerez en succès, même si pour cela vous devez faire de gros efforts. Entre le 22 et le 31, une nouvelle que vous attendiez vous réjouira.

Août						
D	**L**	**M**	**M**	**J**	**V**	**S**
				1D	2D	3
4	5	6	7	8●	9	10
11	12	13	14D	15D	16F	17F
18F	19	20	21	22○	23	24
25	26F	27F	28D	29D	30D	31

○ Pleine lune   F Jour favorable
● Nouvelle lune   D Jour défavorable

Santé

La présence de Mars dans votre signe continue de vous donner de l'énergie et de l'entrain; hélas, on associe aussi ce transit aux accidents bêtes. Demeurez sur le qui-vive; vous pourrez ainsi déjouer la destinée. Les choses vont tellement vite que vous n'avez pas le temps de déprimer.

Sentiments

Du 7 août au 8 septembre, vous bénéficierez simultanément de l'appui de Vénus et de Jupiter, ce qui pourrait transformer pour le mieux votre destinée amoureuse. En société, vous avez toujours la vedette, d'ailleurs les invitations ne cessent d'arriver de tous les côtés.

Affaires

Le 1er août est une date importante puisque c'est celle de l'arrivée de Jupiter, la grande planète bénéfique dans votre signe; son influence se fera sentir pendant au moins un an et demi. Grâce à elle, votre carrière montera en flèche, vous élargirez vos horizons, vous relèverez de nouveaux défis et vos finances se porteront à merveille. Au fait, vous avez d'intéressantes chances au jeu ce mois-ci. Bon temps pour les voyages et les investissements sérieux.

Septembre						
D	L	M	M	J	V	S
1	2	3	4	5	6●	7
8	9	10	11D	12D	13F	14F
15	16	17	18	19	20	21○
22F	23F	24F	25D	26D	27	28
29	30					

○ Pleine lune F Jour favorable
● Nouvelle lune D Jour défavorable

Santé

Enfin, Mars a quitté votre signe, et avec elle s'en sont allées les menaces de blessure. Vous êtes moins survolté et vous canalisez avec profit votre énergie. La clarté de vos idées combinée à la vivacité de vos réflexes vous permettent d'avancer sans heurts. Un petit conseil tout de même, gare à la gourmandise du 8 au 30.

Sentiments

Le dialogue avec l'entourage et les amis demeure d'une qualité exceptionnelle. En amour, les huit premiers jours s'annoncent magnifiques. Cependant, le reste du mois exige davantage de circonspection; évitez d'être trop autoritaire. Un membre de la famille se mêle un peu trop de vos affaires; vous rongez votre frein.

Affaires

Vous avez l'étoffe d'un gagnant, mais il y a deux dangers contre lesquels je voudrais vous mettre en garde. Attention aux achats impulsifs; vous êtes d'une humeur follement dépensière, et cela peut vous jouer des tours. N'allez pas trop vite en affaires, ne vous associez pas et n'allez surtout pas croire tout ce qu'on vous dira.

Octobre						
D	**L**	**M**	**M**	**J**	**V**	**S**
		1	2	3	4	5
6●	7	8D	9D	10F	11F	12
13	14	15	16	17	18	19F
20F	21○F	22D	23D	24	25	26
27	28	29	30	31		

○ Pleine lune   F Jour favorable
● Nouvelle lune   D Jour défavorable

Santé

Bien que la première semaine soit intéressante, c'est surtout lors de la seconde qu'on vous retrouvera au mieux de votre forme. Vous irez si bien que vous donnerez l'impression de rajeunir. En plus d'être résistant, vous afficherez une désinvolture que plusieurs envieront; on dirait que rien ne vous atteint.

Sentiments

Ici aussi, c'est la deuxième partie du mois qui offre le plus de possibilités. Vous rencontrerez de nouvelles personnes et vous reverrez d'anciennes connaissances qui étaient moins présentes depuis quelque temps. Côté cœur, c'est le dialogue et surtout l'écoute qui vous permettront de venir à bout d'un différend avec votre douce moitié.

Affaires

Bien entendu, c'est le même scénario qui se reproduit. Misez donc sur la période comprise entre le 16 et le 31 pour mettre en branle vos projets, pour faire vos démarches ou pour présenter vos demandes. Excellent timing pour les déplacements d'affaires ou d'agrément. Possibilité d'un petit gain dans une loterie.

Novembre						
D	**L**	**M**	**M**	**J**	**V**	**S**
					1	2
3	4●	5D	6D	7F	8F	9
10	11	12	13	14	15	16F
17F	18D	19○D	20D	21	22	23
24	25	26	27	28	29	30

○ Pleine lune et éclipse lunaire de pénombre   F   Jour favorable

● Nouvelle lune   D   Jour défavorable

Santé

Sur le plan physique, tout continue de bien aller, si ce n'est que vous avez encore du mal à résister à la gourmandise lors des trois premières semaines. Un brin d'anxiété et de nostalgie semble vous guetter jusqu'au moment de l'éclipse, mais par la suite, vous retrouvez votre aplomb.

Sentiments

Les mondanités se succèdent à un rythme enivrant, partout où vous passez, vous suscitez l'admiration, ce qui chatouille parfois un proche. À la maison, quelques petits conflits sont possibles, vous devriez toutefois trouver la meilleure solution lors des dix derniers jours. La situation d'un frère ou d'une sœur devient plus encourageante.

Affaires

Quelques retards ou frustrations bénignes sont possibles d'ici le 19. Néanmoins, vous avez le vent dans les voiles et vous finirez certainement par atteindre votre but. Entre le 20 et le 30, la signature d'un contrat ou une réponse que vous attendiez pourrait vous faire bondir de joie. Quelques chances au jeu.

Décembre						
D	L	M	M	J	V	S
1	2D	3D	4●F	5F	6	7
8	9	10	11	12	13F	14F
15F	16D	17D	18	19○	20	21
22	23	24	25	26	27	28
29D	30D	31F				

○ Pleine lune
● Nouvelle lune et éclipse solaire totale
F Jour favorable
D Jour défavorable

Santé

Le moment serait bien mal venu de relâcher votre vigilance. En prenant soin de votre santé et en ne courant aucun risque inutile, vous vous éviterez bien des ennuis. Renforcez vos défenses immunitaires, car vous n'êtes pas non plus à l'abri d'une infection. Votre moral serait parfait si vous évitiez de regarder derrière.

Sentiments

Ça parle fort à la maison, les discussions sont animées, c'est le moins qu'on puisse dire. Or, comme vous préférez les choses claires et nettes, vous vous accommodez plutôt bien de la situation, d'autant plus que vous savez toujours trouver les paroles judicieuses. Vous donnez une deuxième chance à un parent qui s'ingère dans vos affaires, mais certainement pas une troisième. Tant pis pour lui!

Affaires

La pression est grande. Vous êtes débordé et, par moments, vous ne savez plus où donner de la tête. Ça prend définitivement quelqu'un comme vous, expert en organisation et en stratégie, pour passer au travers. Ne défiez pas la loi et demeurez méfiant en affaires, sinon ça pourrait vous coûter cher. Encore des possibilités intéressantes dans les signatures de contrat et les jeux de hasard.

 Lion

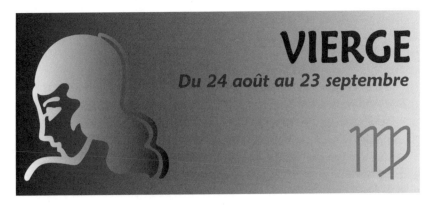

VIERGE
Du 24 août au 23 septembre

Si vous recherchez la perfection jusque dans les plus petits détails, alors il faut confier votre travail à un natif de la Vierge. Vous ne serez pas déçu.

La Vierge a un grand sens pratique. C'est un être travailleur, attentif, minutieux, parfois un peu lent à cause justement de sa grande conscience professionnelle qui l'incite à fignoler le moindre travail. La Vierge ne peut se dépêcher. Elle est méticuleuse et a en horreur le mot brouillon. Quand une Vierge se met à la tâche, vous pouvez être sûr qu'elle s'appliquera, ce qui évidemment demande du temps. Mais n'ayez crainte, le résultat sera parfait. Ce n'est pas du travail, c'est une œuvre d'art.

Évidemment, si vous mettez des heures à nettoyer votre poignée de porte avant de sortir, vous n'aurez plus le temps d'aller bien loin. Mais votre poignée sera la plus brillante en ville!

La Vierge manque parfois de confiance, et le plus surprenant, de confiance dans la vie; elle est de tempérament craintif. Elle craint par-dessus tout la maladie, la contamination, les guerres, la pollution et même de manquer de travail, d'argent... Bref, tout est source de craintes.

Sur le plan financier, la Vierge est sage et économe. Les coups de tête dans les magasins, très peu pour elle. Elle préfère faire des placements sûrs, contribuer chaque année à son REÉR, et les dépenses non planifiées ne sont décidément pas à son programme.

Pour caricaturer sa prévoyance: une Vierge ira jusqu'à comptabiliser le prix d'un litre de lait dans un petit calepin pour être sûr de se conformer à son budget. Vos amis et même votre famille vous traitent de Séraphin. Pourtant, ils sont les premiers à faire la queue devant votre porte pour vous emprunter quelques dollars lorsque leur compte en banque frise l'apoplexie.

En toute chose, la Vierge essaie d'atteindre la perfection; les détails sont fignolés, rien n'est laissé au hasard. Une secrétaire Vierge pourra passer des heures à trouver le bon endroit pour placer une virgule dans un texte. Un comptable Vierge ne réussira pas à dormir s'il s'est glissée une erreur de 2 ¢ dans les comptes de la société qui l'emploie, il voudra trouver à tout prix l'origine de cette perte de capitaux. Une maman Vierge fera des kilomètres pour retrouver un ruban tombé des cheveux de la petite, deux jours plus tôt au parc... Bref, une Vierge aurait tout intérêt à se faire payer à l'heure et pas au contrat ou à la pièce: c'est à son avantage!

L'esprit de la Vierge est à son image, d'une logique purement cartésienne, les concepts abstraits ne lui font pas peur, et on la voit évoluer à l'aise dans les sciences pures, les mathématiques. Malheureusement, sa timidité l'empêche souvent de tirer le meilleur parti de ses coups d'éclat. Souvent quelqu'un d'autre tirera profit de ses efforts, parce qu'elle hésite à se mettre au premier plan pour revendiquer ses réussites.

La Vierge accorde une importance parfois exagérée au moindre problème de santé. Elle y pense énormément et fait des montagnes de tout petits riens; pourtant, elle n'a pas de quoi s'en faire. Elle se nourrit bien, mène une vie calme et rangée, prend soin de son hygiène et de sa santé, mais malgré tout un petit malaise l'inquiète. Avec elle, un rhume devient une pleurésie avec complications et un comédon le symptôme d'un cancer de la peau. Le pharmacien du coin vous connaît bien.

La Vierge peut sembler un personnage froid, austère. En fait, elle extériorise peu ses sentiments. Mais c'est quelqu'un sur qui on peut compter, car elle est dévouée et ressent le besoin d'aider son prochain. Il n'est pas rare de rencontrer une Vierge dans les organismes humanitaires. Tout ce qui demande un dévouement sans limites est fait pour elle, du moment qu'il s'agit d'une bonne cause. Si elle en fait plus que ce qu'on lui demande, elle reste par contre dans l'ombre, car elle n'aime pas se retrouver sous les feux de la rampe. Elle a un caractère timide, mais elle contribue beaucoup au bien-être de ses semblables, satisfaisant en cela son âme de missionnaire. La Vierge agit pour les autres et non pas pour la gloire qu'elle pourrait en tirer.

D'ailleurs, la Vierge vit beaucoup en fonction des autres et de leurs besoins. Toujours prête à sauver le monde, un frère dans le besoin, une sœur malheureuse, un parent débordé. Toutefois, peu à peu, elle se rend compte que la majorité des gens qu'elle aide sont plutôt égoïstes, et cela la force à penser un peu plus à elle-même plutôt qu'aux autres. Vous changerez surtout dans la seconde partie de votre vie et ceux qui justement vous conseillent de faire plus attention à vous, viendront se plaindre que vous faites moins attention à eux... Ils ne réussissent plus

à vous manipuler, et cela les irrite. Tant pis pour eux. Vous avez dépassé le stade de la culpabilité, et c'est tant mieux pour vous!

Comment se comporter avec une Vierge?

La Vierge est une personne facile d'accès et accommodante. Toutefois, elle a généralement la tête dure et défend ses idées point par point. Pour réussir à la convaincre, vous devrez développer une argumentation logique, avec des textes, des photos, de la vidéo, des citations ou une source de référence solide pour appuyez vos propos et armez-vous de patience, car même en lui faisant la preuve par 10 que vous avez raison, elle mettra du temps à l'admettre... et encore, l'admettra-t-elle vraiment?

En fait, il ne faudra pas vous surprendre si quelques semaines plus tard, vous l'entendez affirmer ce que vous aviez eu tant de mal à lui faire comprendre plus tôt. Et si vous le lui faites remarquer, elle vous soumettra d'autres références qui appuient ses arguments. Bref, elle aura toujours le dernier mot.

Si vous tenez à ce qu'un natif de la Vierge fasse quelque chose pour vous, le mieux est de le prendre par les sentiments. Son sens du devoir et la crainte de décevoir sont ses points faibles. En tenant compte de cela, vous réussirez à lui faire faire n'importe quoi de raisonnable. Si vous voulez l'entraîner dans des activités loufoques, oubliez ça tout de suite; peu importent vos arguments, vous n'arriverez à rien avec elle.

La Vierge est d'un caractère un peu taciturne, renfermé, et il faut aller au-devant d'elle pour réussir à établir un contact. Elle ne communique pas facilement et peut même sembler froide, mais surtout dure et intransigeante avec elle-même. Elle ne se permet aucune erreur, ne s'en pardonne aucune non plus, et l'idée que les autres se font d'elle est très importante à ses yeux... Son incroyable crainte de déplaire à autrui qui refait toujours surface.

La Vierge est minutieuse et prend tout son temps. Il faut donc lui mettre des balises, des délais à respecter, sinon rien n'avance. Quand elle fait le ménage, elle ira dénicher la moindre poussière dans le plus petit interstice, alors il n'est pas étonnant si cela lui prend la journée... et tant qu'à faire, elle se mettra à laver les rayonnages du vaisselier et à replacer les petits plats dans les grands, les couteaux et les fourchettes en ordre de grandeur...

La Vierge ne supporte pas tellement la pression, mais un échéancier lui permettra de mieux gérer son travail; celui-ci sera remis à temps et souvent mieux fait que celui des autres.

Les natifs de ce signe ont un besoin constant d'être sécurisé. Il faut leur dire que vous appréciez leur travail; cela leur donnera confiance et ils en seront tout heureux. Une Vierge demande beaucoup de réconfort et de soutien. En la réconfortant, vous vous gagnez sa confiance et sa reconnaissance éternelles.

Ses goûts

Les goûts de la Vierge sont à son image... raisonnables. Les teintes sobres, neutres, les couleurs de terre notamment ont sa préférence. Ses tenues sont plutôt classiques (les mauvaises langues disent démodées) et de fibres naturelles. Si vous visitez sa penderie, vous y trouverez des vêtements qui datent de plusieurs années; elle les garde très longtemps et dans un très bon état. La Vierge n'accueille pas facilement les visiteurs. Si elle vous reçoit, soyez conscient que c'est un privilège. Son décor est dépouillé et l'esthétique n'est pas dans ses priorités. Elle se concentre surtout sur le côté pratique des objets et des meubles... même l'éclairage est strictement fonctionnel. Ce qui frappe surtout, c'est la propreté... pas un grain de poussière à l'horizon!

Si vous voulez lui faire plaisir, optez plutôt pour des objets pratiques dont elle a besoin, car la frivolité n'est pas ses goûts. Recevoir une cafetière, un couvre-couette ou un bon et solide poêlon antiadhésif fera son bonheur.

Le natif de la Vierge fait attention à tout, même au nombre de calories contenues dans le plus succulent des mets. En fait, avant de s'exclamer sur la beauté du plat, sur les saveurs et les couleurs, elle analysera le contenu pour en déterminer le taux de gras ou de sucre, avant de l'avaler. La Vierge se classe première au palmarès des adeptes de régimes amaigrissants. Avant de l'inviter à passer à votre table, essayez de savoir si elle n'est pas dans une de ses périodes de restriction.

Son potentiel

La Vierge se trouve souvent sous les ordres de patrons qui recherchent un employé modèle... qui acceptera un salaire de crève-la-faim et fera en plus le travail de plusieurs personnes pour le même prix.

Minutieux, méthodique et silencieux, le natif de la Vierge excelle dans le classement, la paperasse, les chiffres, les mathématiques, la recherche en laboratoire ou les travaux en solitaire. Dans le service au public, c'est la perle rare! En fait, elle doit absolument mettre son sens de la minutie en action pour s'épanouir.

Vierge   **170**

Logique et consciencieux, la Vierge peut abattre une montagne de travail sans jamais se plaindre ou laisser échapper un mot de découragement. Après la trentaine par contre, elle commence à se rendre compte que certains abusent d'elle, et elle tente de mieux définir sa place dans la société, sans toutefois que son zèle, son efficacité et son perfectionnisme en souffrent.

Ses loisirs

La Vierge ne s'amuse pas sans but. Il lui faut des loisirs qui rapportent, que ce soit de l'argent ou des connaissances, ses loisirs ont toujours un but précis, car elle n'aime pas gaspiller son temps inutilement.

Parmi ses loisirs de prédilection, il y a évidemment la lecture, notamment d'ouvrages techniques, qui l'aideront dans son travail et lui permettront de prendre de l'avance dans ses études ou de poursuivre son cheminement personnel. Les biographies, les livres de référence sont souvent ses livres de chevet. À la télévision, elle choisira de s'installer devant le petit écran pour voir des documentaires ou des émissions éducatives.

La Vierge n'est pas une grande joueuse. Mais si son esprit, ses connaissances ou son intelligence sont mis à contribution, elle appréciera énormément les jeux de société, par exemple Quelques arpents de pièges, le Scrabble, Docte Rat. Du côté stratégie, elle choisira le Risk ou les échecs.

Si vous envisagez une sortie avec une Vierge, il n'est pas nécessaire de se précipiter sur le plus récent film, car il ne l'intéressera peut-être pas. Une conférence ou les documentaires des *Grands Explorateurs* ont plus de chance d'attirer son attention et de la captiver.

Les natifs de Vierge sont placés sous le signe du bénévolat. Beaucoup d'entre eux consacrent quelques heures chaque semaine à une œuvre qui leur tient à cœur. Ils s'occupent de personnes âgées ou d'enfants en difficulté, par exemple.

Sa décoration

Notre Vierge a des goûts simples où le pratico-pratique est en vedette. Pour elle, le superflu est vraiment superflu. Avec de telles dispositions d'esprit, elle choisira un mobilier adapté à ses besoins. Les effets esthétiques, très peu pour elle.

Les teintes de son intérieur sont plutôt sages et neutres. Le gris, le grège, le beige et le blanc lui plaisent... la couleur du bois naturel l'attire. Ses meubles sont fonctionnels avant tout. Sans hésiter, elle optera pour ceux qui sont le plus susceptibles de se conformer à ses besoins au détriment de ceux qui sont plus beaux et à la mode. La Vierge aime le dépouillement. Si elle vit seule, il y a de fortes chances de ne trouver qu'une seule chaise dans la cuisine, qu'un seul fauteuil dans le salon. Après tout, on ne peut pas s'asseoir sur deux chaises à la fois!

L'esthétique de la décoration n'est pas sa priorité. Un mur vide demeurera dénudé. Tableaux, laminages, encadrements ne sont pas utiles, donc elle s'en passe très bien. Son intérieur étant d'une propreté inpeccable, on pourrait manger sur le plancher.

Son budget

Le mot préféré de notre sage Vierge est prévoyance. Courir des risques avec son argent, jamais au grand jamais! Les spéculations et les placements hasardeux, la Bourse, ce n'est certes pas sa tasse de thé. Les investissements sûrs, qui rapporteront peut-être moins mais qui n'engloutiront pas ses économies, voilà de quoi conforter notre Vierge dans ses décisions et la rassurer.

La Vierge n'achète jamais sur un coup de tête; elle ne succombe pas aux coups de foudre. Lorsqu'elle délie les cordons de sa bourse, c'est parce qu'elle sait exactement ce qu'elle veut et la valeur de ce qu'elle achète. Peu importent ses revenus, même modestes, un natif de la Vierge réussit toujours à mettre de côté une partie de son argent, en cas de besoin. Anxieux de nature, il veille à tout prévoir: une maladie, une dépense soudaine, sa retraite. Ses raisons d'économiser sont nombreuses et toujours justifiées.

Toute sa vie, la Vierge aura peur de manquer d'argent, ce qui ne se produira sans doute jamais, car elle est si sérieuse, si sage, si prévoyante... mais elle s'inquiète; c'est dans sa nature.

Quel cadeau lui offrir?

Notre Vierge est résolument attirée par le côté pratique des objets; il est donc inutile de vouloir l'éblouir avec des babioles sans utilité ou des articles de luxe. Le mieux est de vous renseigner sur les objets utiles qui lui manquent encore, par exemple dans la cuisine ou pour son travail. Ce n'est pas la peine de lui offrir une assiette de collection en porcelaine si son aspirateur est en panne. Non seulement la superficialité de votre cadeau lui sautera aux yeux, mais en plus elle sera rongée de culpabilité en songeant à l'argent que vous avez dépensé pour un objet dont elle ne saura que faire.

Si vous envisagez lui offrir un livre, vous rejoignez ses goûts, mais assurez-vous de lui donner une biographie, un recueil de trucs santé, un guide pratique, un livre de référence utile pour la maison ou le travail. Ne sombrez pas dans la frivolité.

Un petit appareil ménager, par exemple un presse-agrumes, une centrifugeuse, un mélangeur, un ouvre-boîtes électrique, un appareil pour sceller les sachets comblera une Vierge, alors qu'un collier de perles a toutes les chances de finir oublié dans le fond d'un tiroir.

Du côté des vêtements, évitez les extravagances de la mode. Choisissez plutôt une veste en fibres naturelles: lin, coton ou laine. Ses goûts sont classiques, sobres même. Le beige, le café au lait, le gris et le noir lui plaisent beaucoup, et vous serez assuré que votre veste sera portée, soigneusement entretenue et qu'elle la gardera longtemps.

Les enfants Vierge

Souvent chétifs à la naissance, les bébés Vierge demandent des soins constants de leurs parents durant leurs premières années d'existence. Tout ce qui passe, ils l'attrapent. Il faudra donc veiller à bien les protéger des maladies. Par ailleurs, ce sont des enfants obéissants, dociles, sages; ils ne sont pas bruyants, ne font pas de mauvais coups et peuvent s'amuser tout seuls dans un coin.

En fait, ils ont les défauts de leurs qualités: ce sont des timides. Les parents devront donc veiller à leur faire rencontrer d'autres enfants, à les emmener souvent dans des endroits qui ne leur sont pas familiers. Les enfants Vierge développent des petites phobies; il faut donc savoir les apprivoiser et les rassurer. Pour eux, prendre l'ascenseur, dormir dans le noir, s'approcher d'une chenille ou rencontrer les nouveaux petits voisins de l'autre côté de la rue peut se révéler une montagne à gravir. Vous devrez renforcer leur confiance en eux. Une autre de leur qualité, qui peut rapidement devenir un défaut, est leur grand perfectionnisme, qui a tendance à les ralentir. Entraînez-les à fonctionner un peu plus rapidement ou fixez-leur des délais; vous verrez qu'ils les respecteront sans problème.

Les enfants Vierge ont d'énormes qualités et un fabuleux potentiel, qu'ils ignorent bien souvent. C'est à leur entourage de leur ouvrir les yeux et de les guider.

L'ado Vierge

Timide et réservé, te faire remarquer sans raison n'est vraiment pas dans ta personnalité. Cela te met très mal à l'aise, surtout lorsque tu dois rencontrer des gens que tu ne connais pas. Tu préfères rester à l'écart. C'est dommage, car les autres ne voient pas toujours ton potentiel et tes qualités.

Toi, tu préfères observer le monde de loin, tu as un sens critique très développé, et lorsque tu ouvres la bouche, ce n'est certes pas pour dire n'importe quoi. Tu sais de quoi tu parles et tu peux en dire beaucoup sur les sujets qui t'intéressent.

Tu as beaucoup de qualités que certains voient comme des défauts. En fait, tu accordes beaucoup d'importance à l'ordre et à la propreté, ce qui pourrait devenir une véritable obsession si tu n'y prends pas garde. Tu es perfectionniste et ton esprit d'analyse est très développé. Tu te fais ta propre idée sur beaucoup de sujets. Ton opinion est toujours bien fondée; tu as tous les arguments en main pour prouver que tu as raison. Malheureusement, tu as aussi tendance à voir les bibites des autres et à négliger leurs qualités.

Tu agis davantage par logique, ce qui peut te faire paraître froid à première vue. Tu réfléchis énormément et tu ne laisses guère de place à l'impulsivité, aux coups de tête... Cette façon de faire t'évite bien des ennuis: tu sais où tu t'en vas. Malgré les délais ou les embûches, tu t'arranges toujours pour parvenir à bon port. Tu es travailleur et tu as développé une méthode et une façon de fonctionner qui t'assurent de toujours réussir ce que tu entreprends.

Ton point faible, sur lequel tu dois travailler, c'est ta crainte de tous et de tout. Tu as tendance à te ronger les sangs pour un oui ou pour un non, et même quand tu n'es pas directement impliqué. Ainsi, si tu te tracasses pour ton avenir et ta santé, tu penses aussi à la planète, à l'environnement qui se détériore sans cesse, tu t'inquiètes même de l'opinion que les autres ont de toi... bref, un rien te fait craindre le pire.

Mais finalement, ton défaut principal est celui de ne pas reconnaître ton potentiel. Tu sous-estimes tes capacités. Tu es souvent encore plus intransigeant et sévère avec toi que tu ne l'es avec les autres, ce qui te porte à toujours voir le côté noir des choses et des situations. N'oublie jamais que rien n'est ni tout noir ni tout blanc. Ouvre-toi les yeux, fais-toi confiance, et tu verras que ta vie s'améliorera grandement.

Tes études

**P**uisque tu brilles d'intelligence, ton esprit intellectuel sera souvent mis à contribution. Tu te montres appliqué, studieux, voire zélé dans tes études. Tu as aussi un solide sens critique qui te permet de bien analyser les événements et les situations. Mais, ton immense

talent ne compense pas tes hésitations. Tu t'attardes tellement aux moindres détails que tes coéquipiers, lorsque tu travailles en groupe, ne peuvent s'empêcher de te taquiner à ce propos. Par contre, tu leur permets d'obtenir de très bons résultats, alors on recherche ta compagnie et ta collaboration. D'ailleurs, tu as souvent l'impression qu'on te laisse faire les travaux tout seul, ce qui ne te déplaît pas. Par contre, lorsqu'on annonce les résultats, tout le groupe est présent. N'oublie pas de prendre le mérite qui te revient, car les autres pourraient s'attribuer tout ton travail sans t'en accorder le bénéfice.

Ton orientation

Tu penses souvent à ton avenir... avec inquiétude. Tu connais tes points forts et donc tu n'as pas peur d'effectuer des stages ou d'entreprendre de longues années d'études pour réussir à atteindre tes objectifs. Tu n'as pas peur de travailler seul ou d'y consacrer beaucoup d'efforts car tu es très appliqué et minutieux. Les domaines de la recherche scientifique, la médecine, les sciences de la santé, la diététique, les médecines douces, les services sociaux, l'alimentation, la pharmacie, la chimie, la fonction publique, le secrétariat, l'édition, l'éducation et la comptabilité te conviennent parfaitement. Il ne te reste qu'à faire un choix.

Tes rapports avec les autres

Tu es une personne généreuse, toujours prête à aider les autres, à dépanner ceux qui sont moins bien lotis que toi. Par contre, lorsque c'est à ton tour d'avoir besoin d'un petit coup de main, tu te rends compte que tu es bien seul. Souvent, les gens te tiennent pour acquis et t'apprécient parce que tu fais beaucoup de choses pour eux; il va falloir que tu apprennes à renverser cette tendance et que tu t'entoures de gens qui t'apprécient toi et non ce que tu peux faire pour eux. En fait, les personnes à problèmes se tourneront facilement vers toi, car tu es sensible et tu as peur de blesser les autres en leur disant non. Le sentiment d'insécurité qui t'habite en est la cause: tu ne veux pas décevoir.

Avec tes amis, c'est la même chose, tu leur laisses occuper toute l'avant-scène, pendant que toi tu travailles dur. Parfois, ce sont eux qui récoltent les lauriers de la gloire à ta place. Tu ne dis pas toujours ce que tu penses; c'est dommage, car tu gagnerais à t'entourer de gens qui te stimulent et t'aiment vraiment.

Pensée positive pour la Vierge

J'ai confiance en mes merveilleuses possibilités. Je suis sur la terre pour apprendre la joie et la cultiver. Enfin, je suis récompensé.

Pensée positive spéciale pour 2002

Je coupe avec le passé et j'ai tout le courage nécessaire pour commencer une nouvelle étape, car je sais que le meilleur s'en vient.

Le subconscient nous dirige toujours selon nos pensées. En répétant le plus souvent possible ces pensées conçues tout spécialement pour vous, vous vous attirerez plein de belles choses.

Signe: Vierge

Élément: Terre

Catégorie: Mutable

Symbole: ♍

Points sensibles: Intestins, phobies, appendicite, dépression, constipation, maladies psychosomatiques, angoisses.

Planète maîtresse: Mercure, planète de l'intelligence.

Pierres précieuses: Agate, marcassite, aigue-marine.

Couleurs: Beige, brun, marine, les teintes de terre.

Fleurs: Pétunia, lavande, belle-de-jour.

Chiffres chanceux: 4-8-11-17-23-28-30-35-40-44.

Qualités: Sage, sérieux, prudent, minutieux, ordonné, propre, discret, économe, travailleur.

Défauts: Peureux, manque de sécurité, timide, refoulé, angoissé, nerveux, manque de confiance.

Ce qu'il pense en lui-même: Qu'est-ce que les autres vont penser de moi?

Ce que les autres disent de lui: Pour une mission impossible, c'est lui qu'il faut demander: il fait des miracles!

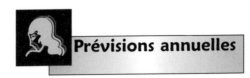

Vous arrivez à un tournant de votre vie, c'est indéniable. Vous constatez, ou à tout le moins vous sentez, qu'une étape se termine et que vous devez vous réorienter. Depuis quelques mois déjà, vous avez commencé à réévaluer certains aspects de votre existence. Et même si la seule pensée de transformer quelque chose dans votre vie vous terrifie, le besoin de changement se manifeste de plus en plus. Il y a également votre désir d'indépendance qui se fait pressant; votre quête d'autonomie, la recherche de votre véritable identité, qui sont des traits saillants de cette année.

Santé

Bien entendu, avec Saturne dans le décor, il n'y a pas de risque à prendre. Cette planète symbolise les grands bilans, c'est un peu comme si le temps nous rattrapait et que nous étions confrontés aux répercussions de nos actes passés. Heureusement, il n'est pas trop tard pour se prendre en main et pour mettre un peu d'ordre dans sa vie… Mais il vaut mieux commencer à y voir maintenant. Avec un tel transit, la prévention s'est toujours révélée efficace et a permis à plusieurs de contourner les obstacles.

Sentiments

Vous découvrirez que vous n'êtes pas responsable du bonheur des autres, que vous ne pouvez pas non plus sauver les gens de force et que vous avez parfaitement le droit de dire non. Tout un choc pour quelqu'un qui a toujours voulu faire plaisir, au risque de s'oublier complètement. Qu'on se comprenne bien, vous n'êtes pas en train de devenir égoïste: vous commencez à vous aimer un peu plus et vous ne voulez plus faire les quatre volontés de votre entourage. Oui, ça déplaira à certains, mais en même temps ça vous permettra de voir si c'est vous qu'on aime ou les services que vous rendez. Comme vous commencez à mettre de côté votre peur du rejet, vous oserez prendre des décisions, que vous remettiez depuis trop longtemps; vous direz aussi davantage ce que vous avez sur le cœur. Bravo!

Affaires

Ici aussi, ce sont la remise en question et les changements qui dominent. Certains prendront d'eux-mêmes l'initiative de se recycler, de retourner aux études, d'embrasser une nouvelle carrière, tandis que d'autres s'y sentiront contraints. Peu importe, avec le temps, vous découvrirez que c'était pour le mieux. De nature, vous êtes très prudent avec vos sous, et je vous encourage à le demeurer; ce n'est vraiment pas le moment de vous lancer dans des entreprises hasardeuses ou de faire confiance au premier venu. D'ici votre anniversaire, vous pourriez bénéficier de quelques rentrées d'argent imprévues, peut-être en provenance des jeux de hasard.

Janvier						
D	**L**	**M**	**M**	**J**	**V**	**S**
		1	2	3	4	5
6	7	8	9D	10D	11D	12F
13●F	14	15	16	17	18	19
20	21	22	23F	24F	25F	26D
27D	28○	29	30	31		

○ Pleine lune		F	Jour favorable
● Nouvelle lune		D	Jour défavorable

Santé

Jusqu'au 19, vous serez soumis à l'opposition de Mars, qui risque de vous rendre plus vulnérable; ne négligez pas votre santé, ne courez pas de risques inutiles et faites attention à vous. En agissant de la sorte, vous demeurerez à l'abri des intempéries. Le moral est bon; il le serait encore davantage si vous ne cherchiez pas toujours midi à quatorze heures.

Sentiments

Les trois premières semaines sont régies par un transit favorable de Vénus, un aspect encourageant pour votre destinée amoureuse. Rencontres romantiques, doux rapprochements, réconciliations et belles sorties sont au programme. La santé d'un parent pourrait néanmoins vous causer quelques soucis.

Affaires

Votre route semble semée d'obstacles et de retards. Il est vrai que rien ne vient très facilement ces temps-ci, pourtant votre détermination vous permettra de triompher. Des changements imprévus vous forcent à vous réorienter. Ne laissez pas un voleur ou une personne malhonnête s'emparer de ce qui vous appartient.

Vierge   **178**

Février						
D	**L**	**M**	**M**	**J**	**V**	**S**
					1	2
3	4	5	6D	7D	8F	9F
10	11	12●	13	14	15	16
17	18F	19F	20F	21D	22D	23
24	25	26	27○	28		

○ Pleine lune		F	Jour favorable
● Nouvelle lune		D	Jour défavorable

Santé

Vous êtes désormais libéré de l'opposition de Mars, vous pouvez donc avancer plus librement. Le mois se prête aux bilans, aux remises en forme et il n'est certes pas trop tard pour prendre de sages résolutions. Vous commencez une nouvelle étape, vous sentez que vous êtes en train de changer et que votre façon d'envisager la vie devient plus sereine.

Sentiments

En ce mois, votre priorité, c'est vous-même; vous vous décidez enfin à penser à vous. Au lieu de vous en vouloir, les gens autour de vous sont adorables et font tout ce qu'ils peuvent pour vous rendre l'existence agréable; vos amis aussi redoublent d'efforts. Une bonne nouvelle vous parviendra entre le 3 et le 14.

Affaires

Vous traversez une phase de transformation et de mise au point. Certaines situations qui stagnaient sont sur le point de se terminer pour de bon. Un ami vous refile un bon tuyau pour un emploi; il pourrait également vous aider à trouver la solution à un problème. Apprenez à recevoir, car en ce mois, on cherche à améliorer votre sort.

			Mars			
D	**L**	**M**	**M**	**J**	**V**	**S**
					1	2
3	4	5	6D	7D	8F	9F
10	11	12	13	14●	15	16
17	18F	19F	20D	21D	22F	23
24	25	26	27	28○	29	30
31						

○	Pleine lune	F	Jour favorable
●	Nouvelle lune	D	Jour défavorable

Santé

Dès le 2, vous bénéficierez de l'appui de Mars, ce qui devrait augmenter à la fois votre robustesse et votre dynamisme. Mieux encore, vous enterrerez de vieux souvenirs qui vous gardaient prisonnier du passé. Désormais, vous voulez aller de l'avant, et c'est exactement ce genre d'initiative que les astres favorisent.

Sentiments

La dépendance affective n'a pratiquement plus d'emprise sur vous. Vous devenez de plus en plus indépendant, ce qui se répercute sur vos proches; ceux-ci font davantage attention à vous et ne vous tiennent plus pour acquis. Vous acceptez les invitations qu'on vous lance, sans vous sentir coupable de vous amuser.

Affaires

Mois très productif à l'horizon, durant lequel tout ira très vite. Ne perdez pas de temps à tergiverser, sautez sur les bonnes occasions qui se présenteront et saisissez les occasions au vol avant que quelqu'un d'autre ne vous dame le pion. Un courant de chance passe, vous pourriez même la tenter au jeu. Bon temps pour les déplacements d'affaires ou d'agrément.

Vierge   **180**

Avril						
D	**L**	**M**	**M**	**J**	**V**	**S**
	1	2D	3D	4F	5F	6
7	8	9	10	11	12	13●
14F	15F	16D	17D	18D	19	20
21	22	23	24	25	26○	27
28	29D	30D				

○	Pleine lune	F	Jour favorable
●	Nouvelle lune	D	Jour défavorable

Santé

Jusqu'au 14, tout ira comme dans le meilleur des mondes sur le plan physique; par la suite, Saturne et Mars vous suggèrent fortement de ne pas vous négliger si vous souhaitez demeurer à l'abri des bobos et des accidents. Moralement par contre, nous assistons à une progression continue, vous serez même dans une forme exceptionnelle du 13 au 30.

Sentiments

Si Saturne et Mars vous jouent des tours dans d'autres domaines, Vénus, quant à elle, vous promet beaucoup de bonheur sur le plan intime. Une nouvelle relation ou un rapprochement avec votre bien-aimé vous emballe. En société, vous êtes très en demande et les invitations sont encore fréquentes. Seule ombre au tableau, la santé d'un parent risque de vous inquiéter pendant la seconde quinzaine.

Affaires

Si vous devez effectuer une démarche ou entreprendre quelque chose d'important, il vaut mieux agir avant le 14, vous aurez alors infiniment plus de chance de réussir. À la même période, une rentrée d'argent est possible; vous pourriez, entre autres, tenter la chance au jeu. Après le 15, prenez garde aux voleurs et aux escrocs.

Vierge

Mai						
D	**L**	**M**	**M**	**J**	**V**	**S**
			1F	2F	3F	4
5	6	7	8	9	10	11F
12●F	13F	14D	15D	16	17	18
19	20	21	22	23	24	25
26○	27D	28D	29F	30F	31	

○ Pleine lune et éclipse lunaire de pénombre   F   Jour favorable
● Nouvelle lune   D   Jour défavorable

Santé

L'éclipse lunaire combinée à l'impact de quelques planètes contribuent à alourdir passablement le climat de ce mois. Une bonne dose de prévention, une meilleure hygiène de vie ainsi qu'une vigilance accrue vous épargneront ennuis et contretemps.

Sentiments

Du 21 au 31, vous éprouverez beaucoup de bonheur en amour et en amitié; ce sera le début d'un cycle prometteur. D'ici là toutefois, certaines relations interpersonnelles exigent davantage de doigté, car l'orage gronde; la santé d'un parent ou le comportement d'un enfant pourrait aussi s'ajouter à vos soucis.

Affaires

La situation est loin d'être de tout repos. Vous avez beau vous débattre, on dirait que rien ne progresse. Par moments, vous avez l'impression d'avancer d'un pas, puis de reculer de deux. Dès le mois prochain, le vent tournera; en attendant, il vaut mieux prendre cela avec un grain de sel et continuer à vous protéger des filous.

			Juin			
D	**L**	**M**	**M**	**J**	**V**	**S**
						1
2	3	4	5	6	7	8
9F	10●F	11D	12D	13	14	15
16	17	18	19	20	21	22
23D	24○D	25F	26F	27	28	29
30						

○ Pleine lune et éclipse lunaire de pénombre   F   Jour favorable

● Nouvelle lune et éclipse solaire annulaire   D   Jour défavorable

Santé

Mars vous fiche la paix, vous pouvez donc dire adieu aux dangers d'accidents. Continuez malgré tout à prendre soin de votre santé et de vos nerfs, car l'éclipse solaire se produit dans un secteur délicat de votre thème astrologique. Progressivement, vous sentirez vos forces remonter et l'entrain revenir.

Sentiments

Voici un mois beaucoup plus encourageant. Des joies que vous connaîtrez en amitié et sur le plan social vous feront oublier les désagréments des dernières semaines. En amour aussi, ça ira de mieux en mieux; les solitaires feront une belle rencontre tandis que les autres cesseront d'être à couteaux tirés avec leur chéri et vivront même un rapprochement. Seul un parent ou un enfant continue de vous tracasser un peu.

Affaires

Le déblocage tant attendu arrive enfin, il pourrait survenir de façon précipitée ou dans d'étranges circonstances. Qu'importe, l'important, c'est que ça change et que vous vous retrouviez dans une sphère plus propice à votre épanouissement. Continuez à bien verrouiller vos portes et ne signez rien sans garantie sérieuse. Chance au jeu pour un prix secondaire.

Vierge

Juillet						
D	**L**	**M**	**M**	**J**	**V**	**S**
	1	2	3	4F	5F	6F
7D	8D	9	10●	11	12	13
14	15	16	17	18	19	20D
21D	22F	23F	24○F	25	26	27
28	29	30	31			

○ Pleine lune   F   Jour favorable
● Nouvelle lune   D   Jour défavorable

Santé

Vous allez de mieux en mieux, même le moral remonte. À partir du 7, vous serez en pleine possession de vos moyens, vous aurez meilleure mine et cesserez de vous empoisonner l'existence avec toutes sortes de pensées négatives. Ce changement d'attitude et de dispositions se répercutera favorablement sur votre apparence générale; les compliments abonderont.

Sentiments

Une fois la première semaine écoulée, vous n'éprouverez plus de tracas au sujet d'un parent ou d'un enfant. Amis et relations sociales demeureront agréables tout au long du mois, tandis qu'en amour, vous vivrez une période privilégiée du 11 juillet au 7 août. Si vous êtes seul, vous pourriez faire la rencontre d'un bel inconnu alors que les autres pourront reconquérir le cœur de leur partenaire.

Affaires

Un autre mois positif pendant lequel votre situation continue de s'améliorer. Vous prendrez des décisions éclairées, ce qui aura pour conséquence de vous ouvrir de nouvelles portes. Des progrès importants sont à prévoir tant sur le plan financier que professionnel. Les jeux de hasard et les déplacements pourraient vous valoir quelques surprises.

Vierge   **184**

Août						
D	L	M	M	J	V	S
				1F	2F	3F
4D	5D	6	7	8●	9	10
11	12	13	14	15	16D	17D
18D	19F	20F	21	22○	23	24
25	26	27	28F	29F	30F	31D

○ Pleine lune	F Jour favorable
● Nouvelle lune	D Jour défavorable

Santé

Vous continuez à cultiver une attitude constructive et les bienfaits ne se font pas attendre. Excellent mois pour vous mettre au régime, pour apprendre une technique de relaxation ou pour vous inscrire à un programme d'exercices, d'autant plus que ça vous permettra de contrer la fatigue provoquée par la présence de quelques planètes dans votre douzième maison.

Sentiments

Je vous rappelle que la première semaine vous réserve toutes sortes de bonnes choses sur le plan intime; le reste du mois ne vous apporte pas de tuile, bien au contraire. Du 7 au 27, il se peut que vous ayez quelques difficultés à vous entendre avec un proche ou que vous disiez des choses qui dépassent votre pensée.

Affaires

Même si ça ne progresse pas à vive allure, vous gagnez néanmoins du terrain. En ce mois, il est possible que les choses ne fonctionnent pas du premier coup; au lieu de vous décourager, faites plutôt preuve de persévérance et ainsi vous obtiendrez un résultat positif. Quelqu'un de haut placé apprécie grandement votre personnalité.

Septembre						
D	**L**	**M**	**M**	**J**	**V**	**S**
1D	2	3	4	5	6●	7
8	9	10	11	12	13D	14D
15F	16F	17	18	19	20	21○
22	23	24	25F	26F	27D	28D
29D	30					

○ Pleine lune	F Jour favorable
● Nouvelle lune	D Jour défavorable

Santé

L'arrivée de Mars dans votre signe vous rend certes plus dyna-mique. Cependant, ce transit est fréquemment responsable de fièvres, de coupures ou de blessures; à vous de prendre les précautions qui s'imposent. Psychologiquement, vous conservez votre attitude posi-tive: quand vous flanchez, ça ne dure jamais bien longtemps.

Sentiments

Vous ne mâchez pas vos mots, ce qui risque de chagriner quelques personnes. L'état d'un parent semble fluctuant, on compte sérieusement sur votre appui; même chose pour un frère ou une sœur dont la vie est bouleversée. À partir du 8, les sorties se feront plus nombreuses, les solitaires trouveront là l'occasion de dénicher l'âme sœur.

Affaires

Les gestes irréfléchis et les entreprises précipitées risquent de coûter plus qu'ils ne rapporteront. Ne lâchez pas la proie pour l'ombre et n'allez surtout pas croire un promoteur véreux. À vrai dire, ce qui vous convient le mieux en ce mois, ce sont les réflexions longuement mûries ainsi que les actions sérieuses.

			Octobre			
D	L	M	M	J	V	S
		1	2	3	4	5
6●	7	8	9	10D	11D	12F
13F	14F	15	16	17	18	19
20	21○	22F	23F	24F	25D	26D
27	28	29	30	31		

○	Pleine lune	F	Jour favorable
●	Nouvelle lune	D	Jour défavorable

Santé

Les 16 premiers jours sont encore marqués par la présence de Mars, donc une énergie décuplée dont on risque de payer le prix si on court des risques ou si on néglige sa santé. Le reste du mois sera plus clément, vous agirez plus librement et vous remonterez la pente si vous avez éprouvé des pépins.

Sentiments

Petit à petit, les tensions se dissipent, le climat s'allège. La seconde quinzaine s'annonce même emballante, vous pourrez régler une foule de problèmes et de conflits. En amour aussi, ça ira plus rondement, le dialogue s'améliorera, et vous pourrez enfin vous exprimer sans que ça déclenche une tempête.

Affaires

Ici aussi, la tendance est au dégagement. Des portes que vous aviez crues fermées pourraient s'ouvrir; une activité à laquelle vous n'aviez jamais pensé se présente de façon inopinée. Vous sautez sur l'occasion sans trop savoir pourquoi, et c'est une révélation. Pendant la deuxième partie de mois, vous plaiderez votre cause avec brio et obtiendrez ce que vous voulez.

Novembre						
D	L	M	M	J	V	S
					1	2
3	4●	5	6	7D	8D	9F
10F	11	12	13	14	15	16
17	18F	19○F	20F	21D	22D	23
24	25	26	27	28	29	30

○ Pleine lune et éclipse lunaire de pénombre   F   Jour favorable
● Nouvelle lune   D   Jour défavorable

Santé

Décidément, vous êtes sorti de votre période trouble; même l'éclipse n'a pas d'effet négatif sur vous. Vous avez fière allure, c'est un indice certain de votre bonne forme. Jusqu'au 19, vous aurez des nerfs d'acier et demeurerez imperturbable en toute situation; du 20 au 30, vous risquez de vous tracasser inutilement.

Sentiments

Avec Vénus et Mercure dans votre troisième secteur, la communication va bon train; votre sens de l'humour est certes un atout précieux. Vous arrivez à vous entendre avec un proche au sujet d'un litige passé et convainquez votre conjoint de donner suite à un projet qui vous tient à cœur.

Affaires

C'est le temps de penser à long terme et de faire des gestes en vue d'assurer votre avenir. Entre deux options, préférez celle qui vous permettra de faire le plus long bout de chemin. Ajoutons que vos finances sont elles aussi sur la voie de la stabilisation. Les trois premières semaines sont favorables aux déplacements et aux démarches.

Décembre

D	L	M	M	J	V	S
1	2	3	4●D	5D	6F	7F
8	9	10	11	12	13	14
15	16F	17F	18D	19○D	20	21
22	23	24	25	26	27	28
29	30	31D				

○ Pleine lune
● Nouvelle lune et éclipse solaire totale

F Jour favorable
D Jour défavorable

Santé

L'éclipse recommande d'être prudent dans vos déplacements et de vous prémunir contre le rhume et la grippe. Ceci étant dit, vous avez plusieurs atouts en main qui vous garderont en bonne santé. Votre entrain ainsi que votre jeunesse de cœur et même votre apparence jeune font plaisir à voir.

Sentiments

Votre meilleure période s'étend du 9 au 31. Vous saurez trouver les mots qu'il faut pour parler à vos proches, vous ferez les gestes opportuns pour leur faire plaisir; par un juste retour des choses, on vous susurrera de gentilles paroles et on vous traitera aux petits oignons. Des retrouvailles-surprises vous feront chaud au cœur.

Affaires

Un mois très occupé en perspective, durant lequel vous serez débordé de travail. Des heures supplémentaires, l'obtention d'un contrat ou carrément un second emploi feront en sorte que vous ne verrez pas les journées passer. Même si vous êtes pressé, ne roulez pas trop vite et ne vous garez pas n'importe où, on pourrait vous coller une contravention.

Vierge

BALANCE
Du 24 septembre au 23 octobre

Il n'y a pas de doute lorsqu'on vous voit tergiverser avant de prendre une décision, on sait à qui on a affaire: une vraie Balance. Votre recherche de l'harmonie, de la beauté, de la justice est telle, qu'il vous est souvent difficile de trancher. Prendre une heure pour choisir entre deux types de pain à la boulangerie, c'est vraiment vous! Et ça, c'est quand vous ne changez pas d'idée juste avant de passer la porte pour sortir.

Vous recherchez le parfait équilibre entre toutes choses. Vivre dans une ambiance harmonieuse où la bonne entente et la cordialité règnent, voilà ce qui vous motive. On remarque votre courtoisie avec tous, que vous vous adressiez à un président de compagnie, à la vieille dame d'en face, au clochard qui hante votre quartier ou au serveur de votre restaurant favori. Un mot gentil ou une attention délicate vient souvent ponctuer vos relations avec les autres. Votre politesse est exquise, ce qui est fort rare et apprécié.

Vous êtes un être sociable qui reçoit toujours des invitations à un dîner, une sortie, une première, un lancement, un cocktail, ou même à une balade entre amis. Avouez que vous adorez être l'objet de tant d'attentions. Votre bonne humeur, votre amabilité et votre optimiste sont contagieux, c'est la raison pour laquelle vous êtes si populaire auprès des gens. Quant à votre charme légendaire, il en fait craquer plus d'un devant vous.

Le point central de votre vie est l'amour; toute votre existence gravite autour de cet élément. Encore une fois, puisque vous recherchez ce qu'il y a de mieux, le grand amour, le partenaire parfait, ce n'est pas toujours facile. Alors, vous prenez votre temps, convaincu que la félicité vient à point à qui sait attendre.

Vous appréciez également la beauté; vous êtes un hédoniste et vous le revendiquez. Votre plaisir et votre satisfaction vous sont apportés par la beauté: un parterre de fleurs, le dessin du petit dernier. Votre automobile, votre intérieur, tout reflète votre surprenante recherche de l'esthétique. Vous êtes toujours tiré à quatre épingles, vous voulez être à la mode, très chic. On ne peut rien vous reprocher sur votre tenue vestimentaire. Vous y mettez beaucoup d'efforts et, bien entendu, les compliments pleuvent, ce qui ne manque pas vous plaire, avouez-le!

Votre sens de la justice et de l'équité est une autre de vos principales caractéristiques: ne représente-t-on pas la Justice par une femme aux yeux bandés portant un glaive et une balance? Qu'il s'agisse des affaires de l'État ou d'une querelle entre les enfants, d'une mésentente au bureau ou des conflits au Moyen-Orient, vous voudriez que la justice règne partout. Vous vous révoltez en pensant que les droits les plus élémentaires des individus sont bafoués partout dans le monde.

En toute circonstance, vous cherchez la paix et l'harmonie. La violence et l'agressivité vous répugnent. Lorsqu'un climat orageux tend à s'installer à l'endroit où vous êtes, vous préférez souvent partir plutôt que d'assister à des prises de bec. Pourtant, la solitude vous pèse et vous ne restez jamais éloigné des autres trop longtemps. Mais vous savez choisir votre entourage, car la vulgarité vous blesse.

Votre humeur est remarquable, vous débordez d'optimisme et trouvez toujours le côté positif d'un événement ou d'une situation. Votre frère a perdu son emploi? Tant mieux, c'est l'élément déclencheur qui lui fallait pour réorienter sa carrière. Votre meilleure amie est malade? Eh bien, elle pourra ainsi se reposer, elle qui n'avait jamais le temps de souffler. Vous avez toujours le bon mot, mais surtout l'attitude appropriée, pour aider vos proches à surmonter leurs difficultés. Cette façon d'agir vous vaudra de nombreux compliments et plusieurs amitiés.

Ce que l'on remarque au premier regard, c'est votre douceur et l'harmonie de votre silhouette. Vos gestes sont élégants, votre démarche, sensuelle, et vous avez de petits tics tout à fait charmants, comme pencher la tête lorsque vous réfléchissez ou balancer la jambe quand vous êtes assis...

Évidemment, une telle recherche de la perfection et de la beauté en toutes choses ne vous permet pas de vous décider au quart de tour, et c'est là que le bât blesse parfois; vos compagnes de magasinage trépignent d'impatience, vos collègues ragent... mais ça prendra le temps qu'il faudra, vous voulez être sûr de faire le meilleur choix possible.

Comment se comporter avec une Balance?

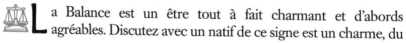
La Balance est un être tout à fait charmant et d'abords agréables. Discutez avec un natif de ce signe est un charme, du

moment qu'il a tous les éléments en main: le pour, le contre, les circonstances. Avant de rendre un verdict, il a souvent besoin de connaître le «qui-du-pourquoi-du-comment». Son processus pourra vous sembler bien long, car il se rappelle qu'il n'a pas pris tel élément en considération et que tel autre mériterait aussi qu'on s'y attarde. Bref, tous les aspects d'un problème sont mis dans la balance.

Qu'il siège à l'ONU ou qu'il compare les ingrédients de deux sauces tomate, c'est long! Son interlocuteur doit bien souvent s'armer de patience.

Dans un dilemme, proposant deux solutions opposées, il suggérera des compromis pour accommoder toutes les parties. La Balance ne se fâche que très rarement, en fait, elle se sert plutôt de la douceur pour convaincre et tempérer ses contradicteurs. Si vous voulez faire sortir une Balance de ses gonds, il faudra vraiment que vous y mettiez le paquet, et encore, c'est peut-être vous qui sortirez de vos gonds avant elle. Lorsqu'on discute avec un natif de ce signe, la courtoisie et le sang-froid sont de mise. Exposez calmement vos doléances ou votre point de vue, et n'ayez crainte, une de ses légendaires idées ingénieuses l'aidera à dénicher une solution équitable pour tous.

Pour cohabiter harmonieusement avec une Balance, il faut lui créer un environnement calme et paisible. Les chicanes continuelles et les discussions orageuses pour un rien ne contribuent certes pas à une ambiance qu'il appréciera. De toute façon, vous n'arriverez à rien avec un natif de la Balance en utilisant l'agressivité, les cris et les larmes; la douceur, le charme et la gentillesse vous permettront de tout obtenir, sans difficulté.

La Balance est un tantinet lente, donc si vous voulez absolument qu'elle ne manque pas votre rendez-vous, fixez le moment de la rencontre une heure plus tôt que prévu, ainsi vous serez assuré qu'elle sera là à temps.

Une Balance est systématiquement en retard, car elle prend trop de temps à se décider: des chaussures bleues ou noires, une robe moulante ou un pantalon ample, une cravate ou un polo à col ouvert... bref, elle tergiverse des heures devant la porte de la garde-robe. Et, bien entendu, lorsqu'elle se montre enfin le nez, vous pouvez être sûr que ses raisons seront bonnes, et ses excuses, adorables. Une Balance à l'heure, c'est vraiment un hasard!

Ses goûts

Pour la Balance, ce qui compte, c'est le beau. Un natif de ce signe est très sensible à la beauté, à l'harmonie. Ses vêtements sont choisis avec beaucoup de goût, de raffinement. Il est d'une élégance peu commune: généralement, couleurs, textures, accessoires sont assortis, des sous-vêtements au parapluie, rien n'est laissé au hasard et la recherche est parfaite. Il ne faut donc pas s'étonner de voir une Balance fouiller dans tous les recoins d'un magasin pour dénicher le portefeuille, la ceinture, les boucles d'oreilles qui s'agencent parfaitement à ses tenues.

Pour les couleurs, une Balance s'en tient surtout aux teintes douces et tendres qui reflètent bien sa personnalité. Les textures, pour leur part, sont souvent soyeuses, fluides, confortables.

Si la Balance s'habille avec un profond souci du détail, que dire de sa demeure. Dans son petit nid, tout est recherché et étudié. Plantes, papier peint, peintures, bibelots, éclairages, tentures, rien ne détonne... On se demande comment elle fait, tellement tout est à sa place...

Lorsqu'une Balance vous convie à sa table, vous pouvez être assuré que le plaisir des yeux tout autant que celui de la bouche sera comblé: chandelles, belles assiettes, nappes et serviettes de table faites à la main, ustensiles ciselés, sa présentation est étudiée et raffinée. Les mets, pour leur part, seront à son image: recherchés. Elle est un fin gourmet. Elle ne résiste pas devant un dessert bien présenté. Mais n'ayez crainte, si vous l'invitez, un natif de ce signe se montrera toujours charmant, élégant et reconnaissant, même si vous l'accueillez à la bonne franquette.

Son potentiel

Le natif de la Balance n'est pas un être impulsif, il préfère soupeser, étudier, voir le pour et le contre; il ne faut donc pas lui confier un poste où les décisions se prennent rapidement. Par contre, si vous cherchez quelqu'un qui saura analyser le moindre aspect d'une tâche ou d'une décision avant de rendre son verdict, c'est le candidat qu'il vous faut.

Ses préférences le poussent à opter pour des activités dans le domaine des arts. Artiste remarquable, fin artisan, la beauté n'a plus aucun secret pour lui et il atteindra des sommets inégalés si on lui confie des contrats où l'harmonie est le trait essentiel de sa production. Par exemple, il sera un architecte talentueux, mais excellera également en horticulture, esthétique, décoration, étalagisme, mode, coiffure et orfèvrerie. Si par hasard ses pas le conduisent dans une autre voie, il œuvrera par exemple en tant qu'avocat, juge, procureur, coroner, ou notaire; des tâches qui demandent un solide esprit d'analyse, mais qui viendront également combler son esprit de justice. Il pourrait aussi se distinguer en relations publiques ou dans la diplomatie.

Ses loisirs

Si notre Balance n'a pas choisi un métier du domaine artistique, il leur consacrera sans aucun doute ses loisirs et il aura l'embarras du choix, car c'est un être doué d'un talent remarquable: peinture, aquarelle, céramique, poterie, couture, broderie, tricot, création de sites Web, design d'intérieur, aménagement paysager, toutes les portes lui sont ouvertes.

En fait, avec une Balance, tout ce qu'il touche devient une œuvre d'art, qu'il s'agisse de se maquiller ou d'assortir les couleurs des coussins du salon, elle le fait avec goût et élégance.

La Balance aime également la nature, et surtout les fleurs et les plantes. Son intérieur en est probablement rempli. Donnez-lui un lopin de terre, vous verrez ce qu'elle en fera. Avec un natif de ce signe, avoir le pouce vert n'est pas une expression dénuée de sens. S'il habite en ville, son balcon sera fleuri et il s'occupera même des carrés d'arbres de sa rue.

La Balance est également une personne très sociable. La solitude lui pèse vite, et rester seule trop longtemps la conduira tout droit à l'ennui. Des sorties, des réunions entre amis, des dîners au restaurant, des spectacles sont des éléments essentiels à son équilibre mental. La Balance est une personne agréable qui sait séduire et enjôler; elle ne reste donc jamais seule très longtemps.

Sa décoration

Son cocon est si douillet et si harmonieux qu'on pourrait avoir l'impression d'entrer dans un monde de rêves lorsqu'on y pénètre. Le temps et l'énergie que notre Balance a consacrés à son intérieur sont incalculables. Chez elle, rien ne dépasse: le tapis et les tentures se marient harmonieusement avec les meubles et le moindre bibelot occupe la place qui lui convient exactement.

Son intérieur est une symphonie de couleurs subtiles et de formes délicates où tout est parfait, en équilibre. Il faut dire que le moindre élément a été sélectionné avec soin; on pourrait se croire dans les pages d'un magazine de décoration.

En fait, la Balance a un don inné pour la décoration, un goût sûr qui fait de son intérieur un écrin d'élégance et de beauté. Si vous avez des conseils de décoration à demander à quelqu'un, tournez-vous vers une Balance; vous ne serez jamais déçu.

Son budget

É videmment, toute cette beauté a un prix, et notre Balance doit avoir un porte-monnaie bien rempli pour se permettre toutes ces dépenses. Eh bien, même si un natif de ce signe ne roule pas sur l'or, n'ayez crainte, c'est un excellent comptable... et un très bon consommateur qui sait magasiner, même s'il se laisse tenter facilement et dépense généreusement. En fait, une Balance qui a un budget restreint connaîtra les bons endroits où se faire plaisir à peu de frais, tout en satisfaisant ses goûts pour la beauté et l'esthétique.

Par contre, si le natif de ce signe est un peu plus à l'aise financièrement, il voudra mettre un peu d'argent de côté. Mais si la tentation est assez grande, il succombera et remettra l'épargne à plus tard. Il est rare qu'une Balance songe à investir dans un REÉR alors que sa garde-robe du printemps doit être renouvelée... ou le mobilier du salon, changé pour qu'il s'harmonise aux nouveaux tapis et aux nouvelles peintures qu'elle vient d'appliquer sur les murs.

Bref, pour une Balance, l'argent est un moyen d'acquérir de belles choses; ce n'est pas fait pour dormir dans un coffre-fort, et encore moins pour être investi dans portefeuilles boursiers qui sont à ses yeux des comptes tout à fait virtuels.

La Balance possède une nature résolument optimiste et ne s'inquiète pas outre mesure quand les factures arrivent... en toutes circonstances, elle garde son sourire charmeur et règle les problèmes lorsqu'ils se présentent, sans anticiper.

Quel cadeau lui offrir?

F aire plaisir à un natif de ce signe est probablement la chose la plus aisée qui soit: il est toujours content.

Puisque notre Balance aime les beaux objets, les vêtements à la mode, les bijoux précieux, les œuvres d'art, les créations haute couture ou d'artisans, vous aurez l'embarras du choix.

Du matériel d'artiste, peinture, pastel, fusain, verrerie et étain pour vitraux, tapisserie aux petits points lui permettront de mettre en valeur son immense talent. En tant que mélomane averti, elle appréciera le plus récent disque de son artiste favori. Vous pouvez également arriver chez elle avec des plantes plein les bras, des fleurs ou des parfums qui embaument; vous ne vous tromperez pas.

D'ailleurs, quel que soit le cadeau que vous lui offrirez, il sera sans doute apprécié, car notre Balance adore recevoir. Un bel emballage, un joli ruban et une carte de vos bons vœux la rendront folle de joie.

Les enfants Balance

Quels adorables chérubins! Ils sont mignons, souriants, enjoués et de bonne humeur. Par contre, il faut leur trouver des compagnons de jeu, car ils détestent rester seuls. S'ils sont enfants uniques, ils seront constamment dans les jambes de leurs parents.

Ce sont aussi des enfants charmeurs qui savent séduire avant même d'avoir prononcé leurs premiers mots. Leur sourire est enjôleur et personne ne peut y résister. Ainsi, ils obtiennent souvent tout ce qu'ils veulent par un simple gazouillis... Ils choisiront la méthode douce pour vous amadouer; avec eux, pas de pleurs ni de cris.

Aimable, gentil, disposé à faire plaisir, l'enfant Balance est un compagnon de jeu agréable et ses petits amis ne se trompent pas, c'est un bambin populaire auprès des autres.

En classe, il sera sûrement le boute-en-train de l'école, car il adore jouer; par contre, pour les études, il aura besoin d'être constamment motivé, car il y a tellement de choses à explorer dans ce vaste monde que son esprit vagabondera souvent bien loin de ses devoirs et de ses leçons.

Ses parents devront lui apprendre à étudier, à se concentrer sur une tâche et à se décider. Il aura tendance à changer d'avis rapidement.

Une autre de ses petites faiblesses est son manque de ponctualité. Évidemment il n'arrive pas à se décider, il perd du temps; il faudra donc lui apprendre à mieux gérer son temps.

L'ado Balance

Tu as une belle personnalité que beaucoup de tes camarades t'envient: tu es sociable, tu t'intéresses aux autres et tu aimes faire plaisir. Tu es très charmeur, et peu de monde peut te résister. Tu sais d'ailleurs utiliser ce pouvoir pour parvenir à tes fins.

Tu aimes sortir, voir du monde, échanger, rencontrer de nouvelles personnes, la solitude ce n'est décidément pas pour toi, car tu t'ennuies rapidement. Les arts, la musique te font vibrer, et tu es très sensible à la beauté sous toutes ses formes.

L'amour te donne des ailes, et occupe une place très importante dans ta vie. Tout autour de toi et en toutes choses, tu recherches l'harmonie. Qu'il s'agisse de ta famille ou de ton cercle d'amis, tu ne supportes pas les disputes; c'est souvent toi qui règles les petits différends entre ceux que tu côtoies.

Tu as un sens très aigu de la justice, tu ne supportes pas que quelqu'un soit maltraité devant toi. Par contre, avant de te lancer dans une entreprise, quelle qu'elle soit, tu pèses longuement le pour et le contre... et il t'est parfois difficile de te décider: tu hésites, tu balances, tu ne sais pas... Tes amis trouvent que tu «ne te branches pas».

Les deux petits défauts qu'on pourrait éventuellement te reprocher sont liés à l'une de tes grandes qualités: tu cherches constamment à faire plaisir et à te faire aimer. Mais voilà, cela peut te rendre superficiel aux yeux des autres. Tu dois aussi corriger ton manque de ponctualité; tu as tellement de mal à te décider que tu arrives en retard partout. Ce qui te distingue des autres cependant, c'est ton éternel optimisme; rien ne te démonte, tu es toujours capable de déceler le bon côté des choses, même dans les pires situations.

Tes études

Tu es brillant, tu as un bon jugement, tu es même capable d'assimiler deux formations très différentes à la fois. Le grand problème, c'est de savoir auxquelles accorder le plus d'importance; tu n'arrives pas à prendre une décision finale.

Comme tu apprécies la beauté et l'harmonie, tu excelles dans tes cours d'art plastique ou de musique. Le petit hic, c'est que tu t'intéresses plus à la vie sociale de l'école, aux sorties de groupe et aux réunions qu'à tes études. Avoue-le, tu es un peu paresseux de nature, et ces multiples occupations parascolaires sont pour toi des bonnes excuses pour ne pas trop travailler en classe.

Pourtant, tu es doué, et la réussite t'attend si tu parviens à mettre un peu de discipline dans ta vie... et si tu n'arrives pas en retard dans tes cours.

Ton orientation

Ce n'est pas facile pour toi de choisir un métier, car il y a tellement de domaines qui t'intéressent! En fait, le problème est que tu peux revenir sur ta décision, même lorsque tu jures que cette fois tu ne changeras plus d'idée.

Tes buts changent constamment; il est difficile de faire quelque chose de ta vie dans de telles conditions. Par contre, si tu te diriges vers des métiers artistiques (les arts, la décoration, l'esthétique, la coiffure, la mode, la joaillerie, la musique, la comédie, l'horticulture, l'architecture, la littérature, l'ébénisterie, la danse) tu parviendras sûrement à te tailler une place de choix. Les communications, la diplomatie, la justice, le droit, le commerce, l'éducation ou les relations publiques sont aussi des domaines où tu pourras briller.

Tes rapports avec les autres

Tes amis, ta famille occupent une place prépondérante dans ta vie, car tu ne supportes pas d'être seul. Même pour étudier, tu as besoin de monde autour de toi. Donc, tu seras meilleur dans les travaux scolaires en équipe. Tu as également besoin d'un environnement calme où règne la bonne entente; les cris et les disputes te perturbent énormément. Tu penses beaucoup aux autres, tu essaies de faire plaisir et tu as besoin de te sentir aimé pour bien fonctionner dans un groupe.

Tu es quelqu'un de très généreux, mais tu n'as pas besoin de dépenser de l'argent pour conquérir les autres; ton sourire te permet de te faire facilement des amis. Le plus important pour toi est cependant de bien les choisir.

Pensée positive pour la Balance

Je capte toute l'harmonie de l'univers et la canalise dans ma vie. Je fais le bon choix en toute situation et j'avance vers l'amour.

Pensée positive spéciale pour 2002

Je développe une vision à long terme tout en profitant pleinement du moment présent.

Le subconscient nous dirige toujours selon nos pensées. En répétant le plus souvent possible ces pensées conçues tout spécialement pour vous, vous vous attirerez plein de belles choses.

Signe: Balance

Élément: Air

Catégorie: Cardinal

Symbole: ♎

Points sensibles: Reins, vessie, appareil urinaire, bas du dos, obésité, diabète, hypoglycémie. Attention au sucre!

Planète maîtresse: Vénus, planète de l'amour.

Pierres précieuses: Opale, jade, corail.

Couleurs: Les tons pastel et les couleurs tendres, rose, turquoise.

Fleurs: Violette, jonquille, rose, thé... et toutes les autres.

Chiffres chanceux: 6-9-15-18-23-26-36-39-41-45.

Qualités: Doux, tendre affectueux, amoureux de l'amour, juste, diplomate, charmeur.

Défauts: Indécis, instable, dépensier, retardataire, peur de la solitude.

Ce qu'il pense en lui-même: Je voudrais que tout soit si beau autour de moi.

Ce que les autres disent de lui: Il ne se branche pas... Mais on le lui pardonne; il est si adorable!

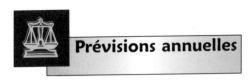

De très puissantes influences s'exercent dans votre ciel, et il se peut que vous ayez parfois du mal à vous y retrouver puisqu'elles sont contradictoires. D'une part, les bons aspects de Saturne vous confèrent de la sagesse et de la maturité; ils favorisent les actes réfléchis, les entreprises à long terme. D'un autre côté, les aspects dissonants de Jupiter poussent dans un sens contraire; on agit de façon désordonnée, on ne prend pas le temps de réfléchir, on se lance tête première dans toutes sortes d'aventures sans trop savoir où l'on atterrira. À vous donc de laisser Saturne faire son œuvre. Et de contrecarrer les effets de Jupiter jusqu'à votre anniversaire.

Santé

Il va de soi que si vous vous laissez aller, vous en paierez les conséquences. Votre nature coquette ne serait pas très heureuse de se retrouver avec quelques kilos en trop; et puis, il y aussi votre santé qui mérite que vous y fassiez davantage attention. Par contre, ceux qui choisiraient 2002 pour se remettre en forme, pour se prendre en main ou pour se débarrasser de malaises physiques ou psychologiques ne pourraient trouver meilleure période.

Sentiments

Votre popularité se maintient, vous êtes toujours très en demande et votre vie sociale se révèle donc très satisfaisante. Cependant, ce tourbillon de mondanités et de belles sorties ne suffit pas à vous rendre complètement heureux; vous voulez de la stabilité, de la profondeur. Ça tombe bien puisque l'année se prête justement aux engagements sérieux; plusieurs couples se formeront ou du moins se rapprocheront de façon bien tangible, tandis que d'autres songeront à fonder une famille. Vous vous sentez prêt à vous engager à fond.

Affaires

Bien entendu, la sagesse sera la plus payante. En voulant aller trop vite ou en prenant des risques, vous risquez de perdre du terrain plutôt que d'en gagner. Privilégiez donc les entreprises sérieuses et les placements conservateurs. Ceux dont la situation a été instable pourraient trouver davantage de sécurité; quant aux autres, ils devraient apprendre à apprécier leur routine. Après tout, c'est bien mieux que les montagnes russes. L'année qui commence avec votre prochain anniversaire sera plus spectaculaire, vous ferez d'énormes progrès, vous aurez même des chances au jeu. D'ici là, ne jouez pas avec la loi et méfiez-vous de votre naïveté, qui risquerait de vous faire tomber entre les pattes de gens peu scrupuleux.

Janvier						
D	**L**	**M**	**M**	**J**	**V**	**S**
		1	2	3	4	5
6	7	8	9	10	11	12D
13●D	14D	15F	16F	17	18	19
20	21	22	23	24	25F	26F
27D	28○D	29	30	31		

○ Pleine lune F Jour favorable
● Nouvelle lune D Jour défavorable

Santé

Quelle vivacité intellectuelle! Vous êtes brillant et vous avez un sens de la répartie très rapide. Physiquement, tout va bien jusqu'au 19, mais, par la suite, vous devrez vous surveiller de plus près afin d'éviter les malaises ou une blessure. Bon mois pour se refaire une beauté ou changer de style.

Sentiments

Côté cœur, les influences sont inversées: ça accroche jusqu'au 19, puis tout s'arrange avec votre chéri. Si vous êtes seul, vous entamerez alors un cycle où les probabilités de rencontres sont élevées. Tous n'ont pas votre chance cependant; autour de vous, un être cher a une grosse peine d'amour. Un jeune vous apprend une nouvelle qui vous ravit.

Affaires

La richesse de vos arguments et la facilité avec laquelle vous vous exprimez rallient tout le monde à votre cause. Excellente période donc pour les démarches et les négociations; bon temps aussi pour les déplacements. Votre carte de crédit atteint presque sa limite; attention au magasinage intempestif!

Février						
D	**L**	**M**	**M**	**J**	**V**	**S**
					1	2
3	4	5	6	7	8D	9D
10D	11F	12●F	13	14	15	16
17	18	19	20	21F	22F	23D
24D	25	26	27○	28		

○ Pleine lune	F Jour favorable
● Nouvelle lune	D Jour défavorable

Santé

L'opposition de Mars vous donne du fil à retordre; quand ce n'est pas un risque de blessure, c'est un malaise ou une infection qui vous guette. En vous montrant vigilant, vous pourriez toutefois déjouer les effets de cette opposition. Psychologiquement, vous aurez tendance à l'anxiété entre le 3 et le 14; vous serez parfois d'humeur massacrante.

Sentiments

Les solitaires bénéficient toujours d'influences exceptionnelles pour trouver l'âme sœur. Au sein des couples, ça discute fort, mais l'important, c'est que vous arrivez toujours à trouver un terrain d'entente. Votre conjoint a sans doute quelques difficultés d'ordre professionnel ou financier; votre aide lui sera très utile.

Affaires

Une tuile n'attend pas l'autre. Une dépense imprévue, des retards exaspérants et quelques obstacles contribuent à vous laisser un goût amer. En croyant que dépenser follement calmerait vos frustrations, vous vous leurrez; au contraire, vous ne feriez qu'envenimer les choses. Bientôt, le climat sera beaucoup plus favorable.

Balance

Mars						
D	L	M	M	J	V	S
					1	2
3	4	5	6	7	8D	9D
10F	11F	12F	13	14●	15	16
17	18	19	20F	21F	22F	23D
24D	25	26	27	28○	29	30
31						

○ Pleine lune   F   Jour favorable
● Nouvelle lune   D   Jour défavorable

Santé

Bonne nouvelle, l'opposition de Mars se termine le 2. À partir de ce moment, vous ne serez plus menacé par toutes sortes d'embêtements, vous vous sentirez plus robuste, tant physiquement que moralement. Excellente période pour s'attaquer à ce qui accrochait, pour se soigner et refaire le plein d'énergie.

Sentiments

Vous n'avez plus besoin de toujours argumenter avec votre entourage. L'atmosphère est beaucoup plus détendue; le dialogue, plus aisé. La situation de votre partenaire s'améliore, il est beaucoup moins stressé. Vous reprenez goût aux mondanités; ça tombe bien, car on vous lance toutes sortes d'invitations. Les célibataires pourraient avoir du mal à faire un choix entre deux prétendants.

Affaires

Amélioration significative du climat général. Vous avez davantage de latitude et vous pouvez enfin avancer librement. Profitez-en pour négocier, pour chercher du travail ou pour faire des démarches; vous vous exprimerez avec une telle éloquence que tout le monde vous écoutera d'une oreille attentive.

			Avril			
D	**L**	**M**	**M**	**J**	**V**	**S**
	1	2	3	4D	5D	6F
7F	8F	9	10	11	12	13●
14	15	16F	17F	18F	19D	20D
21	22	23	24	25	26○	27
28	29	30				

○ Pleine lune   F Jour favorable
● Nouvelle lune   D Jour défavorable

Santé

Décidément, les choses vont de mieux en mieux. Vous pourriez profiter de la première semaine pour vous remettre en forme et obtenir des résultats sensationnels. Du 14 au 30, vous irez d'ailleurs si bien que plusieurs vous complimenteront sur votre bonne mine. Bonne période pour prendre des résolutions. Votre volonté est forte.

Sentiments

Bien que la première moitié du mois s'annonce agréable, ce sont surtout les mises au point qui domineront. Par la suite, on peut parler de joie, de bonheur intense, d'amours qui redémarrent et de vie sociale emballante. Rapprochement avec un parent ou une personne âgée.

Affaires

Vous avez le vent dans les voiles. D'ici le 14, vous réglerez une multitude de choses qui causaient problèmes, vous tournerez des pages et mettrez le cap vers de nouveaux horizons. Le reste du mois sera une suite d'événements heureux, tant sur le plan professionnel que financier. Vous avez rongé votre frein trop longtemps; voici enfin la période d'expansion dont vous rêviez.

Balance

Mai						
D	**L**	**M**	**M**	**J**	**V**	**S**
			1D	2D	3D	4F
5F	6	7	8	9	10	11
12●	13	14F	15F	16D	17D	18
19	20	21	22	23	24	25
26○	27	28	29D	30D	31F	

○ Pleine lune et éclipse lunaire de pénombre   F   Jour favorable
● Nouvelle lune   D   Jour défavorable

Santé

Vous n'avez rien à craindre de l'éclipse; plusieurs planètes vous avantagent ce mois-ci. Vous avez donc le beau jeu! Ceux qui désirent une remise en beauté seront plus que satisfaits des résultats. Même chose pour ceux qui veulent se faire soigner ou entreprendre un travail sur eux-mêmes.

Sentiments

Un mois en or pour toutes les histoires de cœur. Les solitaires parviennent à combler le vide de leur existence tandis que les autres retombent littéralement en amour avec leur partenaire. C'est le temps de vous engager, de resserrer les liens qui vous unissent à ceux que vous chérissez. S'il vous reste du temps, vous pourrez toujours accepter quelques-unes des nombreuses invitations qu'on vous lance.

Affaires

Dans ce domaine également, les astres jouent en votre faveur. Ne perdez donc pas une seconde à rêvasser ou à vous poser des questions. Il faut agir dès maintenant, ce qui vous permettra d'obtenir des résultats concrets à court terme, mais aussi d'assurer votre avenir. Bonne période pour les négociations, le commerce, les transactions et les démarches.

				Juin			
D	**L**	**M**	**M**	**J**	**V**	**S**	
						1F	
2	3	4	5	6	7	8	
9	10●F	11F	12D	13D	14	15	
16	17	18	19	20	21	22	
23	24○	25D	26D	27F	28F	29F	
30							

○ Pleine lune et éclipse lunaire de pénombre   F Jour favorable
● Nouvelle lune et éclipse solaire annulaire   D Jour défavorable

Santé

Les éclipses de ce mois sont, avouons-le, plus délicates à gérer que celle survenue en mai. Prenez donc vos précautions pour ne pas vous blesser; bannissez tout type d'abus, qu'il s'agisse d'excès à table ou au travail, vous vous retrouveriez sur le carreau. Si votre forme physique ne va pas très, très bien, au moins le moral tient le coup.

Sentiments

Pesez bien les mots que vous utiliserez pour ne pas déplaire à votre entourage qui semble particulièrement susceptible. Il vaut mieux mettre des gants blancs et agir prudemment au lieu de risquer la chicane. Votre partenaire semble soit maussade, soit déprimé durant la première quinzaine. Mais ça devrait s'arranger par la suite.

Affaires

Voici un autre secteur où vous devrez agir avec circonspection. En prenant des risques avec votre argent, en dépensant sans réfléchir ou en faisant confiance au premier venu, vous vous exposez à d'amers désagréments. Si vous défiez l'autorité, des sanctions pourraient être prises à votre encontre.

Balance

			Juillet			
D	L	M	M	J	V	S
	1	2	3	4	5	6
7F	8F	9F	10●D	11D	12	13
14	15	16	17	18	19	20
21	22D	23D	24○D	25F	26F	27
28	29	30	31			

○ Pleine lune   F   Jour favorable
● Nouvelle lune   D   Jour défavorable

Santé

Tenez le coup pendant la première quinzaine; les aspects planétaires sont encore dissonants. Protégez votre physique, faites attention à votre santé et apprenez à vous relaxer. Le reste du mois s'annonce beaucoup plus clément; vous retrouverez rapidement votre vigueur et votre dynamisme.

Sentiments

Le comportement ou l'état d'un membre de votre famille vous cause des inquiétudes, particulièrement d'ici le 16. En amour et avec vos amis, vos meilleures périodes sont du 1er au 11, puis du 22 au 31; vous pourrez alors vous mettre d'accord pour régler un litige qui perdurait et aussi vivre ensemble des moments enthousiasmants.

Affaires

Le même scénario a tendance à se faire sentir ici aussi. La première quinzaine risque d'être difficile, voire décevante. Heureusement, le reste du mois vous permettra de rattraper le temps perdu et de faire des progrès spectaculaires. Une personne qui était contre vous pourrait changer son fusil d'épaule et se mettre à vous appuyer.

			Août			
D	L	M	M	J	V	S
				1	2	3
4F	5F	6D	7D	8●	9	10
11	12	13	14	15	16	17
18	19D	20D	21F	22○F	23	24
25	26	27	28	29	30	31F

○ Pleine lune F Jour favorable
● Nouvelle lune D Jour défavorable

Santé

Excellent mois durant lequel votre bonne mine fera l'envie de plusieurs. C'est vrai qu'en plus d'être en beauté, vous semblez posséder une énergie inépuisable. Moralement aussi, vous vous portez mieux, vous faites la part des choses et votre intuition vous dépanne souvent. Moment idéal pour investir dans votre bien-être.

Sentiments

L'arrivée de Vénus dans votre signe le 7 vous réserve d'innombrables joies, tant en amour et en amitié que sur le plan social. À vrai dire, vous entamez un cycle de popularité durant lequel vos proches chercheront sincèrement à vous faire plaisir. Les nouvelles personnes dont vous ferez la connaissance seront épatées par votre charme.

Affaires

Le 1ᵉʳ août marque l'arrivée de Jupiter dans votre onzième secteur, un aspect extrêmement positif dont vous bénéficierez pendant plus d'un an. Tous les obstacles que vous avez connus tomberont un à un, les casse-tête financiers feront place à la chance, vous pourriez même décrocher un prix secondaire dans une loterie. Un vent de renouveau soufflera sur votre carrière, vous vous dirigerez vers de nouveaux sommets.

Balance

Septembre

D	L	M	M	J	V	S
1F	2D	3D	4D	5	6●	7
8	9	10	11	12	13	14
15D	16D	17F	18F	19F	20	21○
22	23	24	25	26	27F	28F
29F	30D					

○ Pleine lune   F Jour favorable
● Nouvelle lune   D Jour défavorable

Santé

Vous avez toujours bonne mine. L'arrivée de Mars dans votre deuxième secteur vous recommande un brin de vigilance; rien de grave à l'horizon, mais je vous invite malgré tout à être prudent dans vos déplacements, à surveiller votre dos et à vous méfier du rhume. Psychologiquement, vous avez des nerfs d'acier.

Sentiments

Vénus demeure dans le décor jusqu'au 8, c'est donc dire que tous les espoirs sont permis. Vous n'avez rien à craindre pour ce qui est du reste du mois: votre vie baignera dans le calme et la douceur. Si pour vous c'est presque le paradis sur terre, il n'en est pas de même pour un ami, qui traverse actuellement un épisode sentimental douloureux.

Affaires

Bien que les choses n'aillent pas aussi rapidement que le mois dernier, vous continuez indéniablement à faire des progrès. La richesse de vos arguments, la justesse de votre jugement, ainsi que vos idées brillantes vous permettent de vous tailler une place de choix. Financièrement, tout irait bien si vous n'étiez pas aussi dépensier.

Balance   **210**

Octobre						
D	**L**	**M**	**M**	**J**	**V**	**S**
		1D	2	3	4	5
6●	7	8	9	10	11	12D
13D	14D	15F	16F	17	18	19
20	21○	22	23	24	25F	26F
27D	28D	29	30	31		

○ Pleine lune		F	Jour favorable
● Nouvelle lune		D	Jour défavorable

Santé

La planète Mars demeure dans votre maison du 12 jusqu'au 16, engendrant un peu de fatigue et de vulnérabilité. Par la suite, elle entrera dans votre signe et vous donnera alors de l'énergie à revendre. Par contre, ce transit est souvent responsable d'accidents bêtes provoqués par des étourderies ou des risques inutiles. Soyez sur vos gardes.

Sentiments

Vous ressentez un certain malaise dans vos relations inter-personnelles, mais vous n'arrivez pas à mettre le doigt sur le problème. Vous avez la vague impression qu'on ne vous aime pas ou qu'on se désintéresse de vous. Au lieu de broyer du noir dans votre coin, essayez donc d'en parler à votre entourage; ce qu'on vous dira apaisera vos angoisses.

Affaires

La première quinzaine semble se dérouler au ralenti, mais malgré tout de façon positive, alors que la seconde s'annonce tourbillonnante. Vous serez débordé de travail et on vous sollicitera de tous les côtés. Un nouvel emploi, des heures supplémentaires ou l'obtention d'un contrat apporteront de l'eau au moulin. Bonne période pour les déplacements d'agrément ou d'affaires. Chance au jeu.

Balance

Novembre

D	L	M	M	J	V	S
					1	2
3	4●	5	6	7	8	9D
10D	11F	12F	13	14	15	16
17	18	19○	20	21F	22F	23D
24D	25D	26	27	28	29	30

○ Pleine lune et éclipse lunaire de pénombre   F Jour favorable
● Nouvelle lune   D Jour défavorable

Santé

La planète Mars s'est installée dans votre signe vous donnant une vigueur et un moral hors du commun. Rappelons cependant que cette planète est aussi celle des distractions et des gestes irréfléchis qui occasionnent souvent des blessures. Après l'éclipse, vous retrouverez un excellent moral.

Sentiments

Vous qui détestez la solitude allez être comblé au-delà de vos espérances. En effet, votre vie sociale s'annonce si animée que vous n'aurez absolument pas le temps de vous ennuyer. Qu'il s'agisse de retrouvailles avec de vieux copains ou de nouvelles rencontres, tous seront d'une gentillesse exemplaire. Le dialogue ira bon train et se révèlera très enrichissant.

Affaires

Ça continue de bouger en diable! On vous fait plusieurs propositions intéressantes; le seul problème est de faire un choix. Vous vous sentez inspiré, vous trouvez des solutions géniales dans votre travail, ce qui vous met en vedette et fait de vous quelqu'un d'absolument indispensable. Vous êtes dans votre élément et cela se voit.

Décembre						
D	**L**	**M**	**M**	**J**	**V**	**S**
1	2	3	4●	5	6D	7D
8F	9F	10F	11	12	13	14
15	16	17	18F	19○F	20D	21D
22D	23	24	25	26	27	28
29	30	31				

○ Pleine lune F Jour favorable
● Nouvelle lune et éclipse solaire totale D Jour défavorable

Santé

Mars quitte votre signe et avec elle s'en vont les dangers d'accidents. Vous pourrez donc évoluer plus librement, sans avoir à être constamment sur la défensive. Les voies respiratoires et le dos demeurent quelque peu fragiles, mais vous devriez venir à bout facilement de vos problèmes de santé. Gardez-vous quelques instants pour vous détendre entre le 10 et le 31.

Sentiments

Le mois s'annonce animé. En société, ça demeure un tourbillon incessant. Dans le fond, ça tombe bien, car votre conjoint est très occupé de son côté; il ne peut malheureusement pas vous consacrer tout le temps que vous lui demandez. Un membre de votre famille joue au trouble-fête, tant pis pour lui, plus personne ne se laisse prendre à son jeu.

Affaires

Vous travaillez d'arrache-pied, probablement même trop à votre goût, mais comment refuser pareille offre? En vous organisant en conséquence, vous arriverez à respecter votre échéancier. Une panne ou un bris d'équipement vous ralentit dans votre besogne, vous avez l'impression que vous n'arriverez pas à Noël en même temps que les autres…. Pourtant, vous finirez par passer au travers et vous triompherez.

Le domaine de la recherche est vraiment sa discipline. Il excellera dans les techniques policières, la sécurité, la médecine, la recherche fondamentale, la chirurgie, la psychiatrie, l'astrologie ainsi que la boucherie et le travail des métaux. Étant très attiré par tout ce qui touche de près ou de loin à la mort, à la sexualité ou au monde interlope, il pourrait devenir enquêteur aux homicides, par exemple.

De toute façon, peu importe sa branche, son intuition lui permet de trouver ce qu'il veut... Et il vaut mieux ne pas le contrecarrer ou être l'objet de son enquête!

Ses loisirs

É videmment, notre cher Scorpion aime bien mettre ses capacités et son flair à l'épreuve. Il adore les romans policiers à l'univers très sombre, presque glauque, ou les livres qui lui permettent d'en découvrir plus sur un sujet qui le passionne, notamment les sciences occultes. Quand il veut trouver quelque chose, croyez-moi, il y arrive. Parfois, il lui faut remuer mers et mondes, mais cela ne l'arrête pas, au contraire.

Rat de musées, il affectionne ces endroits de culture, qui représentent pour lui une autre façon d'en apprendre un peu plus. Pour cette raison, il se montrera intéressé par l'archéologie, le monde relevant du paranormal, des sciences occultes, bref par ce que la majorité des gens ignorent ou craignent un peu.

C'est un être qui analyse constamment ce qui l'entoure: les gens, les choses, les situations. Il devrait essayer de se dépenser un peu plus physiquement et de brûler son trop-plein d'énergie en pratiquant un sport ou en faisant des activités manuelles. Il développe beaucoup son côté intellectuel et cérébral au détriment de son physique.

Pour lui faire plaisir, vous pouvez l'emmener au cinéma voir un thriller noir, rempli de rebondissements avec une intrigue bien touffue où un suspect n'attend pas l'autre. Il vous étonnera, car il sera probablement le seul à découvrir le coupable avant la fin.

Sa décoration

L e Scorpion recherche ce qu'il y a de plus à la mode, notamment dans les objets et les tendances et évidemment, sa décoration reflète ses goûts branchés. Du côté des couleurs, il opte pour des teintes franches, audacieuses, par exemple le rouge et le noir, qu'il n'hésite pas à marier. Pour les objets, il préfère ceux ayant une signification à ses yeux, leur valeur décorative important peu. Il se pourrait, par exemple, qu'il collectionne les armes et utilise une épée comme portemanteau... déconcertant pour ses invités, mais tout à fait logique pour lui.

L'ambiance de sa tanière est souvent dramatique. Les meubles ont des angles marqués, l'éclairage est étonnant et même insolite. En fait, son intérieur est théâtral, déconcertant... on a parfois l'impression d'entrer dans le repaire d'un être bizarre. Et il n'est pas toujours facile pour les autres d'y évoluer confortablement.

Son cadre de vie ne plaira certes pas à tous, mais n'oublions pas que notre Scorpion n'est justement pas n'importe qui.

Son budget

Son compte en banque et ses finances sont, bien entendu, à son image, entourés d'un halo de mystère. Il vous demandera votre salaire sans sourciller, mais n'essayez pas de lui demander combien il gagne, car il vous répondra que ça ne vous regarde pas.

Notre Scorpion se fie davantage à son intuition qu'à son jugement, même dans ses finances. Il a du flair et sait détecter les bonnes affaires lorsqu'elles se présentent. Ses placements et ses investissements suivent la même règle: il les choisit avec audace, dans des secteurs auxquels personne n'aurait pensé. Bien entendu, ses pressentiments se révèlent justes, et il fait de bonnes affaires.

Par contre, pour gérer son budget au jour le jour, il effectue des acrobaties et ne calcule pas. Il dépense ce qu'il veut quand il le veut... du moins, en apparence. Parce que, ne vous en faites pas, il sait exactement de combien il dispose, jusqu'où aller dans ses petites folies sans mettre en péril son compte en banque.

Quel cadeau lui offrir?

Le Scorpion attache beaucoup d'importance aux émotions et aux sentiments; l'objet est secondaire. Il préfère qu'on lui accorde du temps; un diamant ou une voiture de luxe sans réelle amitié ne compte pas pour lui.

Par contre, s'il sait combien vous tenez à lui, une simple carte de vœux lui fera plaisir. N'oubliez pas qu'il accorde beaucoup d'importance aux souvenirs et à des objets qui ont une réelle signification pour lui, et ce ne seront pas forcément les cadeaux les plus beaux ni les plus chers qu'il préférera.

Si vous tenez absolument à lui offrir un présent dont il se souviendra, choisissez un objet inusité ou très rare. S'il sait qu'il n'y en a qu'un seul sur la terre (ou quelques-uns tout au plus), il en sera d'autant plus touché. Aussi, si vous lui donnez un objet que vous avez fait faire spécialement pour lui, un parfum ou un bibelot, il l'appréciera d'autant plus, car il y attachera une valeur sentimentale.

Le Scorpion est une personne à l'esprit analytique très aiguisé, donc un roman policier où il défiera Hercule Poirot ou l'inspecteur Maigret saura lui plaire. Des ouvrages sur des civilisations disparues ou mythiques: l'Atlantide, Mu le continent oublié ou sur des sujets mystérieux ou relevant du paranormal piqueront sa curiosité.

Des alcools rares ou des épices peu connues lui plairont beaucoup, et il s'en régalera.

Les enfants Scorpion

Les petits Scorpion se démarquent des autres par leur regard puissant. Ils observent, ils veulent voir tout ce qui se passe, ils veulent comprendre. Même tout petits, ils en savent déjà beaucoup plus que ce que vous soupçonniez.

Ce sont des enfants fouineurs, curieux de tout qui auront mille et une questions à vous poser en toutes circonstances, et bien sûr pas n'importe lesquelles. Vous en serez souvent désemparé. Il est inutile de chercher à vous y soustraire en faisant semblant de n'avoir pas entendu, ou même de tenter de changer de sujet: ils vous attendent de pied ferme, et n'allez pas leur dire n'importe quoi pour vous débarrasser d'eux, ils devineront votre astuce... On a souvent l'impression que ces enfants pressentent les gens et lisent dans les pensées.

Ils ne sont pas faciles à éduquer, car ils sont trop intelligents. Ils cherchent sans cesse à tester les réactions d'autrui et sont d'habiles manipulateurs... Très curieux, ils fouilleront dans vos tiroirs, liront votre courrier personnel, essaieront de découvrir ce que vous leur cachez, sur votre passé notamment, bref ils ne vous laisseront pas en paix une minute. Ils sont également très possessifs, surtout envers leurs parents qu'ils n'acceptent pas de partager; leurs frères et leurs sœurs en savent quelque chose.

À l'école, comme ils sont très visuels, ils s'ennuient quand le professeur se lance dans des concepts trop vagues; ils ont besoin d'exemples concrets.

Le Scorpion est un enfant très sensible; il a peur d'être blessé. Pour cette raison, il préfère l'attaque à la défense. Il faut lui enseigner que pour être aimé, il faut faire preuve d'amabilité et faire des compromis. Comme il ne donne pas facilement sa confiance, vous devez lui apprendre à partager et à être plus sociable, à se faire des amis au lieu de rester dans son coin. Son bonheur et son équilibre en dépendent.

L'ado Scorpion

Cher Scorpion, tu n'es pas une personne très accessible, et il n'est pas toujours simple de te comprendre. Même tes proches ont de la difficulté à bien cerner ta nature. Et cela peut parfois créer des problèmes dans tes relations avec les autres, mais il faut dire que tu veilles jalousement à sauvegarder ton mystère. Tu leur fais un peu peur, et on dirait que cela t'amuse... Ta volonté est forte, tu es secret, passionné, mais tu parles peu...

Tu sembles très fort. Tu ne fais pas de compromis. Tu t'exprimes facilement et sans mâcher tes mots. Tu n'as pas envie de te montrer aimable simplement pour être gentil ou pour faire plaisir, et c'est justement en adoptant ce comportement que tu te crées des problèmes. Tu veux que les autres t'acceptent comme tu es, mais tu ne leur donnes pas la chance d'entrer en communication avec toi. Ils ne savent vraiment pas sur quel pied danser. Pourtant, lorsqu'on te connaît un peu mieux, on peut voir sous ta carapace que tu es un être très sensible et très émotif.

Tu décèles facilement les intentions des gens qui t'entourent, tu devines rapidement les choses et tu découvres aisément la personnalité des autres. Tu as beaucoup de flair, et on ne peut rien te cacher. Lorsque quelqu'un te déplaît ou t'agace, tu trouves toujours le mot juste pour toucher son point faible.

En amour, ta passion explose, mais lorsque tu hais, aïe! tu es tout aussi excessif. Tes sentiments sont puissants et il n'y a rien à ton épreuve. Ta volonté est exceptionnelle. Tout cela fait de toi quelqu'un de différent, de «pas comme les autres» et cela attire évidemment l'attention du sexe opposé. Tu dégages beaucoup de magnétisme et même si tu décides de te mettre à l'écart, tu passes rarement inaperçu.

Tes études

Tu es très curieux et tu t'intéresses à tout ce qui est ardu à comprendre; tu trouves souvent et rapidement la solution à des problèmes. Tout ce qui est caché t'intrigue. Par contre, l'échec t'effraie. Ta volonté et ta détermination font cependant en sorte que tu échoues rarement. Tu as un esprit scientifique. Comme tu approfondis tout, les travaux d'équipe ne te conviennent pas. Les autres se plaignent de ta lenteur et toi, tu les trouves trop superficiels! Il vaut mieux que tu travailles seul: ton rendement scolaire sera alors exceptionnel.

Comme ta mémoire est fabuleuse, tu apprends très rapidement; tu retiens tout ce que tu entends et surtout tout ce que tu vois.

Ton orientation

'important, c'est que tu te diriges vers un domaine que tu aimes; généralement tu opteras pour la recherche, que ce soit des études scientifiques ou les techniques policières. Un autre de tes domaines de prédilection est la psychologie, car tu analyses très bien les situations et les gens, et tu devines ce que les autres pensent ou ressentent.

Pour toi, la médecine, les sciences, la chirurgie, l'industrie minière, l'armée, la criminologie, la sexologie, les assurances, la sculpture sont des domaines intéressants. Mais tu peux également préférer des secteurs plus inusités encore, par exemple tout ce qui est lié à l'ésotérisme et à la mort. Des choix qui bien sûr étonneront ton entourage.

Tes rapports avec les autres

u es une personne solitaire. On peut compter le nombre de tes copains sur les doigts d'une seule main. Si tu as peu d'amis, tu sais par contre que tu peux compter sur eux, car tu les as triés sur le volet. Pour les comprendre, pas besoin de discuter avec eux pendant des heures, tu lis en eux comme dans un livre ouvert. Avec les gens qui croisent ton chemin, tu te montres méfiant, et souvent sarcastique; tes remarques font grincer des dents... mais tu t'en moques un peu, n'est-ce pas?

Lorsque tu cherches à plaire, tu sais mettre de l'avant ton petit côté mystérieux. Tu déploies alors tout ton charme et ton magnétisme est surprenant. Tes sentiments ne connaissent pas la nuance et tu n'aimes pas à moitié: c'est tout ou rien. Si quelqu'un te déçoit, te ment effrontément ou te blesse, tu deviens très désagréable, et pour regagner ta confiance, c'est presque mission impossible. Tu es assez rancunier et tu dois apprendre à balayer les vieilles histoires pour mieux aller de l'avant.

Ils sont eux aussi

Pablo Picasso, Noémie Godin-Vigneault, Patricia Paquin, Claude Poirier, Roberto Benigni, Louise Deschâtelets, Julia Roberts, Brian Adams, Sally Field, Marc Favreau, Alain Delon, Lise Watier, Anne Dorval, Michel Pagliaro, Leonardo Di Caprio, Calista Flockhart, Demi Moore, Daniel Pilon, Andrée Lachapelle, Whoopi Goldberg, Serge Postigo, Sophie Marceau, Charlotte Laurier, Jodie Foster, Nanette Workman, Meg Ryan, Marc Labrèche, Sophie Lorain, Goldie Hawn.

Pensée positive pour le Scorpion

Je me libère de tout ce qui est arrivé par le passé. Je me pardonne et je pardonne aux autres. Ainsi, ma route devient de plus en plus agréable et lumineuse.

Pensée positive spéciale pour 2002

J'ouvre grand la porte à la chance. Je suis convaincu que je mérite ce qu'il y a de mieux.

Le subconscient nous dirige toujours selon nos pensées. En répétant le plus souvent possible ces pensées conçues tout spécialement pour vous, vous vous attirerez plein de belles choses.

Signe: Scorpion

Élément: Eau

Catégorie: Fixe

Symbole: ♏

Points sensibles: Organe de reproduction, maladies vénériennes, rectum, estomac, sinus, prostate.

Planète maîtresse: Pluton, planète de la mort.

Pierres précieuses: Tourmaline, malachite, sanguine.

Couleurs: Noir, blanc, rouge et toutes les couleurs franches.

Fleurs: Orchidée, chrysanthème, fleurs exotiques... y compris les plantes carnivores!

Chiffres chanceux: 5-8-14-17-23-29-30-39-41-44.

Qualités: Ardent, passionné, intuitif, actif, magnétique, patient, capable de tout, trouve toujours ce qu'il cherche.

Défauts: Renfermé, sarcastique, catégorique, méfiant, rancunier, tendance à se cantonner dans le passé.

Ce qu'il pense en lui-même: Je fais bien peu confiance aux êtres humains... je reste sur mes gardes.

Ce que les autres disent de lui: Qu'est-ce qu'il va encore nous sortir aujourd'hui?

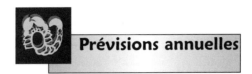

Prévisions annuelles

Saviez-vous que vous faites partie des signes privilégiés cette année? En effet, de puissantes influences planétaires jouent en votre faveur et, avec un minimum d'efforts, vous devriez atteindre les objectifs que vous vous êtes fixés. Vous avez eu votre lot d'infortunes; il était grand temps que ça change. Tout ce que vous commencerez en 2002 aura des répercussions pendant longtemps, peu importe le domaine. Le moment est venu de passer à l'action, de repartir du bon pied, bref, d'entamer une phase très positive de votre existence.

Santé

Année de récupération et de nets progrès. Si vous avez eu des pépins dans le passé, vous êtes désormais dans un cycle plus favorable où vous aurez la possibilité de trouver les solutions à vos problèmes; excellente période donc pour consulter, pour vous soigner ou pour suivre une thérapie. Même chose pour les régimes amaigrissants, les programmes d'exercices ou les techniques de relaxation, qui donneront des résultats du tonnerre. Ceux qui sont en forme le seront encore davantage; ils verront leur énergie et leur robustesse décupler. Un petit conseil, ne vous laissez pas aller durant les derniers mois et conservez vos bonnes résolutions.

Sentiments

Vous jouirez d'une popularité hors du commun. Vos amis actuels s'arracheront votre présence, sans compter que vous impressionnerez grandement toutes les nouvelles personnes que vous rencontrerez. Toute cette effervescence permettra aux solitaires de se trouver un partenaire. Ceux qui sont déjà en couple retrouveront la complicité et le romantisme des premiers jours de leur union. Avec certains membres de votre famille, ça demeure un peu compliqué, mais on dirait que ça vous atteint moins. De toute façon, vous serez tellement occupé à gauche et à droite que vous n'aurez pas le temps de ruminer des pensées négatives.

Affaires

La présence de Jupiter dans votre neuvième secteur est un gage de chance. Vos entreprises marcheront comme sur des roulettes, vos rêves deviendront réalité, vous vous approcherez de votre idéal et vous pourriez même rafler un beau prix dans une loterie. Vos finances tendront vers une nette amélioration, vous liquiderez certaines dettes et pourrez même vous mettre de l'argent de côté. Bonne année évidemment pour votre carrière, qui devrait connaître un envol exceptionnel. Les voyages, les investissements, l'immobilier et le commerce représentent d'autres secteurs avantagés. Un seul hic: si un litige se présente, tâchez de le régler à l'amiable, sans quoi les procédures risquent d'être longues et coûteuses.

Scorpion

Janvier						
D	**L**	**M**	**M**	**J**	**V**	**S**
	1D	2D	3	4	5	
6	7	8	9	10	11	12
13●	14	15D	16D	17F	18F	19F
20	21	22	23	24	25	26
27F	28○F	29D	30D	31		

○ Pleine lune	F Jour favorable
● Nouvelle lune	D Jour défavorable

Santé

Les astres vous avantagent, particulièrement sur le plan physique. En plus d'être résistant, vous disposez d'une énorme dose d'énergie. Psychologiquement, ce serait parfait si vous laissiez le passé de côté et si vous cessiez de vous en faire pour tout un chacun. Misez sur le moment présent et pensez davantage à vous.

Sentiments

La période la plus excitante s'étire jusqu'au 19; votre vie sociale sera un véritable tourbillon, vous n'aurez pas un seul instant à vous. En amour aussi ça promet, puisque la passion est au rendez-vous. Le reste du mois s'annonce plus calme, vous le passerez dans l'intimité de votre petit nid, entouré de gens avec qui vous êtes exactement sur la même longueur d'onde.

Affaires

Les trois premières semaines sont extraordinaires. Ne perdez pas une seconde et agissez puisque tout ce que vous entreprendrez marchera à merveille; vous obtiendrez des résultats qui vous surprendront. De bonnes surprises s'en viennent, telles qu'une promotion, une augmentation de salaire, une rentrée d'argent imprévue ou un gain aux jeux de hasard. Bon temps pour les voyages et les transactions immobilières.

Février						
D	**L**	**M**	**M**	**J**	**V**	**S**
					1	2
3	4	5	6	7	8	9
10	11D	12●D	13F	14F	15F	16
17	18	19	20	21	22	23F
24F	25D	26D	27○	28		

○ Pleine lune   F Jour favorable
● Nouvelle lune   D Jour défavorable

Santé

Auriez-vous tendance à être l'hypocondriaque? On dirait que vous vous cherchez des problèmes. Au lieu de vous alarmer pour des riens, essayez donc de vous occuper davantage; ça chassera les idées noires. La seconde quinzaine est favorable aux remises en beauté et à la perte de quelques kilos superflus.

Sentiments

Du 12 février au 8 mars, vous jouirez simultanément des influences avantageuses de Vénus et de Jupiter. Ce transit peu courant vous permettra, si vous le voulez, de donner un nouveau sens à votre vie intime; une rencontre pour les solitaires, un retour fulgurant du romantisme et de la passion pour les couples sont fort possibles. Un jeune ou un ami fait la forte tête, rien de bien grave cependant.

Affaires

Un mois très occupé durant lequel vous ne verrez pas le temps passer. Qu'importe, les choses vont bon train, vous cumulez les succès et vos finances s'améliorent. Une bonne nouvelle concernant votre carrière devrait vous parvenir durant la deuxième moitié du mois. Au fait, n'oubliez pas de vous acheter un billet de loterie après le 13.

Scorpion

Mars						
D	**L**	**M**	**M**	**J**	**V**	**S**
					1	2
3	4	5	6	7	8	9
10D	11D	12D	13F	14●F	15	16
17	18	19	20	21	22	23F
24F	25D	26D	27	28○	29	30
31						

○	Pleine lune	F	Jour favorable
●	Nouvelle lune	D	Jour défavorable

Santé

Vous reprenez vos sens, votre perception des événements est beaucoup plus réaliste. Si votre moral va mieux, il n'en est pas tout à fait de même pour le physique; la planète Mars risque de vous jouer des tours si vous ne prenez pas vos précautions pour éviter une chute, une blessure ou un accrochage.

Sentiments

Vénus continue de mettre du piquant dans vos amours jusqu'au 8; par la suite, ça deviendra un tantinet plus routinier, mais vous y gagnerez en sérénité. En société, votre destinée demeure animée, les occasions de vous divertir sont nombreuses. Le comportement irritant d'un proche devrait s'améliorer après le 12.

Affaires

La tension est grande et, par moments, le contrôle vous échappe totalement. Vous n'aimez pas du tout nager ainsi en pleine incertitude, mais je vous assure que vous n'avez pas lieu de vous affoler puisque ce qui en résultera vous avantagera. Du 12 au 30, démarches et déplacements connaîtront un dénouement favorable. Quelques chances au jeu également.

			Avril			
D	**L**	**M**	**M**	**J**	**V**	**S**
	1	2	3	4	5	6D
7D	8D	9F	10F	11	12	13●
14	15	16	17	18	19F	20F
21D	22D	23	24	25	26○	27
28	29	30				

○ Pleine lune F Jour favorable
● Nouvelle lune D Jour défavorable

Santé

A au cours des 15 premiers jours vous êtes encore confronté à l'opposition de Mars. Par conséquent, il vaut mieux demeurer sur vos gardes pour ne pas vous faire mal. Ces risques disparaissent par la suite; ne resteront que vos nerfs en boule à contrôler. Vous avez des rages de sucre, vous êtes bien gourmand…

Sentiments

L a présence de Vénus dans votre septième secteur apporte un vent de romantisme; vous avez tout ce qu'il faut pour être heureux, pourquoi alors vous poser tant de questions? Ne cherchez pas trop à tester votre conjoint, il pourrait finir par s'en lasser; surveillez également vos paroles durant la première quinzaine si vous voulez éviter un conflit avec un proche.

Affaires

L a première quinzaine s'annonce plutôt ardue: entraves, déceptions et retards semblent s'accumuler, vous en avez marre et voudriez tout balancer par-dessus bord. Puis tout s'arrange: vous reprenez votre vitesse de croisière et rattrapez même le temps perdu. Au jeu, c'est en groupe que vous avez l'air le plus chanceux.

Mai						
D	**L**	**M**	**M**	**J**	**V**	**S**
			1	2	3	4D
5D	6F	7F	8F	9	10	11
12●	13	14	15	16F	17F	18D
19D	20	21	22	23	24	25
26○	27	28	29	30	31D	

○ Pleine lune et éclipse lunaire de pénombre   F   Jour favorable
● Nouvelle lune   D   Jour défavorable

Santé

Bon ça y est, les mauvais aspects sont passés, vous êtes beaucoup plus en forme et vous avez l'air plus détendu. Effectivement, vous gérez beaucoup mieux votre stress, et surtout, vous savez trouver les soupapes pour laisser s'échapper le trop-plein. Excellente période pour repartir du bon pied ou pour se défaire d'une mauvaise habitude.

Sentiments

Les trois premières semaines s'annoncent calmes, vous ferez un peu de ménage dans vos relations et n'hésiterez pas à prendre du recul par rapport à ceux qui veulent tout avoir sans rien offrir en retour. À partir du 21, vous entamerez une période excitante, tant en amour que sur le plan social. Plusieurs bonnes surprises vous attendent.

Affaires

Le moment est venu de tourner certaines pages, d'ajuster votre tir et d'embrasser de nouveaux défis. En effet, on dirait que le printemps vous stimule, vous donne envie de vous dépasser et surtout de fuir toute situation qui piétine. Vos chances au jeu augmentent. Les 10 derniers jours sont très prometteurs.

			Juin			
D	**L**	**M**	**M**	**J**	**V**	**S**
						1D
2F	3F	4F	5	6	7	8
9	10●	11	12F	13F	14D	15D
16D	17	18	19	20	21	22
23	24○	25	26	27D	28D	29D
30F						

○ Pleine lune et éclipse lunaire de pénombre   F   Jour favorable
● Nouvelle lune et éclipse solaire annulaire   D   Jour défavorable

Santé

Les éclipses ne vous touchent pas du tout; au contraire, il y a longtemps que vous ne vous êtes senti aussi bien. Votre vigueur et votre robustesse font plaisir à voir, tout comme votre optimisme. À vrai dire, vous vous portez si bien que ça se lit sur votre visage. Bon mois pour une remise en beauté ou pour améliorer votre silhouette.

Sentiments

La période d'euphorie se poursuit de plus belle; d'ici le 15, les solitaires pourraient fort bien remplir le vide de leur existence alors que les autres retomberont amoureux avec leur conjoint. Les mondanités et les invitations demeurent nombreuses, vous rencontrez des gens fort intéressants.

Affaires

Mois extrêmement constructif, et ce, à tous les points de vue. On pourrait vous offrir un nouvel emploi, une promotion, des heures supplémentaires, un contrat payant ou un à-côté lucratif. Il va sans dire que si vous cherchez du travail, vos démarches seront couronnées de succès. Les voyages, les investissements et les transactions sont aussi avantagés; et ce n'est pas tout, vous avez même de la chance au jeu.

Juillet

D	L	M	M	J	V	S
	1F	2	3	4	5	6
7	8	9	10●F	11F	12D	13D
14	15	16	17	18	19	20
21	22	23	24○	25D	26D	27F
28F	29F	30	31			

○ Pleine lune   F Jour favorable
● Nouvelle lune   D Jour défavorable

Santé

Jusqu'au 14 tout ira comme dans le meilleur des mondes, vous afficherez une mine radieuse, vous serez résistant et solide. Par la suite, vous devrez investir quelques efforts pour que ça continue; en effet, si vous êtes imprudent ou distrait, vous risquez de vous faire mal. Il y aussi vos nerfs qui mériteraient que vous vous occupiez davantage d'eux… Apprenez à vous relaxer!

Sentiments

C'est du 11 au 31 que vous devriez vivre les plus beaux moments. Une douce amitié amoureuse pour les solitaires et un retour à la complicité des premiers jours pour les autres, voilà ce que les astres vous réservent. Vos copains aussi se montreront attentionnés, bref, vous entretiendrez des liens on ne peut plus harmonieux avec tout le monde. Surprises et gâteries en vue.

Affaires

La conjoncture vous est encore hyperfavorable jusqu'au 22. Vos entreprises roulent à vive allure, vos demandes et vos démarches reçoivent toute l'attention qu'elles méritent tandis que vos finances continuent de prospérer. Les transactions immobilières, les placements et les investissements rapportent gros. Bonne période pour jouer à la loterie et pour voyager.

Août						
D	**L**	**M**	**M**	**J**	**V**	**S**
				1	2	3
4	5	6F	7F	8●D	9D	10
11	12	13	14	15	16	17
18	19	20	21D	22○D	23F	24F
25F	26	27	28	29	30	31

○ Pleine lune	F	Jour favorable
● Nouvelle lune	D	Jour défavorable

Santé

La conjoncture demeure délicate; votre moral s'améliorera à compter du 6, et votre physique exigera encore que vous preniez vos précautions; ce n'est pas la maladie qui vous guette, mais plutôt un accident bête. Ajoutons que les excès commis en ce mois auraient tôt fait d'avoir des répercussions peu intéressantes.

Sentiments

Même si vous avez parfaitement raison, essayez de ne pas imposer votre point de vue à vos proches, car l'orage gronde. En effet, on pourrait mal interpréter vos paroles ou, pis encore, s'imaginer toutes sortes de faussetés. En faisant quelques efforts, vous pourriez trouver une façon plus subtile et certes plus efficace de faire passer votre message, particulièrement du 6 au 27.

Affaires

Vous en avez gros sur les épaules; vous vous sentez débordé. Pour finir le plat, vous vous heurtez à l'incompétence de certaines personnes, ce qui vous met hors de vous. Pourtant, ça ne donnerait pas grand-chose de piquer une grosse colère: n'y a-t-il pas pire sourd que celui qui ne veut pas entendre. Attention aux contraventions. Ne défiez pas la loi.

Septembre						
D	L	M	M	J	V	S
1	2F	3F	4F	5D	6●D	7
8	9	10	11	12	13	14
15	16	17D	18D	19D	20F	21○F
22	23	24	25	26	27	28
29	30F					

○ Pleine lune   F Jour favorable
● Nouvelle lune   D Jour défavorable

Santé

Enfin, un mois dénué d'influences négatives. Vous remontez la pente, votre robustesse augmente, tout comme votre dynamisme. Période très encourageante pour vous soigner, pour mettre de l'ordre dans votre vie et pour faire le point. Votre appétit d'ogre demeure la seule menace.

Sentiments

On décèle chez vous une pointe de rébellion et aussi d'intransigeance. Vous ne mâchez pas vos mots, vous ne supportez pas l'indécision des autres et encore moins qu'on vous fasse poireauter. Il faut croire qu'on vous adore, car on finit par tout vous pardonner même si avant d'en arriver là, il y a un brin de tempête. Vie sociale en pleine ébullition après le 8; rencontres possibles pour les solitaires.

Affaires

Le climat s'allège. Vous commencez à reprendre le contrôle de la situation. Vos initiatives donnent des résultats concrets tout comme vos efforts en vue d'améliorer votre carrière. Les études, les stages et l'apprentissage de nouvelles technologies vous permettent de progresser. Vous faites de l'argent, mais on dirait que vous en dépensez plus que vous en gagnez.

Octobre						
D	**L**	**M**	**M**	**J**	**V**	**S**
	1F	2D	3D	4	5	
6●	7	8	9	10	11	12
13	14	15D	16D	17F	18F	19
20	21○	22	23	24	25	26
27F	28F	29D	30D	31D		

○ Pleine lune	F Jour favorable
● Nouvelle lune	D Jour défavorable

Santé

La première quinzaine se déroule sous le thème de la résistance et de l'enthousiasme. Le reste du mois requiert un peu plus de sagesse et de prévoyance; gare au rhume, aux problèmes de dos et aux excès alimentaires; vos émotions à fleur de peau peuvent elles aussi vous jouer des tours. Vos pressentiments se révèlent d'une justesse peu commune.

Sentiments

Vénus s'est installée dans votre signe jusqu'à la fin de l'année. Cela vous assure une vie sociale effervescente et des amours animées; les solitaires devraient garder les yeux bien ouverts. Un membre de votre entourage s'accroche à vous durant la seconde quinzaine, il a beau être mal pris, vous trouvez sa présence bien lourde.

Affaires

Du 1er au 16, vous avez toutes les chances de votre côté, que ce soit au travail ou dans vos démarches et vos négociations. Par la suite, vous ressentirez un certain ralentissement; rien de catastrophique. Toutefois, vous devrez insister davantage pour que ça continue à progresser.

			Novembre			
D	**L**	**M**	**M**	**J**	**V**	**S**
					1	2
3	4●	5	6	7	8	9
10	11D	12D	13F	14F	15F	16
17	18	19○	20	21	22	23F
24F	25F	26D	27D	28	29	30

○ Pleine lune et éclipse lunaire de pénombre F Jour favorable
● Nouvelle lune D Jour défavorable

Santé

Tantôt vous allez à vive allure et vous êtes très motivé, tantôt vous semblez abattu. Même chose pour la discipline, parfois c'est la grande sagesse, parfois c'est le laisser-aller. Un mois donc en dents de scie à cause de cette éclipse à l'opposé de votre signe. Votre intuition continue d'être très présente et surtout très juste.

Sentiments

C'est justement grâce à votre flair que vous sentirez la détresse d'un être cher, même si celui-ci fait de son mieux pour vous la cacher. Votre intervention sera précieuse et il vous en sera très reconnaissant; honnêtement, je me demande ce qu'il aurait fait sans vous. Rencontres, sorties et invitations sont toujours au programme.

Affaires

Une initiative ou une démarche ne fonctionnera pas du premier coup; vous en serez déçu, mais un revirement inespéré de la situation se produira et tout finira par s'arranger. Un conseil: ne parlez pas trop de vos affaires, et surtout, ne faites pas confiance au premier venu.

Décembre						
D	**L**	**M**	**M**	**J**	**V**	**S**
1	2	3	4●	5	6	7
8D	9D	10D	11F	12F	13	14
15	16	17	18	19○	20F	21F
22F	23D	24D	25	26	27	28
29	30	31				

○ Pleine lune	F Jour favorable
● Nouvelle lune et éclipse solaire totale	D Jour défavorable

Santé

Le 2, Mars fait son entrée dans votre signe; cela augmentera sensiblement vos réserves d'énergie mais, en contrepartie, cela risque de vous rendre plus vulnérable. Prenez donc soin de votre santé et soyez prudent. Faites attention de ne pas vous blesser ou de tomber et, même si le temps des Fêtes approche, tâchez de ne pas faire trop d'abus.

Sentiments

Un mois d'amours électrisantes. D'ailleurs, un coup de foudre est fort possible pour les solitaires. Quant aux autres, pour eux aussi il est question de passion; les discussions entre conjoints sont souvent animées, mais tout s'arrange sur l'oreiller. Avec votre famille, le climat devrait s'alléger après le 9; on pourrait également vous confier une excellente nouvelle.

Affaires

Ça bouge un peu trop à votre goût. Vous aimez l'action, c'est indéniable, mais vous trouvez qu'on y va un peu raide. Heureusement que vos réflexes sont vifs et que votre intuition vous guide bien. Vous êtes brillant, vous avez des idées du tonnerre, ce qui vous aide non seulement à passer au travers, mais aussi à bien tirer votre épingle du jeu. Gardez-vous de l'argent pour une dépense imprévue. Ne commettez pas d'infraction, car ça risque de vous coûter cher.

 Scorpion

SAGITTAIRE
Du 23 novembre au 20 décembre

 Jupiter, la planète de l'abondance, joue un rôle crucial dans votre vie, et toute votre personnalité en est fortement influencée. Seriez-vous le plus chanceux du zodiaque? Tout porte à le croire.

Votre optimisme et votre bonne humeur légendaires contribuent à cette chance. Lorsque vous sentez la tristesse et la mélancolie vous envahir, vous ne vous laissez pas abattre. Rapidement, vous y trouvez un remède: sortir, mettre le nez dehors. Pour vous, ne pas rester enfermé est la meilleure des solutions, le plus puissant des toniques. On se demande même pourquoi vous avez un domicile; on ne vous y trouve jamais!

Vous ne pouvez pas rester en place. Rester à l'intérieur vous fait dépérir. Que ce soit pour faire une course au dépanneur du coin, pour aller voir une vieille connaissance à l'autre bout de la ville ou pour vous promener sur les canaux de Venise, vous devez absolument sortir de chez vous. Vous êtes un fanatique des voyages, les tampons de votre passeport le prouvent. Et bien sûr, plus c'est loin, plus vous êtes aux anges. Vivre dans vos valises ne vous fait absolument pas peur, au contraire, c'est ce que vous appréciez le plus.

Découvrir de nouvelles coutumes, le folklore régional, la cuisine et, surtout, les habitants des quatre coins du monde, voilà ce qui vous attire. Il ne serait d'ailleurs pas étonnant que votre partenaire soit d'origine étrangère. Il se pourrait que vous ayez de nombreux amis en Nouvelle-Zélande ou au fin fond de la Mandchourie, des amis d'ailleurs que vous n'hésiterez pas à aller voir, malgré les milliers de kilomètres qui vous séparent. Vous avez constamment besoin de changement, de renouveau, et, bien sûr, les voyages vous en fournissent l'occasion. Vous êtes toujours entre deux avions et vos proches s'en plaignent parfois, car ils n'arrivent pas à vous voir... à moins de se mettre à fréquenter assidûment les aéroports.

Le symbole de votre signe est le centaure mais au lieu d'un arc et des flèches, il pourrait porter des valises et avoir des billets d'avion en main.

À la maison, les pays que vous avez visités ou que vous aimeriez connaître occupent une place importante dans votre décor. Vous collectionnez les bibelots, les tapis, les toiles représentant toutes ces contrées lointaines.

Mais le voyage n'est pas votre unique passion, vous en avez d'autres, qui demandent elles aussi beaucoup d'énergie: le sport, les jeux de hasard, le magasinage et surtout la danse sont pour vous d'excellents moyens de dépenser votre énergie... tout en sortant. Vous passeriez des nuits entières dans les boîtes de nuit à la mode, à vous trémousser sur la piste.

Votre trait de caractère le plus marquant est votre redoutable besoin d'indépendance. Vous devez vous sentir libre, être autonome, ne pas dépendre de qui que ce soit et aller où bon vous semble, sans avoir de comptes à rendre. Votre conjoint devra s'y faire. S'il tente de vous retenir dans les mailles de son filet, de vous garder tout à lui, le beau cheval fougueux qui vous représente ouvrira vite la porte de sa belle écurie dorée. Évidemment, cela rend vos relations sentimentales un peu difficiles, surtout au début puisque votre conjoint n'a pas encore appris à bien vous connaître. En fait, pour vous garder, il faut savoir vous laisser partir...

Vous aimez les grands espaces, la nature et la campagne. Vous vous sentez très attiré par les animaux: chats, chiens, perroquets, chevaux. Vous vous entourez d'une véritable ménagerie. Le problème est de trouver quelqu'un pour garder tous vos pensionnaires, lorsque vous décidez de lever les voiles pour quelque temps.

Vous êtes régi par la planète de l'abondance et votre physique reflète bien cette influence. Votre stature est imposante, vous vous exprimez avec éloquence et par de grands gestes, et vous avez une légère prédisposition à l'embonpoint. De toute façon, on ne peut pas vous rater. Vous êtes de ceux qui apprécient les plaisirs de la vie et de la table, en particulier.

Franc et direct, vous n'aimez pas faire de chichis ni mettre de gants blancs pour donner votre opinion. Le problème est que tout le monde n'est pas comme vous, et que certains se sentiront blessés par vos propos parfois peu diplomates. Avec vous, c'est à prendre ou à laisser... et cela fait grincer les dents de certains gens. Par contre, une fois qu'on vous connaît, c'est votre nature généreuse et votre cordialité qu'on remarque.

Vous brassez de grandes idées, mais, en même temps, vous réussissez souvent à bien vous adapter au système et à vous créer une existence confortable, quitte à mener de front deux activités.

Comme vous êtes une personne chanceuse, il vous arrive souvent d'être sauvé par la cloche, c'est-à-dire que tout vous arrive à point nommé: un chèque substantiel, un contrat lucratif ou un gain pour vous renflouer.

Comment se comporter avec un Sagittaire?

Il ne faut surtout pas brimer sa liberté; s'il se sent enfermé ou, attaché, il ne pourra pas le supporter et se sauvera. Même chose s'il sent que vous vous accrochez à lui, il prendra la poudre d'escampette. Donc, pour bien vous entendre avec un natif de ce signe, vous devez comprendre son besoin d'indépendance, son goût de liberté. Le laisser sortir, voyager à sa guise est une excellente façon de vous assurer qu'il vous reviendra...

Lors d'une discussion, il ne faut pas tergiverser avec lui. Allez droit au but, sans l'affronter directement; il n'aime pas être contredit de manière trop radicale. Lui, de son côté, il ne mâchera pas ses mots; la diplomatie et le Sagittaire sont deux mondes bien éloignés l'un de l'autre.

Par contre, c'est un être très volubile. Si vous avez quelque chose à dire, dites-le vite, car après vous ne pourrez plus placer un mot. C'est un vrai moulin à paroles. Ou alors... il sera déjà parti!

Le Sagittaire discute sans écouter. Il fait presque un monologue. Donc, armez-vous de patience pour le convaincre. En fait, vous devrez sans aucun doute rabâcher souvent les mêmes choses pour qu'il finisse par y porter attention. Le mieux est de lui faire croire que l'idée vient de lui; dans ce cas, il dissertera longtemps sur le sujet et vous n'aurez qu'à vous laissez convaincre... mais attention, si vous vous rangez trop vite de son côté, il trouvera votre attitude suspecte. Il n'aime pas gagner sans combattre.

C'est un être essentiellement actif, qui ne reste jamais en place, qui a un besoin presque viscéral de bouger. Donc, s'il vous propose une sortie, acceptez... il serait bien capable de vous laisser seul à la maison et de sortir quand même. Par contre, si vous vous décidez de sortir seul, il n'y verra probablement aucun inconvénient, car il a besoin de se sentir libre. Il est un indépendant dans l'âme.

S'il vous propose un voyage à l'autre bout du monde, n'hésitez pas à l'accompagner; il a besoin de quelqu'un pour bien fonctionner dans ses pérégrinations. Et s'il désire partir seul, laissez-le faire, il aime bien s'ennuyer un peu des êtres chers, à condition que ce soit lui qui parte.

Donc, si vous croisez la route d'un Sagittaire, mettez de bonnes chaussures de marche, gardez votre passeport valide sous la main et soyez prêt à le suivre. Soyez aussi prêt à l'attendre. Il a besoin de votre patience et de votre confiance, parce qu'il en manque terriblement.

Ses goûts

Immanquablement, il sera fasciné par tout ce qui vient de loin, ce qui est exotique, ce qui sort de l'ordinaire. Généralement, il croit que c'est toujours plus beau dans le jardin du voisin; il aimera bien aller y jeter un coup d'œil.

Lorsqu'il part, ce n'est pas pour aller dans la ville voisine; les destinations peu connues, les contrées inexplorées sont de nouveaux mondes à découvrir pour lui. Et ses bagages regorgeront vite de souvenirs achetés dans un souk du Moyen-Orient, d'armes de chasse ramenées d'Amazonie, de chants pygmées enregistrés sur bandes magnétiques et de recettes typiques de Papouasie–Nouvelle-Guinée.

Évidemment, il fera également une razzia dans les boutiques des pays qu'il parcourt, alors vous devez vous attendre à le voir avec une chemise tibétaine, des bijoux gigantesques, des pantalons hindous très amples, bref des articles fort peu adaptés à nos conditions météorologiques, mais dans lesquels, notre Sagittaire se sent parfaitement à l'aise.

Son intérieur est, bien entendu, à l'avenant. Les objets qui décorent sa demeure viennent des quatre coins du monde: meubles de bambous d'artisan népalais côtoyant des faïences de Quimper, des estampes japonaises surmontant des tapis persans... On a l'impression de faire le tour de la planète en quelques secondes.

Et devinez ce qu'on trouve dans son assiette: des tacos, des sushis, du couscous, de la paella, le fameux haggis écossais (panse de brebis farcie), bref de tout, sauf du bon vieux pâté chinois. Et les portions sont généreuses; si vous l'invitez, n'hésitez pas une seconde à lui offrir des mets exotiques. Les vins et les alcools importés, le saké, l'ouzo... bref, toutes ces boissons qui viennent d'ailleurs sont pour lui de véritables nectars... et il en redemandera.

Pour terminer la soirée, si vous l'invitez danser – évidemment ce sera la salsa – notre Sagittaire sera aux anges.

Son potentiel

Comme il a constamment la bougeotte, il sera un formidable agent de voyages ou un guide touristique passionnant. L'import-export, les relations extérieures, représentant de commerce, et toutes les professions qui l'obligent à se déplacer, comme astronaute, agent de bord ou conducteur d'autobus lui conviennent.

Le gouvernement, la politique, la philosophie, la sociologie, les automobiles, la justice, l'élevage et le commerce de produits d'origine animale, le transport de personnes ou de marchandises sont d'autres sphères d'activité où il fera certainement ses preuves, car cela demande de bonnes connaissances et une grande soif d'apprendre.

Si vous voulez faire dépérir un Sagittaire, vous n'avez qu'à lui offrir un travail de bureau ou de machiniste sur une chaîne de montage; il vous fera une dépression à coup sûr.

Ses loisirs

Au moindre petit congé, le voilà sautant dans un avion pour visiter des pays inconnus ou au volant de son véhicule tout-terrain dans les chemins cahoteux du fin fond de la Côte-Nord ou du Labrador. Il ne peut rester bien longtemps à la maison, et il n'hésitera pas à sortir pour un oui ou pour un non, même si ce n'est que pour aller chercher un pain au coin de la rue.

Notre Sagittaire aime parcourir les rues à la recherche d'une bonne aubaine. Si vous voulez magasiner avec un natif de ce signe, armez-vous de patience et enfilez votre meilleure paire de chaussures de marche, car avec lui, une courte visite au magasin peut se transformer en excursion d'une journée.

Le Sagittaire est un être actif, qui a besoin de dépenser son énergie, il excelle donc dans le sport. C'est aussi un amant de la danse; il a le rythme dans le corps. C'est également un passionné de la vie animale. Tous les animaux l'intriguent et l'intéressent, de la petite fourmi au gigantesque dragon du Komodo. S'il peut aller les voir vivre dans leur habitat naturel, il en est encore plus heureux.

Il passera des heures en compagnie de ses animaux. Pour exploiter un élevage d'autruches, ou simplement pour promener son chien, tout est prétexte à sortir, à exprimer son goût de la liberté.

Comme il est curieux, il demeure sur le qui-vive et cherche sans cesse à améliorer ses connaissances. Il peut donc décider de suivre des cours universitaires sur des sujets peu orthodoxes; pour lui, c'est une autre façon d'élargir ses horizons.

Sagittaire

Sa décoration

Il n'hésite pas à ramener des objets parfois bien hétéroclites de ses nombreuses expéditions de par le monde. Avec lui, il faut s'attendre à tout. Son intérieur peut ressembler à une véritable caverne d'Ali Baba: un tapis du Pakistan, de la vaisselle de l'île de Crète, des peintures éclatantes des Antilles... Même son conjoint peut venir de l'étranger!

Et comme le natif de ce signe a beaucoup de goût, tous ces objets de différentes origines donnent beaucoup de chaleur à son intérieur et s'harmonisent parfaitement bien entre eux. Notre Sagittaire est un citoyen du monde et il l'affiche.

Son logis est invitant; on peut y rester des heures à tout observer de près. Le dépaysement y est garanti. Et pour parfaire l'impression, il vous offrira sans doute un café turc, du saké ou une bonne grappa espagnole.

Son budget

À quoi bon tenir un budget, telle pourrait être la devise d'un bon Sagittaire. Il se débrouille très bien sans aligner de colonnes de chiffres. Jupiter, la planète qui régit ce signe, est celle de l'abondance; il ne manque jamais de rien.

Il a beau être dans une impasse sur le plan financier, il y a toujours quelque chose qui lui tombe du ciel pour le sauver: un nouvel emploi, un contrat, une petite prime, que sais-je encore?

Il attache peu d'importance à la vie matérielle, et l'argent ne semble pas au cœur de ses préoccupations. Il préfère s'accorder les plaisirs qui lui tentent, y compris les sorties et les voyages, sans considérer l'aspect financier. Au travail, il est relativement chanceux; il n'en manque jamais longtemps. Il a même un certain flair pour les bonnes affaires et pour faire fructifier son l'argent ou pour en gagner rapidement.

Même s'il n'achète qu'un billet de loterie par année, il gagnera plus souvent qu'un autre qui participe à chaque tirage. L'argent lui tombe entre les mains, même s'il s'en préoccupe fort peu. C'est peut-être à cause de cela, justement!

Quel cadeau lui offrir?

Des billets d'avion ou une croisière sont le cadeau idéal, mais si votre budget ne vous permet pas de lui offrir un tel présent, vous pouvez lui donner un objet exotique d'un pays qu'il n'a pas encore visité, ou des billets pour un film des *Grands Explorateurs*... il en sera ravi.

Si vous partez vous-même dans un pays lointain, pensez donc à lui rapporter un souvenir. Même une bagatelle, si elle a fait du chemin, elle lui fera beaucoup plus plaisir qu'un objet coûteux qu'il verra dans tous les magasins de la ville.

Si vous optez pour un livre, regardez du côté des récits de voyages, des guides sur des contrées exotiques qu'il n'a pas encore découvertes.

Comme c'est un amateur de sport, un accessoire pour son vélo sera apprécié, tout comme des DVD ou des CD de musique de danse. Et pourquoi pas un petit animal de compagnie, s'il n'en a pas encore.

Les enfants Sagittaire

Joufflus et potelés, ce sont de vrais chérubins. Ils affichent toujours un air satisfait, mais par contre, ils ont constamment faim. Ce sont des petits êtres dynamiques. Ils sont bien difficiles à suivre ou à contenir. Attention, ils sont fascinés par le feu; ne laissez pas d'allumettes ou de briquets à portée de leurs petites mains fouineuses. Ils adorent les animaux et votre foyer risque de ressembler très vite à une ménagerie: chiens, chats, lapins, souris blanches, iguanes, furets, et j'en passe. Ils vont probablement adopter tous les animaux errants des alentours et vous les ramener à la maison sans vous avertir. Demander la permission ne leur viendra sûrement pas à l'idée.

Du côté des sports, ils aiment la compétition. Du tricycle à la trottinette, de la planche à roulettes aux patins à roues alignées, ils chercheront des moyens qui les aideront à se déplacer plus vite et plus loin. Un jour, ils finiront par vous demander une voiture.

Comme ils adorent la danse, ils passeront sûrement leurs soirées de fin de semaine dans les discothèques de la région. Très jeunes, ils ont déjà un bon groupe d'amis, et vous ne les verrez pas souvent, à moins qu'ils ne ramènent toute la bande dîner chez vous, sans vous prévenir évidemment.

Le bambin Sagittaire déborde de vitalité et d'initiative, mais ce serait bon de lui apprendre à respecter un peu les autres – à commencer par ses propres parents – et à écouter davantage. Ces enfants ont tendance à ne pas penser aux autres; ce n'est pas qu'ils soient égoïstes, cela ne leur vient pas à l'idée tout simplement. Il faudra donc leur apprendre à porter attention aux autres, et plus tard, vous verrez que ces beaux principes ne seront pas tombés dans l'oreille d'un sourd.

L'ado Sagittaire

Tu ne peux rester en place plus de cinq minutes d'affilée. C'est vrai qu'il y a tellement de choses à réaliser, de gens à voir, de découvertes à faire qu'il serait aberrant de rester entre les quatre murs de ta maison. En fait, le seul endroit où tu n'es à peu près jamais, c'est chez toi.

Impulsif et franc, ton franc-parler n'est pas toujours apprécié de ton entourage. Ta loyauté est exemplaire. Ton grand défaut est cependant ton manque de discipline: il est impossible de t'enfermer pour te forcer à faire quelque chose, que ce soit pour étudier ou pour simplement faire plaisir à tes parents. Tu es tellement indépendant et autonome que tu ne sembles avoir besoin de personne. Tu es très individualiste: tu as tes goûts et tes idées, et tu n'en changes pas facilement.

Tu adores découvrir des endroits que tu ne connais pas, rencontrer des gens, communiquer avec le plus de personnes possible. Tu es très attiré par les grands espaces et la nature; partir en camping dans des endroits sauvages et reculés ne te fait vraiment pas peur. D'ailleurs, tu rêves de voyager, de rencontrer des gens différents, de découvrir d'autres cultures, ta devise pourrait être «les voyages forment la jeunesse», et dès que tu en auras l'occasion, tu voudras sauter dans le premier avion pour un pays lointain. Tu aimes le sport et la danse, ce qui te permet de brûler ton énergie... tu en as tellement.

En général, tu te débrouilles bien. Tu es quelqu'un de chanceux qui a une attitude positive face à la vie et aux événements; pas grand-chose ne peut te démonter. Tu sais toujours te tirer des situations les plus étranges haut la main.

Indépendant de nature, tu n'aimes pas attendre après les autres. Non seulement tu ne les attends pas, mais tu ne les écoutes pas non plus, on pourrait te le reprocher. Alors, même si tu aimes communiquer avec les autres, fais attention de ne pas imposer tes idées sans écouter celles de tes amis ou des étrangers qui croiseront ta route.

Tes études

Tu as beaucoup de facilité pour apprendre, et comme tu as aussi une ambition presque démesurée, tu peux réussir presque tout ce que tu entreprends. Par contre, concentre-toi sur un seul but à la fois, car ta petite tendance à vouloir tout faire en même temps et quand tu en as envie pourrait te causer quelques problèmes mineurs. Tu as réponse à tout, et tu adores discourir sur tous les sujets, ce qui te permet de te faire remarquer. Tu aime attirer l'attention. Tu as horreur de ne pas être le centre d'intérêt. Ta facilité à parler dérange les autres, tes amis, tes professeurs, car si la parole te vient à propos, écouter n'est pas toujours ton fort. Et en plus, tu aimes rire, alors tu prends énormément de place. Et si, par le plus grand des hasards, tu es en classe alors que le soleil brille de tous ses feux, il devient presque impossible de te garder sagement assis à écouter...

Ton orientation

Tout t'intéresse. Cela devient un réel problème, car tu n'arrives pas à choisir un domaine précis, tes champs d'intérêt varient au gré de tes humeurs et de tes découvertes. Fixe-toi un objectif, même s'il est très ambitieux, puis accroche-toi. Puisque tu es naturellement doué, si tu persistes, tu réussiras mieux que beaucoup d'autres. Évidemment, si on t'offre un emploi routinier et monotone, ça n'ira pas. Il te faut du mouvement, du monde autour de toi, des défis pour te stimuler. Les domaines qui te conviendraient bien sont les voyages que ce soit agent de bord, capitaine de bateau ou commandant de bord. Tu seras aussi excellent dans l'import-export et les échanges commerciaux en général, la promotion, la publicité, les communications, les relations publiques, les finances, le journalisme, la philosophie, les sports, les soins vétérinaires, l'agriculture, l'élevage, ainsi que tous les emplois qui demandent des déplacements fréquents.

Tes rapports avec les autres

Chaleureux et sociable comme tu l'es, tu ne manques certes pas d'amis, et bien souvent tu es le leader d'un petit groupe. Tu proposes les activités, décides des sorties, et comme tu as beaucoup d'idées et que tu aimes bouger, tout le monde te suit sans protester. Tu as beaucoup d'amis et on recherche ta compagnie, car ta bonne humeur est contagieuse, tout comme ton entrain et ta vivacité. Pas le temps de déprimer avec toi. Malgré tout, tu aimes bien t'isoler parfois, pour faire les choses par toi-même et à ta façon, histoire de bien démontrer à tous que tu es une personne autonome.

Francis Cabrel, Hugo St-Cyr, Clémence Desrochers, Louise Laparé, Thierry Lhermitte, Pierre Marcotte, Tina Turner, Bruce Lee, Shirley Théroux, Bette Midler, Maria Callas, Walt Disney, Patricia Kaas, Jean Lapointe, Marc-André Coallier, Marie-Louise Arsenault, Pierre Nadeau, Simon Durivage, Frank Sinatra, Kevin Parent, Jocelyne Cazin, André-Philippe Gagnon, Steven Spielberg, Christina Aguilera, Brad Pitt, Édith Piaf, Michel Chartrand, Reine Malo, Diane Lavallée, Woody Allen

Pensée positive pour le Sagittaire

Je vais où la vie m'appelle, sachant que l'Univers s'apprête à me combler. Je déborde de reconnaissance pour toute la chance dont je dispose.

Pensée positive spéciale pour 2002

Mon existence se transforme; j'ai confiance, car je sais que j'avance vers de nouveaux horizons.

Le subconscient nous dirige toujours selon nos pensées. En répétant le plus souvent possible ces pensées conçues tout spécialement pour vous, vous vous attirerez plein de belles choses.

Signe: Sagittaire

Élément: Feu

Catégorie: Mutable

Symbole: ♐

Points sensibles: Hanches, cuisses, reins, troubles musculaires, crampes, problèmes, obésité. Ils ont les plus belle jambes du zodiaque.

Planète maîtresse: Jupiter, planète de l'abondance.

Pierres précieuses: Turquoise, grenat, saphir.

Couleurs: Crème, beige, brun, orange.

Fleurs: Amarante, violette et narcisse.

Chiffres chanceux: 8-9-12-18-23-27-35-36-44-45... et tous les autres. Ils ont tellement de veine!

Qualités: Autonome, indépendant, bon vivant, robuste, sportif, goût du voyage, confiant, globe-trotter.

Défauts: Dépensier, gourmand, incapable de rester en place, matérialiste, n'écoute pas.

Ce qu'il pense en lui-même: J'ai tellement hâte d'aller me promener!

Ce que les autres disent de lui: Il n'est jamais chez lui... Il devrait au moins s'acheter un répondeur!

L'an dernier a eu quelque chose de profondément dérangeant. Certains événements ou une crise personnelle vous ont ébranlé, voilà pourquoi on vous retrouve en pleine remise en question. Vous vous interrogez sur le sens de votre vie et sur la voie à emprunter. Vous sentez qu'une étape se termine et que vous êtes sur le point d'en entamer une autre. Les fins de cycle ont quelque chose d'inquiétant, mais chez vous, cela engendre également une forte stimulation. L'inconnu vous attire et, de toute façon, vous êtes prêt à vous engager dans autre chose. À partir du mois d'août, vous verrez la chance revenir en force.

Santé

L'opposition de Saturne pourrait encore faire des siennes si vous n'y prenez garde. Cette planète nous confronte toujours aux résultats de nos actions. En prenant soin de votre santé morale et physique, vous pourrez cheminer sans crainte; par contre, en ayant un mode de vie débridé, vous risquez d'avoir des ennuis. Dès le 1er août, Jupiter viendra vous prêter main forte; son influence n'éliminera pas toute vulnérabilité, mais pourrait vous aider à trouver des solutions à vos problèmes.

Sentiments

Voici justement un aspect sur lequel vous vous interrogez sérieusement. Vous en avez assez de vous sentir étouffé; vous avez besoin d'air. Plus question donc de faire des compromis quant à votre autonomie; vous désirez décider par vous-même et pour vous-même. Ceux qui ne l'accepteront pas risquent de ne plus faire partie de votre vie. Une recommandation: continuez à veiller sur la santé de vos proches. Jusqu'au milieu de l'été, on peut affirmer que votre priorité ce sera vous, et non pas les autres. Par la suite, vous vous ouvrirez davantage au monde extérieur; le timing sera excellent puisque la destinée vous fera rencontrer plusieurs personnes formidables avec qui vous aurez beaucoup de choses en commun.

Affaires

La phase de changement se poursuit. On ne peut pas vraiment parler de stabilité avant l'automne; grâce à votre instinct, vous trouverez cependant une porte de sortie. De toute façon, il arrive toujours quelque chose pour vous sortir du pétrin. N'allez toutefois pas vous jeter dans la gueule du loup en vous associant, en prêtant de l'argent ou en exposant vos biens aux voleurs. Année de repositionnement, de réévaluation, de recyclage et pour certains d'études. À compter du 1er août, Jupiter, la grande bénéfique et votre planète maîtresse, vous apportera de la veine en tout, y compris au jeu. Votre carrière et vos finances s'amélioreront, vos entreprises seront favorisées tout comme vos démarches, vos placements et vos voyages.

Janvier

D	L	M	M	J	V	S
		1F	2F	3D	4D	5D
6	7	8	9	10	11	12
13●	14	15	16	17D	18D	19D
20F	21F	22	23	24	25	26
27	28○	29F	30F	31D		

○ Pleine lune	F Jour favorable
● Nouvelle lune	D Jour défavorable

Santé

Un début d'année assez moche j'en conviens, mais dites-vous que vous n'en avez que jusqu'au 20. De toute façon, en faisant attention à vous, vous pourrez rester à l'abri des ennuis. Soyez vigilant afin de ne pas vous blesser et investissez dans votre santé. Vous avez une forme splendide le reste du mois et si vous avez eu des problèmes, les choses s'arrangeront.

Sentiments

Les trois premières semaines semblent compliquées. Un membre de votre famille vous inquiète, vous n'arrivez pas à communiquer avec votre entourage, particulièrement avec votre conjoint. Bref, vous vous sentez bien seul. Puis, comme par magie, tout se replace, vous voyez plein de monde et tout baigne dans l'huile.

Affaires

Ici c'est pareil, la conjoncture vous donne du fil à retordre jusqu'au 20; les pépins s'accumulent, vous ne savez plus trop où vous en êtes. Les 10 derniers jours sont beaucoup plus favorables, ce serait d'ailleurs une excellente période pour chercher du travail, régler ce qui ne va pas avec celui que vous avez déjà, ou pour négocier.

Février						
D	**L**	**M**	**M**	**J**	**V**	**S**
					1D	2
3	4	5	6	7	8	9
10	11	12●	13D	14D	15D	16F
17F	18	19	20	21	22	23
24	25F	26F	27○D	28D		

○ Pleine lune		F	Jour favorable
● Nouvelle lune		D	Jour défavorable

Santé

Vous continuez de faire des progrès. Votre surplus d'énergie et votre meilleure résistance vous permettent de profiter à plein de la vie. Psychologiquement aussi, vous vous portez beaucoup mieux. Voici donc un mois en or pour vous remettre en forme, pour suivre un régime amaigrissant et pour mettre un peu d'ordre dans vos pensées.

Sentiments

Vous traversez une période stimulante. Vous impressionnez les nouvelles personnes que vous rencontrez tout comme les anciens camarades avec qui vous renouez. En amour, tout le mois est favorable, mais les 12 premiers jours ont quelque chose de magique; profitez-en pour mettre les choses au clair avec votre conjoint. Quant aux solitaires, une belle rencontre pourrait les surprendre.

Affaires

C'est en plein le moment de foncer et de mettre vos projets sur pied. Vos démarches en vue d'améliorer votre carrière ou vos finances donneront des résultats très encourageants. Une vieille affaire qui traînait depuis si longtemps que vous l'aviez presque oubliée pourrait enfin se régler.

Mars

D	L	M	M	J	V	S
					1	2
3	4	5	6	7	8	9
10	11	12	13D	14●D	15F	16F
17	18	19	20	21	22	23
24	25F	26F	27D	28○D	29	30
31						

○ Pleine lune   F   Jour favorable
● Nouvelle lune   D   Jour défavorable

Santé

Physiquement, votre phase de récupération se poursuit; vos efforts portent des fruits; d'ailleurs cela se voit, vous avez une mine radieuse. Vos nerfs demeurent solides durant les 12 premiers jours. Toutefois, durant le reste du mois, vous vous sentirez plus vulnérable. Gardez-vous du temps pour vous relaxer, pour vous changer les idées.

Sentiments

À partir du 8, Vénus occupera un secteur privilégié de votre signe astrologique et donnera un nouvel élan à vos amours. En société aussi, ça promet d'être excitant: les sorties, les invitations et les compliments se multiplieront. Seul hic, la communication avec un enfant ou un parent laisse parfois à désirer.

Affaires

La première quinzaine se prête aux démarches, aux négociations et aux signatures de contrat; au cours de la seconde, une personne sur qui vous comptiez risque de vous laisser tomber. Vos activités sont nombreuses; vous ne voyez pas le temps passer. Vous décrochez une récompense ou des bénéfices supplémentaires.

Avril						
D	**L**	**M**	**M**	**J**	**V**	**S**
	1	2	3	4	5	6
7	8	9D	10D	11F	12F	13●F
14	15	16	17	18	19	20
21F	22F	23D	24D	25	26○	27
28	29	30				

○	Pleine lune	F	Jour favorable
●	Nouvelle lune	D	Jour défavorable

Santé

La première quinzaine est de tout repos; vous fonctionnez bien et êtes à l'abri des problèmes. Hélas! le reste du mois s'annonce plus délicat. Vous devrez donc prendre vos précautions pour ne pas être malade ni vous blesser. À la même période, l'angoisse et l'anxiété vous guettent; ce serait une bonne idée de trouver un échappatoire.

Sentiments

Jusqu'au 13, vous communiquerez aisément avec vos intimes ainsi que tous ceux que vous croiserez. Par la suite, vous devrez mettre des gants blancs pour éviter de froisser certaines personnes trop susceptibles. Avec votre famille, ce n'est pas toujours évident: on vous cause des inquiétudes.

Affaires

Bien entendu, avec la conjoncture qui prévaut en ce mois, vous avez tout intérêt à donner un grand coup pendant la première quinzaine. Subséquemment, vous pourriez éprouver un certain ralentissement; protégez ce qui est à vous, méfiez-vous des beaux parleurs et ne négligez pas vos contrats d'assurances.

			Mai			
D	**L**	**M**	**M**	**J**	**V**	**S**
			1	2	3	4
5	6D	7D	8D	9F	10F	11
12●	13	14	15	16	17	18F
19F	20D	21D	22D	23	24	25
26○	27	28	29	30	31	

○ Pleine lune et éclipse lunaire de pénombre   F   Jour favorable

● Nouvelle lune   D   Jour défavorable

Santé

Avec l'éclipse dans votre signe et l'opposition de plusieurs planètes, vous devez absolument demeurer sur vos gardes. Une attitude préventive et une saine hygiène de vie vous permettront de traverser cette période délicate sans vous faire mal ni subir de défaillance.

Sentiments

Les choses ne tournent pas rond. Quand ce n'est pas le dialogue qui laisse à désirer, c'est le comportement de vos proches qui vous irrite ou vous inquiète. Pensez donc un peu plus à vous et faites-vous une carapace. Une personne âgée éprouve actuellement quelques ennuis de santé.

Affaires

Le mois prochain ça ira mieux, mais en attendant, l'instabilité, les retards et les frustrations que vous vivez ont de quoi vous mettre les nerfs en boule. Vous hésitez entre différentes options et vous n'arrivez pas à vous décider, probablement parce que le moment n'est pas approprié. Continuez à protéger vos biens et votre argent contre les gens mal intentionnés.

Juin						
D	**L**	**M**	**M**	**J**	**V**	**S**
						1
2D	3D	4D	5F	6F	7F	8
9	10●	11	12	13	14F	15F
16F	17D	18D	19	20	21	22
23	24○	25	26	27	28	29
30D						

○ Pleine lune et éclipse lunaire de pénombre   F   Jour favorable
● Nouvelle lune et éclipse solaire annulaire   D   Jour défavorable

Santé

Bien qu'il y ait encore des éclipses ce mois-ci, leurs effets sont moins néfastes. Cela ne veut pas dire que vous pouvez relâcher toute vigilance. Les risques de blessure ont considérablement diminué. Votre forme physique s'améliore graduellement, mais vos nerfs restent fragiles; il faudrait vous en occuper.

Sentiments

À partir du 15, vous vivrez une période exquise sur le plan intime: rapprochement, réconciliation ou nouvelles rencontres sont au programme. Vous reprenez goût aux mondanités; ça tombe bien, puisque votre vie sociale redémarre. Seul un enfant ou un parent continue de vous tracasser.

Affaires

Même si votre situation n'est pas encore parfaite, vous commencez à sortir de l'impasse des dernières semaines. Il est temps de tourner certaines pages; cela ne sert plus à rien de vous accrocher aux situations qui stagnent. Un cycle se termine. Vous avez du mal à lâcher prise, mais il faut pourtant faire de la place pour autre chose de mieux. Votre intuition vous permettra de saisir au vol une belle occasion.

			Juillet			
D	**L**	**M**	**M**	**J**	**V**	**S**
	1D	2F	3F	4F	5	6
7	8	9	10●	11	12F	13F
14D	15D	16	17	18	19	20
21	22	23	24○	25	26	27D
28D	29D	30F	31F			

○ Pleine lune   F   Jour favorable
● Nouvelle lune   D   Jour défavorable

Santé

La période de récupération se poursuit jusqu'au 14; par la suite, vous devriez constater une importante amélioration de votre état. Vous vous sentirez dynamique, robuste et résistant. Moralement, la première semaine présente encore quelques failles, mais vous serez plus solide par la suite.

Sentiments

En amour, ce sont les 11 premiers jours qui semblent les plus prometteurs. Sur le plan social, tout le mois est excitant; vous ferez de nombreuses sorties et passerez de très agréables moments. Nouvelles rencontres et retrouvailles seront célébrées dans la joie. Les inquiétudes que vous éprouviez pour un proche s'estomperont une fois la première semaine écoulée.

Affaires

D'ici le 15, vous continuerez à remettre bien des choses en question et à mettre de l'ordre dans vos affaires; changements d'orientation et nouvelles activités sont donc au programme. Par la suite, vous commencerez à sentir que la chance veut se ranger de votre côté. Entreprises et démarches donneront des résultats probants. Vous retrouverez votre confiance en vous et toute votre ambition.

Août						
D	**L**	**M**	**M**	**J**	**V**	**S**
				1	2	3
4	5	6	7	8●F	9F	10D
11D	12	13	14	15	16	17
18	19	20	21	22○	23D	24D
25D	26F	27F	28	29	30	31

○ Pleine lune		F	Jour favorable
● Nouvelle lune		D	Jour défavorable

Santé

Excellent mois, durant lequel vous devriez vous sentir particulièrement en forme. Le dynamisme qui vous anime fait plaisir à voir, tout comme votre mine radieuse. C'est vrai que nous décelons un brin d'insécurité, mais cela ne devrait pas suffire à assombrir ce magnifique tableau.

Sentiments

Du 7 août au 8 septembre, les astres joueront véritablement pour vous. Votre destinée amoureuse prendra une orientation des plus positives, vous goûterez enfin à ce bonheur dont vous rêviez depuis si longtemps. En amitié aussi, vous serez choyé. Il n'y a que la famille qui demeure problématique par moments.

Affaires

Le 1er août est une date à souligner puisqu'elle marque l'arrivée de Jupiter, votre planète maîtresse, symbole de chance et de réussite, dans un coin privilégié de votre ciel; cette situation prévaudra pendant plus d'un an. Durant cette période, votre carrière prendra son essor, vos finances s'amélioreront et vous aurez même de la chance au jeu. Pourquoi ne pas la tenter dès maintenant? Bon temps pour investir, négocier et voyager.

Septembre						
D	L	M	M	J	V	S
1	2	3	4	5F	6●F	7D
8D	9	10	11	12	13	14
15	16	17	18	19	20D	21○D
22F	23F	24F	25	26	27	28
29	30					

○ Pleine lune		F	Jour favorable
● Nouvelle lune		D	Jour défavorable

Santé

Bien que Jupiter vous protège, les planètes Mars et Saturne risquent de vous jouer des tours. Prenez donc quelques précautions pour ne pas vous infliger des blessures. Veillez également sur votre santé. Moralement, vous allez encore mieux que le mois dernier; le stress a tellement moins d'emprise sur vous.

Sentiments

Je vous rappelle que les huit premiers jours sont féeriques et que plusieurs belles surprises vous attendent. Le reste du mois n'annonce rien de vilain sur le plan intime, il se déroulera dans la douceur et la tranquillité. Vos amis sont adorables et si ce n'était de ce membre de la famille qui vous inquiète encore, tout serait parfait.

Affaires

Drôle de mois en perspective. À vrai dire, votre destinée est en dents de scie. Tantôt vous recevez des nouvelles du tonnerre et vous faites de gros progrès, tantôt vous avez l'impression de régresser. Tenez le coup, l'issue sera positive. Un conseil: ne prêtez pas d'argent, n'investissez pas à la légère et protégez-vous des voleurs.

Octobre						
D	**L**	**M**	**M**	**J**	**V**	**S**
		1	2F	3F	4D	5D
6●	7	8	9	10	11	12
13	14	15	16	17D	18D	19F
20F	21○F	22	23	24	25	26
27	28	29F	30F	31F		

○ Pleine lune F Jour favorable
● Nouvelle lune D Jour défavorable

Santé

Votre moral demeure solide, mais votre physique présente encore quelques fragilités jusqu'au 16; attention aux accidents bêtes et aux malaises. Par la suite, vous retrouverez votre bonne forme, vous serez moins fatigué et vous aurez le goût de mordre dans la vie à belles dents. À vrai dire, il n'y a pas que dans la vie que vous aurez le goût de mordre: la gourmandise vous guette.

Sentiments

Quelques conflits et tracasseries sont possibles pendant la première quinzaine; tout ira beaucoup mieux par la suite. Vous trouverez les bons mots pour régler les différends ainsi que pour encourager ceux qui avaient des problèmes. Les amis demeurent des anges; leur écoute vous fait beaucoup de bien et ils trouvent aussi le moyen de vous divertir.

Affaires

Même scénario sur ce plan. La première quinzaine laisse à désirer; vous avez parfois l'impression de vous débattre inutilement. Cette période énervante sera suivie d'un cycle nettement plus positif durant lequel on facilitera la réalisation de vos entreprises; vos démarches, vos nouveaux projets et les transformations qui se préparent au travail vous raviront. Petites chances au jeu.

Novembre

D	L	M	M	J	V	S
					1D	2D
3	4●	5	6	7	8	9
10	11	12	13D	14D	15D	16F
17F	18	19○	20	21	22	23
24	25F	26F	27D	28D	29	30

○ Pleine lune et éclipse lunaire de pénombre F Jour favorable
● Nouvelle lune D Jour défavorable

Santé

Rien à craindre jusqu'au moment de l'éclipse, bien au contraire; vous serez dans une forme splendide. Vous aurez de l'énergie à revendre, et votre flair sera drôlement aiguisé. Par la suite, ce n'est pas la catastrophe, mais protégez-vous tout de même contre un rhume, une crise de foie ou encore un problème aux extrémités ou au dos.

Sentiments

Période exquise durant laquelle vous pourrez savourer la quiétude de vos amours et l'honnêteté de vos relations amicales. Vous recevrez de nombreuses invitations et vous amuserez beaucoup si vous les acceptez. Vous avez le don de plaire et vous ferez bonne impression partout.

Affaires

Le mois s'annonce particulièrement constructif. Vos idées avant-gardistes déconcertent parfois votre entourage. N'empêche que c'est vous qui détenez la clef du succès; on s'en rend d'ailleurs compte rapidement. Excellente période pour un nouveau travail, pour négocier un contrat ou pour faire un placement ou une transaction. Encore des chances au jeu.

Sagittaire   **260**

Décembre						
D	L	M	M	J	V	S
1	2	3	4●	5	6	7
8	9	10D	11D	12D	13F	14F
15	16	17	18	19○	20	21
22	23F	24F	25D	26D	27	28
29	30	31				

○ Pleine lune	F	Jour favorable
● Nouvelle lune et éclipse solaire totale	D	Jour défavorable

Santé

L'éclipse solaire s'effectue dans votre signe. Par conséquent, c'est une bonne idée de prendre quelques précautions. Rien n'est dramatique, mais on note tout de même chez vous une certaine vulnérabilité, sans doute parce que vous êtes fatigué. Du repos, de la relaxation et de bonnes habitudes alimentaires devraient vous remettre sur pied. Prudence également lors de vos déplacements.

Sentiments

Une situation embrouillée peut survenir d'ici le 9. Cependant, tout devrait s'arranger par la suite. On ne vous reconnaît pas vraiment; vous semblez dépendant de votre entourage. Heureusement que celui-ci ne vous veut que du bien. Un frère ou une sœur pourrait avoir besoin de votre aide.

Affaires

Malgré quelques lenteurs et un climat de confusion, vous tirez très bien votre épingle du jeu. Du 6 au 31, les astres favoriseront les voyages d'affaires ou d'agrément, les démarches et le commerce. Vous aurez des possibilités de gains dans les jeux de hasard. Une dépense imprévue ne sabote pas vraiment votre budget.

CAPRICORNE
Du 23 décembre au 20 janvier

L e natif du Capricorne a un don tout à fait particulier: il passe inaperçu, tellement d'ailleurs qu'il finit par se faire remarquer, quel paradoxe! Si vous trouvez un de vos invités tout seul dans la cuisine en train d'essuyer les verres, pas de doute, il s'agit probablement d'un Capricorne.

Ce signe est la sagesse et le sérieux incarnés. Quant à sa patience, elle est légendaire. Le temps court pour le Capricorne. Avec votre capacité de travail étonnante, on se demande pourquoi vous n'êtes pas un peu plus énergique. Vous êtes plutôt flegmatique, et rien ne semble vous démonter. Vous maîtrisez les concepts abstraits comme nul autre, tant et si bien que votre esprit analytique et votre logique terre à terre sont des atouts indéniables.

Vous êtes cependant d'une telle rectitude – oserions-nous dire d'une rigidité – que votre peur des changements, votre sens de l'économie, qui tient de l'ascèse, sont souvent critiqués par votre entourage. Vous n'êtes pas une personne qui agit sur des coups de tête; avec vous, tout est mûrement réfléchi. Vous n'êtes vraiment pas démonstratif, et vous exprimer oralement n'est pas une de vos qualités. D'ailleurs, vous parlez peu et surtout jamais de vous.

Votre modestie peut parfois vous jouer des tours. Vous préférez rester dans l'ombre, et c'est sûrement la peur qui conditionne cet isolement. Par contre, lorsque vient le moment de rationaliser, de travailler sur un problème complexe, vous n'hésitez pas à vous mettre à la tâche, souvent en solitaire. Votre minutie, votre perfectionnisme sont exceptionnels, mais toujours dans le but de ne pas vous faire remarquer. Vous pouvez être président d'une société et avoir l'air d'un simple ouvrier, être riche comme Crésus et porter des vêtements dont votre bonne ne voudrait pas. L'habit ne fait pas le moine... et surtout pas le Capricorne!

En bon signe de terre, vous souffrez d'insécurité et vous craignez la solitude. Pourtant, vous n'hésitez pas à vous retirer pour vous ressourcer. Vous avez un sens de l'économie très développé et vous avez peur de manquer de ressources financières... tellement que vous cachez de l'argent ici et là pour les mauvais jours, mais vous ne l'avouerez jamais! Votre pire crainte est d'être rejeté et vous craignez la fuite du temps.

À partir de la trentaine toutefois, la vie du Capricorne prend un tournant pour le moins surprenant lorsqu'on le sait si réservé. Plusieurs d'entre eux sortent de l'ombre, leur situation évolue très favorablement. Leur caractère, leur moral et même leur vitalité s'améliorent, tout comme leur compte en banque! Le temps qui passe est votre meilleur allié; grâce à lui, vous vous bonifiez, comme le bon vin.

Le natif du Capricorne fonctionne différemment des autres, à «rebrousse-temps» serait-on tenté de dire. Il se comporte comme un vieillard dans sa jeunesse et semble rajeunir avec les années. La deuxième partie de sa vie est donc bien meilleure, alors que dire de la troisième! Le Capricorne n'a donc pas à s'inquiéter des années qui passent, car pour lui, le meilleur est à venir.

Pour gagner votre amitié ou votre amour, la patience est de rigueur. Mais une fois que vous avez accordé votre confiance et votre cœur, vous êtes prêt à tous les sacrifices pour ceux que vous aimez. Comme vous ne parlez pas beaucoup, vous exprimez vos sentiments par des gestes qui sont souvent empreints d'une grande générosité. L'amitié et l'amour sont éternels pour vous et vous ne dérogez pas à cette règle.

Dévoué, parfois jusqu'à l'abnégation, vous vous effacez devant les autres, vous sacrifiez vos propres intérêts, vous vous consacrez à des missions impossibles, à des gens qui n'en valent pas la peine ou qui abusent de vous. Votre générosité n'a pas de bornes et bien des gens le savent et en profitent. Heureusement, avec le temps, votre grand complice, vous apprenez à mieux mesurer votre propension à vous dédier aux autres et à choisir ceux qui vous entourent. Peu à peu, vous déterminez avec plus de justesse ce que vous voulez donner et jusqu'à quel point vous pouvez le faire. De plus en plus, vous balisez votre générosité, ce qui n'est pas plus mal.

Vous êtes sage, sérieux, vous n'avez pas de temps pour la frivolité et les divertissements stériles, ce qui peut vous faire paraître distant. Vous ne vous liez pas facilement, et vous ne vous confiez pas non plus; vous avez l'impression que vous ennuyez les autres avec vos petits malheurs. Tant de discrétion passe pour de la froideur. Avec le temps, vous vous ouvrirez un peu plus, au grand bonheur de votre entourage et au vôtre également.

Comment se comporter avec un Capricorne?

S'approcher d'un Capricorne relève parfois du parcours du combattant. Si on se fait insistant, il recule, et reste dans son coin, discret. Si on le laisse s'éloigner, la solitude le fait souffrir. Ce n'est pas évident, avec lui, de doser ses approches. Pourtant, vous devez impérativement faire le premier pas parce qu'il ne prendra pas d'initiative.

Par contre, si un Capricorne décèle un problème ou un ennui chez vous, il sera le premier à vouloir vous aider, mais sans dévoiler ses propres attentes et ses propres difficultés. Pour commencer une relation avec un natif de ce signe, la patience, l'attention, lire entre les lignes sont vos meilleurs atouts. Il n'est pas facile de l'approcher, mais une fois qu'il s'est laissé apprivoiser, vous aurez sans aucun doute le meilleur et le plus fidèle allié dont vous puissiez rêver.

Dans une réunion entre amis, s'il va vider le lave-vaisselle ou passer un coup de balai dans la cuisine, cela ne veut pas dire qu'il ne s'amuse pas... il se rend utile. Il aime bien qu'il y ait du monde... dans la pièce d'à-côté. Les mondanités ne l'intéressent pas particulièrement et il n'aime pas gaspiller le temps.

Si votre conjoint est un Capricorne, ne l'obligez pas à vous suivre dans vos sorties; il le ferait à reculons, et ce ne serait agréable ni pour l'un ni pour l'autre. Dans ces cas-là, son âme de solitaire prend le dessus. Puisqu'il vous fait confiance, vous pouvez sortir et vous amuser l'esprit en paix; il en sera très heureux pour vous.

Si vous tenez absolument à le convaincre de s'afficher en société, il faudra y aller graduellement, argument par argument, en lui démontrant la logique de votre raisonnement. Il ne faut jamais chercher à transformer radicalement la vie d'un Capricorne par des changements trop brusques. Montrez lui ses intérêts, les avantages, et oubliez autant que possible les inconvénients – il pourrait avoir peur – et surtout laissez-le peser le pour et le contre avant de lui demander de prendre sa décision.

La réflexion lui est aussi indispensable que l'air qu'il respire. Il doit considérer et reconsidérer la suggestion avant de se ranger à votre avis, mais il n'avouera peut-être pas ce qu'il pense. Si finalement vous constatez que rien n'y fait, qu'aucune de vos propositions ne l'aide à se décider, il faudra peut-être le prendre par les sentiments et lui démontrer à quel point telle ou telle chose, telle ou telle sortie compte pour vous. Dans ce cas, si c'est pour vous donner un coup de main, il acceptera sans trop rechigner. Il ne voudrait pas se sentir coupable de vous avoir fait rater une rencontre avec des gens importants pour votre carrière, par exemple.

Le Capricorne n'a pas confiance en ses moyens, et l'énergie pour initier des projets lui fait souvent défaut. Sa crainte le paralyse. Votre aide et votre appui sont significatifs pour lui; vous pouvez lui donner un sérieux coup de main et il vous en saura éternellement reconnaissant.

Ses goûts

Ce qui le caractérise, c'est la simplicité et la frugalité. Il n'a pas besoin de strass, de paillettes, de flaflas pour vivre heureux. Il vit selon ses moyens, même parfois en dessous, mais c'est ainsi. Rien chez lui n'est ostentatoire.

Les objets sobres, classiques voire anciens, ont sa préférence. Ses vêtements sont bien coupés ou, plutôt, ont été bien coupés à l'époque; la mode a eu le temps de passer et de revenir, mais il a toujours le même ensemble. En fait, notre Capricorne ne paie pas de mine; ses employés, ses enfants sont mieux habillés que lui, mais son portefeuille est drôlement bien garni. Quel économe quand même!

Dans son intérieur, son besoin de sécurité vient parfois en contradiction avec son goût de la parcimonie. Pour cette raison, il préfère les grosses maisons, les gros meubles, ce qui a l'air solide, durable, ce qui traversera la barrière du temps.

À table, les excès sont presque bannis, sa sagesse prenant le dessus. Mais il a un petit problème, il oublie de diversifier suffisamment son alimentation. Les légumes, les crudités, les fruits ne se retrouvent pas forcément à son menu en quantité suffisante pour maintenir un bon état de santé... et, surtout, il aime parfois un peu trop les sucreries!

Son potentiel

Travailleur déterminé, le Capricorne ne craint pas les projets à très long terme. Il travaille à son rythme, c'est-à-dire lentement, dans l'ombre ou à l'écart, il fait son chemin sans que personne ne s'en aperçoive. Lorsqu'il touche au but, tout le monde est alors bien étonné. Sa devise pourrait être «rien ne sert de courir, il faut partir à point.»

Comme c'est un travailleur méticuleux qui ne laisse rien au hasard, il laissera sa marque dans les domaines qui requièrent un esprit plus terre à terre: l'administration, la gestion, les banques – il aime bien l'argent! –, les mathématiques, les recherches, les investigations (comptables ou autres), les relations d'aide, la gérontologie, l'enseignement ou la politique.

Le natif du Capricorne peut être une personne influente, exercer un pouvoir étendu et gérer une immense fortune, et rien n'y paraîtra. Il laisse les autres s'auréoler de leur succès, alors que c'est plutôt lui qui tire les ficelles dans l'ombre.

Ses loisirs

Sérieux comme il est, on se demande bien quels loisirs lui permettent de se détendre. Dans ses moments libres, comme dans sa vie quotidienne, le Capricorne aime bien rester à l'écart. Il optera donc pour des passe-temps de solitaire, qui lui permettent de réfléchir, de penser à ce qui lui plaît sans être obligé de converser ou de faire belle figure devant quiconque.

Il choisira souvent de faire de longues promenades, même en ville. Le ski, la raquette, la natation et la pêche lui conviennent très bien. La lecture est pour lui un excellent moyen d'évasion, et il choisira souvent des ouvrages en rapport avec ses préoccupations ou ses activités professionnelles. C'est un être réfléchi qui se ressource en plongeant dans ses pensées. Mais il ne faut pas oublier qu'il est aussi sensible alors, de temps à autre, il faut le secouer et le convaincre de socialiser un peu plus.

Sa décoration

Pour sa décoration, comme en toute chose dans sa vie, la sobriété est sa marque; il a un esprit très conservateur. D'ailleurs, il accumule les objets et ce, depuis des années. C'est un véritable écureuil. Ses armoires sont des petites réserves où il entasse ce qui lui permettrait de survivre plusieurs années en cas de disette subite: nourriture, papeterie, vêtements, quincaillerie, il ne sera jamais pris au dépourvu. Et puis, il y a la remise, le grenier, la cave...

Son sens de l'économie est tellement fort qu'il ne dépensera pas un sou pour toutes ces babioles vite démodées qu'on annonce dans les magazines. Par contre, comme il souffre d'insécurité, tout le nécessaire sera toujours à portée de main. Son domicile est son refuge; il lui faut donc quatre murs bien solides autour de lui. Il peut acheter une immense maison, et on se demandera ce qu'il va faire de tant d'espace; il sera vite utilisé, n'ayez crainte.

Le Capricorne n'aime pas la modernité; il préfère les objets et les choses que le temps a éprouvés. Ce sera donc un amateur éclairé d'antiquités qui représentent des valeurs sûres; il en aura certainement beaucoup chez lui. Pour son intérieur, il choisira des meubles lourds, solides, imposants, bref qui donnent une image de stabilité, et cela souvent en quantité industrielle. Bien qu'il reçoive très rarement, il dispose d'un assortiment de vaisselle à faire rougir les plus grands restaurateurs.

Il conserve tout, des assiettes de grand-maman au gros La-Z-boy de papy, de l'armoire canadienne au canapé Louis XV hérité de la vieille tante Hortense, du bureau de son enfance au lit de son adolescence: tout est là. Vous comprenez maintenant pourquoi il lui faut une si grande maison.

Le Capricorne a ses petites habitudes, ses petites manies. Il aime sa tranquillité, et c'est souvent à son domicile qu'il trouve cette sécurité dont il est si friand. Retrouver ses petites affaires là où il les a déposées, quel soulagement! Bref, si vous êtes son conjoint ou son colocataire, de grâce, ne changez pas les meubles de place pendant qu'il a le dos tourné... vous le mettriez très mal à l'aise.

Son budget

L'économie n'est pas un vrai mot pour le Capricorne. Sage et prévoyant de nature, il ne se laisse jamais aller à des dépenses inconsidérées. Il n'ouvre son portefeuille bien garni que lorsqu'il y est obligé. Au magasin, il vérifiera la qualité, évaluera la valeur, la garantie, essaiera peut-être même d'obtenir un rabais, s'assurera de faire une bonne affaire, et, malgré tout, à la caisse, il aura encore un pincement au cœur. Tout coûte terriblement cher de nos jours, n'est-ce pas?

Le Capricorne n'est pas avare, mais il souffre d'insécurité et a toujours peur de manquer d'argent. Il est également conscient de la valeur des choses. Comme il a des goûts modestes, il ne se fait jamais à l'idée d'être obligé de dépenser. Mais il a bon cœur, et quand il se permet une dépense, c'est pour offrir quelque chose aux autres, pas à lui-même...

Le Capricorne économise sur tout; il fait constamment attention à son portefeuille et arrive à faire des prouesses avec un budget limité. Même si ses revenus sont peu élevés, il réussira encore à mettre de l'argent de côté en prévision de jours moins fastes. Il adore créer des petites cachettes: quelques pièces dans le pot de biscuits, une enveloppe bien garnie sous une pile de chandails, dans le compartiment secret du portefeuille; un peu ici, un peu là, sans parler des comptes en banque, des placements... bref, avec lui, l'expression avoir son bas de laine est tout à fait véridique.

La prévoyance est l'une de ses belles qualités; il prépare ses vieux jours depuis longtemps et, croyez-moi, il ne sera pas dans le besoin, loin de là. Il a des REÉR, des obligations, des placements, des actions en tous genres. Et pourtant, même s'il est assis sur des millions, l'inquiétude lui triture quand même les neurones...

Quel cadeau lui offrir?

On a vu que notre Capricorne est plutôt conservateur et qu'il garde tout très longtemps. Il serait peut-être indiqué de remplacer quelques objets, comme sa vieille télé noir et blanc, qui pourrait peut-être passer au numérique... à condition que vous la lui achetiez, car pour lui son téléviseur des années 60 lui convient bien (d'ailleurs, il le gardera au fond du grenier, même s'il accepte un modèle plus récent dans le salon).

Le natif du Capricorne vous dira qu'il n'a besoin de rien, et il en est convaincu. Vous devrez donc faire de sérieux efforts pour trouver une chose utile qu'il n'a pas en quatre ou cinq exemplaires. Optez avant tout pour des objets sobres et plutôt traditionnels; la modernité et les gadgets ne sont pas dans ses goûts. S'il a besoin d'un bon agenda, n'arrivez pas avec un Palm; achetez-en un plus classique.

Regardez aussi du côté des vêtements, car les siens doivent être complètement démodés; il en achète si peu souvent. Les coupes classiques, la qualité et les teintes neutres lui conviendront le mieux. Un beau tricot, des gants ou un foulard le réchaufferont, car il est frileux et aime son confort.

Le natif du Capricorne ne se permet jamais de petites gâteries. Il revient donc à ses proches de lui offrir des petits luxes. Il sera mal à l'aise, ne saura pas comment vous remercier, mais sera tellement content que son bonheur fera plaisir à voir.

Les enfants Capricorne

Sage et docile, le bébé Capricorne ne pose jamais de problème. Même en grandissant, il sera toujours aussi sage, et même sérieux pour son âge. Il a besoin de contact avec des enfants plus âgés, voire des adultes ou des personnes âgées. Il est fasciné par les vieilles personnes et les écouterait pendant des heures. Les grands-mamans et les grands-papas sont aux anges avec eux.

Par contre, avec les amis de son âge, il n'est pas très sociable; en fait, le petit Capricorne préfère rester à l'écart pour observer de loin le monde. La solitude lui plaît et son petit côté individualiste ressort déjà.

Il est important de lui apprendre à s'amuser, à avoir du plaisir et surtout à fréquenter des petits camarades de son âge. Il est craintif, renfermé et manque de confiance en lui. Par contre, au fil du temps, il réussira à surmonter sa timidité maladive.

L'ado Capricorne

Pour ton âge, tu es quelqu'un de très mûr, qui ne perd pas son temps pour des broutilles. Tes amis sont probablement plus âgés que toi et ils te stimulent beaucoup. Tu es tranquille, réfléchi, calme, et tu aimes prendre ton temps. Mais lorsque tu te décides à agir, tu vas jusqu'au bout de tes idées et de tes actes. On ne peut pas te reprocher de faire les choses à moitié.

Comme tu es très responsable, les gens n'hésitent pas à te confier certaines tâches et bien souvent cela passe avant tout, même au détriment de tes loisirs ou de tes goûts personnels. On peut se fier à toi, et souvent on t'en demande un peu trop pour ton âge, car tu es si raisonnable qu'on te croit souvent plus âgé que tu ne l'es réellement.

Tu as des valeurs traditionnelles, conservatrices: la justice, la famille, l'ordre établi comptent beaucoup pour toi. Tu t'intègres bien au système, sans te rebeller. Tu es aussi attaché à l'aspect matériel de la vie, tu es économe et sérieux, tu te fais même de petites réserves en cas de besoin, et tu ne jettes jamais rien, tu prends soin de tes affaires.

Malgré les apparences, tu es un être très fier, et lorsqu'on pique ton orgueil, tu t'en souviens longtemps.

Sur le plan social, tu es plutôt discret. On te trouve même distant et froid. Tu préfères rester dans l'ombre, par prudence et aussi à cause de ta timidité. Tu as une nature plutôt triste et, avoue-le, la vie te fait peur. Pourtant, tu as tous les atouts en main pour réussir, pour monter très haut... Tu dois apprendre à cultiver ta confiance en toi, car avec les années qui passent tu accompliras de grandes et belles choses, et la réussite sera au rendez-vous si tu parviens à écarter ce sentiment d'insécurité qui te ralentit.

Tes études

Travailleur, tenace et méticuleux, tu te consacres à fond dans tout ce que tu entreprends. Tu apprends lentement, mais comme tu comprends bien ce qu'on t'enseigne et que tu as une bonne mémoire, on ne peut pas te prendre en défaut. Ce que tu sais, c'est pour la vie. Étant donné que tu es déterminé, les études supérieures te conviennent fort bien; le temps joue pour toi. Tu travailles mieux seul qu'en équipe. Tu devras te montrer plus flexible avec les autres, car cela te sera bien utile pour évoluer en société.

Ton orientation

Peu importe le domaine que tu choisiras, tu réussiras. Tu es si sérieux, tu as si bien balisé ta vie, calculé le pour et le contre, que ton application sera récompensée. Tu vas donc surmonter les obstacles et atteindre ton objectif, envers et contre tous. Les domaines qui pourraient t'amener sur le chemin du succès sont les finances, la comptabilité, le droit, la politique, la Bourse, l'administration, la fonction publique, le système bancaire, l'industrie, la santé, la gérontologie, les antiquités, le commerce, l'immobilier, l'agriculture, les affaires et les emplois ayant trait à la terre. Tu vois, tu as l'embarras du choix. Ta carrière pourrait commencer dans l'ombre, mais à partir de la trentaine, la réussite t'attend, et tu te mets un peu plus en évidence.

Tes rapports avec les autres

Les gens te croient froid, car tu es souvent distant et renfermé. Tu as peu d'amis, mais tu as su les choisir. Ils savent qu'ils peuvent compter sur toi, même s'ils en abusent un peu, avoue-le. Au fil du temps, tu parviens à dire non lorsque tu sens que les autres tirent trop sur la corde. L'amitié doit être un échange équitable. On ne te connaît pas assez, car tu as du mal à exprimer tes sentiments ou à parler; tu crains souvent de déranger. Tu as beaucoup à offrir et lorsqu'on te connaît vraiment, on découvre en toi un être adorable sur qui on peut compter.

Ils sont [image] eux aussi

Vanessa Paradis, Émile Nelligan, Annie Lennox, Mao tsé Toung, Marlene Dietrich, Gérard Depardieu, Louis Pasteur, Marianne Faithful, Geneviève St-Germain, Jacques Cartier, Véronique Cloutier, Ricky Martin, Cate Blanchett, Mahée Paiement, Mel Gibson, Marina Orsini, Nicolas Cage, David Bowie, Elvis Presley, Lara Fabian, Bernard Derome, Martin Luther King, Anne Bédard, René Angélil, Isabelle Lajeunesse, Jim Carey, Kevin Costner, Dan Bigras, Daniel Bélanger.

Pensée positive pour le Capricorne

Ma confiance en moi et dans la vie augmente constamment. J'ose accepter les nombreux bienfaits qu'on m'envoie. Plus j'en accepte, plus il m'en arrive.

Pensée positive spéciale pour 2002

Je suis ma première idée, je fais confiance à mon intuition, car je crois de plus en plus en mes capacités.

Le subconscient nous dirige toujours selon nos pensées. En répétant le plus souvent possible ces pensées conçues tout spécialement pour vous, vous vous attirerez plein de belles choses.

Signe: Capricorne

Élément: Terre

Catégorie: Cardinal

Symbole: ♑

Points sensibles: Ossature, décalcification, dentition faible, articulation, genoux, jambes, arthrite, surdité, problème d'ouïe et de peau. Jeune, il a peu de vitalité... mais il rajeuni tous les ans.

Planète maîtresse: Saturne, planète de la sagesse.

Pierres précieuses: Améthyste, grenat, diamant.

Couleurs: Gris et toutes les couleurs terre.

Fleurs: Rose, oeillet rouge,

Chiffres chanceux: 3-8-11-17-23-28-30-35-44-48.

Qualités: Discipliné, sérieux, économe, sage, discret, déterminé, diplomate, traditionnel, terre à terre. Il sait que le temps est son précieux allié.

Défauts: Manque de sécurité, timide, renfermé, autoritaire, ramasseux, pessimiste, manque de confiance.

Ce qu'il pense en lui-même: Je vais tout faire pour eux... Je veux qu'ils m'aiment à tout prix!

Ce que les autres disent de lui: Demandons-lui ce qu'on veut: il ne sait pas dire non!

D'importantes planètes dans vos deuxième et sixième secteurs vous rendront encore plus terre à terre que d'habitude. La sécurité financière a toujours été primordiale pour vous, mais cette année elle semble être au centre même de votre vie; vous calculez, vous budgétisez, vous pensez à long terme. Pour que tout soit parfait, vous voudriez pouvoir planifier toute votre vie… Et pourtant, avec l'opposition de Jupiter, ça n'ira pas toujours selon vos plans, en tous cas jusqu'au mois d'août; par la suite, le climat s'apaisera et vous serez davantage maître de votre avenir.

Santé

Avec Jupiter en face de votre signe, vous auriez tout intérêt à proscrire les abus, qu'ils soient de bonne chère ou de travail. Habituellement, vous êtes raisonnable, mais là vous ne vous reconnaissez plus vous-même; vous cédez à la gourmandise, vous avez du mal à contrôler vos rages de sucre, bref toutes les excuses sont bonnes pour faire entorse à vos bonnes habitudes. Cela risque de vous jouer des tours tant avec votre ligne qu'avec votre bien-être. Si toutefois vous êtes sage, vous devriez vivre une excellente année ou même stabiliser votre état.

Sentiments

Attention, vous pensez trop à votre sécurité et ceci vous fait manquer de précieux moments. C'est bien beau de penser au futur, mais il faut tout de même savoir savourer l'instant présent. L'année s'annonce très intéressante sur le plan interpersonnel puisque vous aurez l'occasion de rencontrer beaucoup de monde. Avec vos proches, vous redéfinirez votre position; plus conscient de votre valeur, vous n'avez plus le goût qu'on profite de vos largesses. Au besoin, vous prendrez même certaines décisions assez tranchantes.

Affaires

Comme nous l'avons vu précédemment, l'automne présente d'intéressantes possibilités: vous serez alors en plein contrôle de la situation. D'ici là toutefois, vous devrez souvent rajuster votre tir à la dernière minute puisque de nombreux changements pourraient survenir, entre autres, au travail. Soyez souple et dites-vous que ce n'est que temporaire. N'oubliez pas non plus que votre destinée finit toujours par se bonifier avec le temps. Côté finances, vous devriez prendre certaines précautions: ne prêtez pas d'argent, ne dérogez pas à la loi et préférez les placements «pépères» aux affaires trop prometteuses pour être vraies.

Janvier						
D	**L**	**M**	**M**	**J**	**V**	**S**
		1	2	3F	4F	5F
6D	7D	8	9	10	11	12
13●	14	15	16	17	18	19
20D	21D	22F	23F	24F	25	26
27	28○	29	30	31F		

○	Pleine lune	F	Jour favorable
●	Nouvelle lune	D	Jour défavorable

Santé

Les trois premières semaines sont formidables. Vous avez des nerfs d'acier, vous débordez d'énergie, sans compter que vous êtes en beauté et que vous ne faites pas du tout votre âge. Bonne période pour les remises en forme et les régimes amaigrissants. Le reste du mois s'annonce plus délicat, demeurez donc sur vos gardes.

Sentiments

La belle Vénus qui séjourne dans votre signe jusqu'au 19 permet à vos amours de redémarrer. En société aussi c'est emballant; vous rencontrez de nouvelles personnes et renouez avec d'anciens copains. Un proche vous confie une excellente nouvelle concernant sa carrière ou ses finances.

Affaires

Si vous avez à faire une démarche, présenter une demande, mettre en branle un projet ou négocier, tâchez d'agir avant le 20; vos chances de succès sont alors bien meilleures. Par la suite, des retards, voire quelques obstacles sont possibles; n'envenimez pas les choses en prenant des risques avec votre argent ou en dépensant exagérément.

Capricorne   **274**

			Février			
D	**L**	**M**	**M**	**J**	**V**	**S**
					1F	2D
3D	4	5	6	7	8	9
10	11	12●	13	14	15	16D
17D	18F	19F	20F	21	22	23
24	25	26	27○F	28F		

○ Pleine lune   F Jour favorable
● Nouvelle lune   D Jour défavorable

Santé

Mars, Jupiter et Mercure vous compliquent l'existence. Vous êtes plus vulnérable, tant moralement que physiquement. Toutefois, en prenant certaines précautions, vous pourrez déjouer leur action. Attention donc de ne pas vous blesser ni de contracter une infection; abuser de vos forces ou des bonnes choses de la vie ne donnera rien de bon non plus.

Sentiments

Au cours des 12 premiers jours, vous êtes plutôt casanier. Par contre, le reste du mois s'annonce beaucoup plus divertissant; on vous invitera à gauche et à droite, rencontres possibles pour les solitaires. À la maison et avec la famille, ça ne tourne pas rond, rien de catastrophique, mais vous ressentez un malaise vague et une certaine insatisfaction. Acceptez donc les invitations qu'on vous lance, ça vous changera les idées.

Affaires

Le climat d'instabilité qui règne vous agace. Pourtant, si vous restez calme, vous pourriez très bien tirer votre épingle du jeu. En ne portant attention qu'à ce qui va de travers, vous risquez de rater une bonne occasion. Durant la seconde quinzaine, on pourrait vous offrir un petit contrat ou l'occasion de travailler des heures supplémentaires.

Capricorne

Mars						
D	**L**	**M**	**M**	**J**	**V**	**S**
					1D	2D
3	4	5	6	7	8	9
10	11	12	13	14●	15D	16D
17D	18F	19F	20	21	22	23
24	25	26	27F	28○F	29D	30D
31						

○ Pleine lune		F	Jour favorable
● Nouvelle lune		D	Jour défavorable

Santé

La planète Mars, qui vous empoisonnait la vie, devient votre alliée à compter du 2. Non seulement pourrez-vous évoluer librement sans toujours avoir à craindre un pépin, mais en plus, vous retrouverez une forme exceptionnelle. C'est donc dire que si vous avez eu des ennuis d'ordre physique ou moral, vous entamez un cycle de récupération intensive.

Sentiments

Les conflits familiaux s'estompent graduellement entraînant avec eux vos frustrations et le sentiment d'injustice que vous ressentiez. Votre conjoint n'est peut-être pas parfait, mais il fait de gros efforts pour remédier à cette situation. Coup de foudre possible pour les solitaires.

Affaires

La conjoncture est nettement plus favorable, les obstacles tombent et vous regagnez le temps perdu. Excellent mois pour aller de l'avant, pour chercher de l'emploi ou pour améliorer vos conditions de travail. Financièrement aussi, ça va mieux: les tuiles cessent de vous tomber dessus et vous reprenez le contrôle de la situation.

						Avril

D	L	M	M	J	V	S
	1	2	3	4	5	6
7	8	9	10	11D	12D	13●F
14F	15	16	17	18	19	20
21	22	23F	24F	25D	26○D	27
28	29	30				

○ Pleine lune   F   Jour favorable
● Nouvelle lune   D   Jour défavorable

Santé

Physiquement, vous continuez à faire d'énormes progrès; bon temps donc pour vous prendre en main, pour faire de l'exercice ou pour vous mettre au régime. Psychologiquement, vous êtes souvent au bord de la crise de nerfs durant la première quinzaine puis. Par la suite, tout s'arrange comme par enchantement.

Sentiments

La présence de Vénus dans votre cinquième secteur jusqu'au 26 est de très bon augure pour vos amours; les couples se resserrent tandis que ceux qui sont seuls découvrent une personne compatible. Vous recevez de nombreuses invitations, on vous propose aussi des activités fort amusantes. Entre le 1er et le 13, un jeune ou un parent vous inquiète; heureusement, tout finit par rentrer dans l'ordre.

Affaires

Mois très positif pour vos entreprises. C'est le temps d'aller de l'avant et de foncer. D'ici le 14, vous risquez de rencontrer quelques retards ou déceptions, mais ça vaut le coup de persévérer, car vous finirez par obtenir ce que vous désirez. Un conseil: ne signez rien sur un coup de tête, méfiez-vous des achats impulsifs et faites attention aux contraventions.

277   **Capricorne**

Mai						
D	**L**	**M**	**M**	**J**	**V**	**S**
			1	2	3	4
5	6	7	8	9D	10D	11F
12●F	13F	14	15	16	17	18
19	20F	21F	22F	23D	24D	25
26○	27	28	29	30	31	

○ Pleine lune et éclipse lunaire de pénombre   F Jour favorable
● Nouvelle lune   D Jour défavorable

Santé

Ce mois d'éclipse s'annonce très bien pour vous. À vrai dire, une saine hygiène de vie et une bonne gestion du stress vous garderont aisément à l'abri des petits ennuis… des gros aussi! Au lieu de tout analyser et de vous perdre dans vos pensées, allez donc faire un tour dehors; ça vous fera le plus grand bien.

Sentiments

Votre destinée affective est parfaitement stable, sans surprises, ni bonnes ni mauvaises; parfois, avouons-le, vous trouvez ça plutôt ennuyant. Regardez autour de vous, vous constaterez que vous n'êtes pas si mal servi. De mauvaises nouvelles concernant un parent éloigné ou une personne que vous avez perdue de vue ne vous affectent pas vraiment.

Affaires

Il y a passablement de charivari autour de vous et bien entendu, vous n'appréciez guère tout ce remue-ménage; pourtant, vous n'avez guère d'autres choix que de vous adapter aux nouvelles situations. Plus vite vous le ferez, mieux ça vaudra. Un dégât ou une perte vous oblige à débourser une somme que vous n'aviez pas prévue.

Juin						
D	**L**	**M**	**M**	**J**	**V**	**S**
						1
2	3	4	5D	6D	7D	8F
9F	10●	11	12	13	14	15
16	17F	18F	19D	20D	21	22
23	24○	25	26	27	28	29
30						

○ Pleine lune et éclipse lunaire de pénombre F Jour favorable
● Nouvelle lune et éclipse solaire annulaire D Jour défavorable

Santé

En plus d'avoir à subir les effets des éclipses, la planète Mars est venue rejoindre Jupiter à l'opposé de votre signe. Cette conjoncture prédispose à différents désordres métaboliques ainsi qu'aux accidents. En évitant tout risque inutile et en vous préoccupant de votre santé, vous pourrez passer au travers sans problèmes.

Sentiments

Les affrontements sont nombreux; pas facile de discuter avec votre entourage: soit qu'on monte sur ses grands chevaux, soit qu'on fasse la sourde oreille. Même les inconnus que vous croisez ont un petit quelque chose d'hostile. Alors, c'est simple, laissez faire les autres, pensez davantage à vous. Gâtez-vous!

Affaires

Dans ce domaine aussi, vous ressentez l'influence assez trouble des planètes. Votre situation ne correspond pas à vos attentes, on vous fait poireauter et vous avez souvent l'impression d'évoluer à contre-courant. Le moment serait définitivement mal choisi pour prendre des risques avec vos finances.

Juillet						
D	**L**	**M**	**M**	**J**	**V**	**S**
	1	2D	3D	4D	5F	6F
7	8	9	10●	11	12	13
14F	15F	16D	17D	18	19	20
21	22	23	24○	25	26	27
28	29	30D	31D			

○ Pleine lune   F   Jour favorable
● Nouvelle lune   D   Jour défavorable

Santé

P remière amélioration, ce mois ne comporte pas d'éclipse; la deuxième grande libération viendra quand Mars sortira du décor le 14. D'ici là, continuez à être vigilant pour ne pas vous blesser ni nuire à votre santé. Moralement, vous traînez un peu de la patte jusqu'au 22; par la suite, vous amorcez une belle remontée.

Sentiments

D u 11 juillet au 7 août, la planète Vénus aura une influence positive sur votre signe, ce qui est toujours synonyme d'amours qui redémarrent. Une rencontre, des réconciliations ou un rapprochement sont au menu de cette exquise période. Comme une bonne nouvelle n'arrive jamais seule, vous remarquerez que votre entourage est mieux disposé à vous écouter, que tout le monde devient gentil avec vous.

Affaires

L a première quinzaine laisse encore à désirer. Toutefois, durant la seconde partie du mois, vous assisterez à un net relâchement des tensions. Les obstacles tomberont un à un et vous commencerez à voir poindre la lumière; le moment sera alors venu d'emprunter de nouvelles avenues, de repartir du bon pied.

Août						
D	**L**	**M**	**M**	**J**	**V**	**S**
				1F	2F	3F
4	5	6	7	8●	9	10F
11F	12D	13D	14	15	16	17
18	19	20	21	22○	23	24
25	26D	27D	28F	29F	30F	31

○ Pleine lune   F Jour favorable
● Nouvelle lune   D Jour défavorable

Santé

L e ciel continue de se dégager, il n'y a désormais plus aucune planète qui s'oppose à votre signe. Vous reprenez des forces, vous maîtrisez davantage votre situation et votre moral s'améliore de façon significative. Excellente période pour vous prendre en main, pour commencer une nouvelle étape de votre vie.

Sentiments

N 'oubliez pas que Vénus favorise votre signe pendant la première semaine et que vos amours devraient vous procurer énormément de bonheur; le reste du mois pétillera sans doute un peu moins. En contrepartie, il vous offrira une douce stabilité. Entre le 6 et le 27, vous pourrez régler un différend que vous avez eu avec une personne chère.

Affaires

D écidément, les choses vont de mieux en mieux. Plus vous lâchez prise, plus de nouvelles possibilités s'offrent à vous. Votre vie se transforme et vous sentez que cette nouvelle étape sera positive; vous avez d'ailleurs parfaitement raison. Un mois en or pour faire des démarches, une recherche d'emploi ou pour vous présenter à un concours.

Septembre						
D	**L**	**M**	**M**	**J**	**V**	**S**
1	2	3	4	5	6●	7F
8F	9D	10D	11	12	13	14
15	16	17	18	19	20	21○
22D	23D	24D	25F	26F	27	28
29	30					

○ Pleine lune   F Jour favorable
● Nouvelle lune   D Jour défavorable

Santé

Les choses vont de mieux en mieux. Il y a longtemps que vous ne vous êtes senti aussi bien. D'ailleurs, plusieurs vous le mentionnent. Ce mois-ci, vous pourriez trouver une solution définitive à un problème qui vous embêtait depuis un certain temps. Vous débordez d'énergie, ce qui vous donne le goût de faire des activités physiques: quelle brillante idée!

Sentiments

Dès le 8, vous bénéficierez de l'influence favorable de Vénus, ce qui devrait donner du piquant à votre destinée amoureuse. Vos amitiés et votre vie sociale ne seront pas en reste, puisqu'il semble régner une atmosphère des plus agréables sur le plan interpersonnel. Un enfant fait la forte tête, mais rien de bien grave n'en découle.

Affaires

Fini le temps des entreprises stériles et des projets qui avortent. Désormais, vous avez tous les atouts en main pour réussir. Ceux qui étaient sans emploi en décrochent un à leur goût, tandis que les autres évoluent dans de meilleures conditions. Bon mois pour les déplacements d'agrément ou d'affaires.

Octobre						
D	**L**	**M**	**M**	**J**	**V**	**S**
		1	2	3	4F	5F
6●D	7D	8	9	10	11	12
13	14	15	16	17	18	19D
20D	21○D	22F	23F	24	25	26
27	28	29	30	31		

○	Pleine lune	F	Jour favorable
●	Nouvelle lune	D	Jour défavorable

Santé

Jusqu'au 16, tout ira comme dans le meilleur des mondes sur le plan physique; votre robustesse et votre dynamisme ne fléchissent pas. Le reste du mois, vous êtes à la fois plus nerveux et plus fragile; attention aux distractions, aux actes irréfléchis ou aux imprudences qui pourraient vous occasionner une blessure.

Sentiments

La première quinzaine s'annonce facile et fort amusante. Vous ne serez pas souvent à la maison, vous rencontrerez toutes sortes de personnes fort divertissantes. Par la suite, le rythme des sorties ralentira; vous aurez parfois tendance à vous ennuyer, d'autant plus que la communication ne sera pas toujours facile avec votre famille et votre entourage.

Affaires

Assurément, vous avez intérêt à agir pendant la première moitié de mois car c'est durant cette période que vos chances de succès sont les plus élevées. On répondra à vos demandes par l'affirmative. Vos projets se concrétiseront et vos affaires prendront de l'expansion. Par la suite, des lenteurs et quelques soubresauts sont possibles; il n'y a cependant pas de quoi paniquer.

Capricorne

Novembre						
D	L	M	M	J	V	S
					1F	2F
3F	4●D	5D	6	7	8	9
10	11	12	13	14	15	16D
17D	18F	19○F	20F	21	22	23
24	25	26	27	28F	29F	30D

○ Pleine lune et éclipse lunaire de pénombre   F   Jour favorable
● Nouvelle lune   D   Jour défavorable

Santé

Comme la planète Mars est toujours en carré avec votre signe, je vous incite à demeurer prudent dans vos déplacements et lorsque vous utilisez des objets avec lesquels vous pourriez vous faire mal. Moralement, vous voici beaucoup plus solide; d'ailleurs, vous avez l'air infiniment plus détendu.

Sentiments

Même si parfois ça discute fort, vous finissez toujours par trouver le moyen de vous entendre avec vos proches. Votre diplomatie vous aide beaucoup. Un thème clé de ce mois est certes la complicité, qui existe entre vous et votre amoureux, mais également avec vos amis.

Affaires

Ne vous fiez pas aux apparences; ce qui peut sembler irréalisable est probablement plus facile à faire que vous ne le pensiez. Avec un peu de cran, vous pourrez parvenir à une réussite que vous ne soupçonniez même pas. Une nouvelle inattendue concernant vos finances ou un projet que vous gardiez secret vous comble de joie.

Décembre						
D	L	M	M	J	V	S
1D	2	3	4●	5	6	7
8	9	10	11	12	13D	14D
15D	16F	17F	18	19○	20	21
22	23	24	25F	26F	27D	28D
29	30	31				

○ Pleine lune	F	Jour favorable
● Nouvelle lune et éclipse solaire totale	D	Jour défavorable

Santé

Dès le 2, vous serez complètement débarrassé du carré de Mars. Vous pourrez alors dire adieu aux blessures et au stress inutile. À vrai dire, vous aurez le vent dans les voiles et plus rien ne vous arrêtera. Vous vous sentez de mieux en mieux dans votre peau, vous vous souciez moins de l'opinion des autres.

Sentiments

Comme nous l'avons vu précédemment, vous êtes beaucoup plus sûr de vous, ce qui peut déranger certains égoïstes. Toutefois, ceux qui vous aiment vraiment se réjouiront de vos nouvelles dispositions et vous encourageront même à poursuivre vos démarches. Bon mois pour les amours, pour passer de bons moments avec vos amis et pour fraterniser.

Affaires

Vous continuez de gagner du terrain, mais essayez de garder les pieds sur terre. En vous croyant tout permis, vous risquez de vous attirer des ennemis. Vos finances vont bien, sauront-elles résister à vos pulsions dépensières? Ne contrevenez pas à la loi, restez loin des affaires nébuleuses et demeurez vigilant afin de ne pas égarer un objet auquel vous tenez.

VERSEAU
Du 21 janvier au 19 février

On dit souvent du Verseau qu'il est né au moins un siècle trop tôt. On le trouve original, voire plutôt excentrique, et il n'est pas toujours facile de le comprendre. Ses idées sont renversantes, osées, bref très avant-gardistes.

Le Verseau est un amateur de nouveautés: le dernier gadget trouve toujours une place dans sa cuisine, son atelier, son bureau. Les bidules, les machins, les trucs, vous les connaissez tous et vous pouvez faire découvrir bien des objets aux autres, ceux que le reste du monde ignore totalement. Et tout ça, sans parler de ce que vous avez bricolé ou «bidouillé» vous-même, parce que personne n'avait pensé à l'inventer avant vous!

Le signe du Verseau est donc associé aux nouvelles technologies, quel qu'en soit le domaine: électricité, télécommunications, satellites, informatique, énergie nucléaire et science atomique.

Le plus célèbre des Verseau, Jules Verne, a beaucoup fait jaser avec ses idées abracadabrantes, révolutionnaires pour l'époque: imaginez, il disait que l'homme pourrait voler dans un oiseau de métal, aller sur les autres planètes, voyager au plus profond des océans, creuser des tunnels sous des montagnes, regarder la télévision, et j'en passe... Certains sceptiques le tenaient pour fou. Pourtant, aujourd'hui, ces exploits ne nous étonnent plus, ils sont monnaie courante. Dans un siècle, cher Verseau, on reconnaîtra que vous étiez un visionnaire, mais en attendant, il pourra vous sembler irritant d'avoir à convaincre les autres que vous n'affabulez pas et que vos idées trouveront des applications insoupçonnées dans l'avenir.

Votre signe est également placé sous un aspect humanitaire. Dans votre cœur, il n'y a pas de frontières; l'univers entier devient votre domicile. Vous aimez tout le monde sans distinction: blancs, noirs, rouges, jaunes... ou verts extraterrestres! Peu importe la classe sociale, la religion, la race, le sexe, vous savez trouver chez les autres ce que chacun a de meilleur en soi. Pour vous, c'est l'humanité qui compte.

Et ce grand esprit de famille qui vous anime se reflète jusque dans votre cercle d'amis. Celui-ci est très diversifié et étonnant; il s'y côtoient des gens qui, hormis vous, n'auraient pas grand-chose en commun. Vous mélangez les genres: un président d'une entreprise cotée en Bourse, un violoniste de l'orchestre symphonique, une militante antimondialisation, un installateur de téléphones, une vieille missionnaire en retraite et une top-modèle. Vous mélangez les histoires, les expériences de vie et les points de vue... et votre petite soirée fera encore jaser dix ans plus tard.

Pour vous, apprendre et expérimenter, que ce soit dans votre cuisine (sans doute un laboratoire de chrome et d'acier) ou au travail, par l'éducation des petits ou en réglant les problèmes des pays en voie de développement ne sont pas des mots vides de sens. Les chemins battus, les habitudes, les manies, ce n'est pas votre genre. Vous voulez faire mieux que les autres, et avec votre coup de patte bien personnel.

Anticonformiste comme vous l'êtes, vous astreindre à respecter un budget n'est pas dans vos pratiques courantes. Vous craquez pour un objet... eh bien, vous l'achetez à crédit, et la facture viendra plus tard. Vous jouez à la bourse, mais vous oubliez la facture d'épicerie que vous devez acquitter... Vous jonglez avec votre argent comme avec vos idées.

Comme vous placez la générosité sur un piédestal, vous êtes parfois d'une grandeur magnifique. Cependant, vous sacrifier vous demande parfois beaucoup d'efforts. Vous êtes débordant d'idées, mais vous aimez laisser les autres les appliquer.

Sur le plan affectif, vous vous avouez large d'esprit... surtout quand vous n'êtes pas impliqué. Mais si, par malheur, votre conjoint prend ce principe au pied de la lettre, il risque de lui en cuire. Vous avez l'esprit ouvert, mais quand ça ne s'applique pas à vous. Indépendant, vous prônez la liberté, et l'élu de votre cœur doit l'accepter... Par contre, si lui-même accorde ses faveurs à une autre personne... aïe! La liberté a quand même des limites, n'est-ce pas? surtout celles que vous lui mettez!

Comment se comporter avec un Verseau?

Pour devenir l'amour de la vie d'un Verseau, il faut être patient, être d'abord son ami et laisser les sentiments mûrir entre vous. Si vous avez en tête l'image du petit couple charmant vivant dans une maison coquette entourée de fleurs, vous pourriez avoir une amère surprise. Cette seule pensée lui donne la chair de poule. Par contre, une tour de verre ultramoderne du centre-ville, ou une maison dont il a lui-même dessiné les plans vous attend sûrement. Ainsi, la jolie maisonnette blanche à volets bleus dans un jardinet fleuri... oubliez ça tout de suite.

Notre Verseau est anticonformiste dans l'âme et vous ne pourrez rien y faire, autant vous y habituer tout de suite. Si vous cherchez à lui parler de problèmes quotidiens, comme la fenêtre du sous-sol qui coince ou la dernière marche de l'escalier qui se fend, vous tombez plutôt mal. Le mieux est de régler ces menus problèmes vous même; il a d'autres choses plus importantes à faire, et perdre son temps pour de telles broutilles ne l'intéresse tout simplement pas.

Par contre, si vous voulez discuter du projet Guerre des étoiles de George Bush, du problème des sans-abri dans les grandes villes occidentales, de la peine de mort ou de la Première Guerre mondiale, vous tomberez sur un interlocuteur attentif et renseigné, mais de grâce, oubliez les problèmes domestiques quotidiens.

Il vous faut aussi apprendre à respecter sa liberté, à le laisser découvrir ce qui lui plaît, à accepter qu'il ait des occupations autres que les vôtres. Emboîtez-lui le pas, secondez-le et épaulez-le. Notre Verseau aime bien avoir un bon complice, mais laissez-le avoir le dernier mot. Quant à vouloir lui faire faire le grand ménage du printemps ou récurer les casseroles... laissez tomber, car vous useriez votre salive en vain.

Pour le convaincre de faire quelque chose, parlez-lui d'aider les pays défavorisés et sortez vos grandes théories humanitaires, car les arguments simples et terre à terre, il n'en a que faire. Il évolue dans la haute stratosphère, notre Verseau, bien au-dessus des banalités. De toute façon, puisque vous êtes là et que cela vous interpelle, vous vous en occuperez à sa place. Le mieux pour vous est qu'il trouve lui-même ce dont vous voulez le convaincre. Bien sûr, faites cela à son insu. De cette façon, il vous expliquera le problème avec un exemple concret, et vous aurez atteint votre but. Mais n'oubliez jamais qu'avec un natif du Verseau, il y a deux vérités: celle du monde et celle de son quotidien, et elles sont loin d'être compatibles.

Ce qui l'indispose, ce sont les plaintes, les reproches et les pressions. Se faire pousser dans le dos l'exaspère et même le fera fuir. Le meilleur moyen de vous en faire un ami est de faire comme lui, de vous joindre à sa bande, de l'accompagner dans ses sorties, de discuter à bâtons rompus des grandes théories humanistes. Et tant pis pour le tube de dentifrice mal rebouché qui gît dans le lavabo de la salle de bains.

Ses goûts

Avec une personnalité aussi originale, ses goûts ne peuvent évidemment pas être conventionnels. Ce qui choque ou surprend et surtout sera à la mode dans 10 ans seulement, voilà ce qui fait son bonheur. Bien sûr, tout le monde le trouve excentrique. Mais pour lui, il est tout à fait normal d'être à l'avant-garde, même dans sa tenue vestimentaire. Les complets-veston, ou les tailleurs bon chic bon genre, très peu pour notre Verseau. Par contre, un look hyper «flyé», affichant sa petite touche, voilà dans quoi il se sent bien. Il ne supporte pas d'être pareil aux autres. Même chez lui, regardez-y de plus près et vous découvrirez les plus récents gadgets et les inventions les plus bizarres. Il réussit même à dénicher des objets qui ne seront probablement sur le marché que trois mois plus tard.

Dans son assiette aussi, on peut y lire son goût pour l'originalité. Ainsi, même à table, il aime découvrir, innover, voire se surprendre lui-même. Des combinaisons inusitées, gâteau aux confits d'oignons, poulet à la confiture de cerises de terre, potage aux pommes et au fenouil, bref il essaie les mixtures les plus étranges. Alors, s'il vous invite à dîner, vous serez surpris, mais vous conviendrez que c'est bon... dans le genre. Malheureusement, comme notre Verseau est aussi un être très occupé, les services de restauration rapide connaissent bien son adresse.

Son potentiel

Le Verseau s'intéresse aux nouvelles technologies, à tout ce qui sort de l'ordinaire et au bien-être de l'humanité. Les domaines où il évoluera le mieux sont ceux de l'industrie aérospatiale, l'informatique, l'électronique, le génie électrique, l'invention, la futurologie, le cinéma, la télévision, la radio, mais aussi la psychologie, les sciences sociales et les arts. Il a une personnalité originale et des idées fulgurantes et brillantes jaillissent de son esprit. Il est souvent très créatif. De toute façon, quoi qu'il fasse, il ne se conformera jamais aux normes, et ce sera toujours étonnant.

Ses loisirs

Le Verseau s'intéresse à tellement de domaines que vouloir lui attribuer un ou des passe-temps n'est pas chose facile. C'est une personne polyvalente, mais la nouveauté et l'inconnu le captivent et le passionnent davantage. Il est avide de découvertes; il veut constamment apprendre, explorer, comprendre et être étonné.

De telles aptitudes lui permettent donc d'explorer à fond le monde de l'informatique, de la création par ordinateur, et même de la conception et de la programmation de machines intelligentes. Même s'il travaille dans un domaine particulier, il voudra continuer chez lui, le soir, pour approfondir ses connaissances ou faire de nouvelles trouvailles.

Les technologies de pointe l'attirent comme un aimant. Aéronautique, missions spatiales, intelligence artificielle, manipulations génétiques émoustillent sa curiosité. Il est aussi irrésistiblement intrigué par ce qui semble mystérieux, comme la spiritualité. S'il aime la lecture, il choisira certainement un ouvrage ou un magazine qui traite d'un de ces sujets.

Le Verseau a besoin de compagnie, des voir de gens, de discuter, de confronter ses idées, de régler le sort de l'humanité; il ne peut rester seul bien longtemps. Son cercle de relations s'agrandit d'année en année, et il consacre un temps considérable à sa vie en société, avec ses amis. Pour cette raison, la psychologie humaine pourrait être un autre de ses multiples champs d'intérêt. En fait, il peut s'adonner à n'importe quelle activité et y trouver du plaisir, du moment qu'il sent que son esprit est mis à contribution.

Car notre Verseau aime faire fonctionner ses neurones, tellement qu'il se plaît à inventer: il y a toujours quelque chose à «patenter», des stores verticaux à ouverture télécommandée ou un programme d'ordinateur pour composer des recettes très personnelles aux ingrédients inusités, un dévidoir électrique pour permettre au chat de se nourrir tout seul, etc. Avec lui, la science n'a pas de limites.

Et devinez quel genre de films obtient sa préférence, la science-fiction, bien entendu.

Sa décoration

Lorsqu'on franchit le seuil de sa maison, on a souvent l'impression de rentrer dans un magasin d'appareils électroniques. Son domicile est rempli de multiples gadgets qui lui simplifient la vie. Si vous voulez découvrir les plus récents appareils ménagers, par exemple ce fameux réfrigérateur qui se branche sur Internet pour passer lui-même la commande de ce qu'il manque sur ses rayons, c'est chez le Verseau que vous le trouverez en premier. En fait, il ne serait guère étonnant que sa maison soit bourrée de domotique. Elle est si moderne, si informatisée qu'on a parfois l'impression de débarquer sur une autre planète.

Le chrome, l'acier inoxydable, les métaux dépolis, la laque blanche ou noire et le granit composent un décor résolument contemporain. On dirait qu'il habite la station internationale en orbite autour de notre planète. Mais il ne se contente pas d'avoir un style futuriste. Il le personnalise, et là croyez-moi, vous n'êtes pas au bout de vos surprises. Une tapisserie du Moyen Âge pourrait bien voisiner avec un cadre d'aluminium anodisé... vide. Pour lui, l'objet ancien met le reste du décor en valeur. Bien sûr, chacun a ses goûts et ses couleurs, n'est-ce pas?

Et puis, avez-vous remarqué combien sa maison est toujours grouillante de monde; ses proches prendraient-ils son intérieur pour un musée ou pour une curiosité à voir absolument?

Son budget

Notre ami Verseau vit dans le futur. Eh bien pour son budget, c'est pareil. Il achète maintenant et paiera plus tard. La tentation est tellement forte – un nouvel appareil, un gadget qui vient de sortir –, qu'il vous est inutile de lui dire qu'il peut s'en passer. Si le bidule existe, il le lui faut, et pas dans un mois, tout de suite. Une autre partie de son argent est consacrée aussi dans l'aide à autrui; il a tellement d'amis qu'il y en a toujours un qui se trouve dans le besoin. Tout cela fait en sorte que son compte en banque est parfois à bout de souffle.

En fait, l'argent lui brûle les doigts. Ses proches et son conjoint auront beau essayer de le raisonner, l'économie... très peu pour lui. Il méprise le capitalisme: il le dit souvent à qui veut bien l'entendre. Néanmoins, il consomme diablement.

Tenez, il vient de s'acheter un nouvel ordinateur et il vient de passer des heures sur un nouveau programme de comptabilité sensé l'aider à tenir son budget... mais voilà, si le logiciel est bien au point, il n'aura ni le temps ni l'envie de s'en servir pour faire tous ces calculs idiots. Une machine pour imprimer de beaux billets bruns serait peut-être un meilleur gadget pour notre Verseau.

Quel cadeau lui offrir?

Trouver un cadeau pour un Verseau, c'est facile: tout ce qui est nouveau, électronique, à l'avant-garde lui plaira. Le problème est qu'il l'a peut-être déjà acheté lui-même. Il sait dénicher les nouveautés avant même qu'elles soient annoncées dans les journaux.

De toute façon, peu importe ce que vous pensiez lui offrir, pensez à un objet qui lui simplifiera la vie. Entre deux modèles, choisissez le plus futuriste, avec des tas de boutons, de réglages et de manettes. Vous, vous y perdriez sûrement votre latin. Lui, il trouvera comment ça marche en un clin d'œil. Un nouvel aspirateur qui sert de brosse à vêtements en même temps, une perceuse qui fait des trous carrés, bref, plus c'est bizarre, plus c'est compliqué, plus c'est nouveau, plus il l'aimera. Sans même lire le mode d'emploi, il a un flair pour comprendre comment utiliser la moindre fonction avec le maximum d'efficacité.

Le marché abonde de nouveautés; vous trouverez sûrement le cadeau idéal pour un Verseau qui a tout: un téléphone portable qui sert aussi d'appareil photo, une calculatrice avec microémetteur intégré, une montre qu'on peut utiliser comme GPS, un agenda avec écran numérique qui se branche sur Internet et permet de voir les enfants à la garderie... enfin, visez le plus bizarre des cadeaux high-tech, et vous tomberez dans le mille.

Les enfants Verseau

Éveillés, curieux, avides d'apprendre, les petits bouts de chou Verseau aiment être entourés, avoir beaucoup de monde autour d'eux et, forcément, ils sont le centre d'attention de tous, car ils sont dynamiques. Au fil des années, ce seront des enfants très sociables, avec plein de copains. Ces derniers ne seront pas toujours de votre quartier et vous ne les apprécierez pas forcément, mais votre petit Verseau aime la diversité, ce qui est différent. De plus, il a l'âme humanitaire; ne l'oubliez pas.

Comme il aime être entouré, la garderie ne lui fera pas peur, et il ramènera sa bande à la maison. Les jouets qu'il préférera seront ceux qu'il pourra monter et démonter à loisir, et même transformer au gré de sa fantaisie, car il adore bricoler, «patenter». Les avions, les fusées, les jeux électroniques, les consoles Nintendo, les jeux vidéo ou les sites Internet, voilà de quoi le tenir fort occupé, pendant des heures.

Il faudrait toutefois essayer de lui inculquer le respect de certaines valeurs plus traditionnelles. Il n'est pas facile, notamment, de lui apprendre à demeurer à l'écoute des autres, de ses proches. C'est bien beau d'avoir des idées humanitaires, de vouloir sauver la planète et les Indiens d'Amazonie, mais ses parents ne sont pas simplement là pour nettoyer sa chambre et lui donner de l'argent pour s'acheter le plus récent logiciel. Le respect des autres commence à la maison; lorsqu'il aura compris cela, il mettra son esprit inventif et ses capacités au service de sa famille, pour votre plus grande joie.

L'ado Verseau

Tu es un anticonformiste né; ton comportement, ta personnalité et tes idées surprennent ton entourage. Tu possèdes une intelligence aiguë, un esprit avant-gardiste, presque futuriste. Tu demeures à l'affût des nouvelles tendances et tu t'intéresses à tout ce qui est inédit. Tu es vif d'esprit, et il ne te faut pas longtemps pour comprendre quelque chose et même l'adapter à tes besoins. Tes champs d'intérêt sont tellement vastes – tu en découvres de nouveaux chaque jour –, qu'il est impossible d'en faire la liste.

Une telle personnalité ne te permet pas de passer inaperçu. De toute façon, ce n'est pas ce que tu recherches; tu aimes au contraire être bien entouré, et tu veux que ton originalité soit reconnue. Tu y arrives bien souvent. Comme tu es très indépendant, l'ordre établi et les conventions t'énervent.

Tu trouves que les gouvernements de la planète ne font pas grand-chose de constructif, et comme tu ne veux pas être écrasé par le système, tu développes un sens de la répartie, de l'idéalisme, de la justice sociale et de la liberté plus grand que les autres.

Tu aimes beaucoup les gens; tu t'entoures d'un tas de copains qui occupent une place importante dans ta vie. Mais cela ne veut pas dire que tu fais des compromis pour qu'on t'aime. En fait, on te reproche même de ne pas être assez affectueux et démonstratif. Mais pour toi, prouver tes sentiments ne se fait pas seulement avec des câlins.

Comme tout ce qui est à l'avant-garde t'attire, les jeux électroniques, l'informatique, les instruments de musique nouveau genre ou les gadgets inusités, remplissent ta chambre. Tu passes aussi beaucoup de temps, penché au-dessus de toutes ces bricoles. Tu aime les monter, démonter, remonter pour en faire autre chose, bref, tu es ingénieux et bricoleur et tu inventes constamment.

Cependant, et c'est étonnant, les objets comptent très peu pour toi; tu les utilises à pleine capacité et puis, lorsqu'ils ne te servent plus, tu les oublies. Tes proches déplorent ton manque de sens pratique et tes dépenses... Mais, finalement, pour toi, les gens et les idées passent avant tout.

Tes études

Tu apprends très facilement dans n'importe quel domaine, du moment que ton intérêt est stimulé. Les programmes scolaires stricts et les cours obligatoires sans intérêt ne sont pas pour toi. Le problème, c'est que beaucoup de sujets retiennent ton attention.

Mais dès que tu as trouvé le «pourquoi du comment», tu passes à autre chose et délaisse ce qui te passionnait quelques semaines plus tôt.

La vie étudiante t'intéresse plus que les études elles-mêmes. Pourtant, tu as beaucoup de talent, et si tu parviens à te fixer une direction et à la maintenir, tu pourrais réaliser de grandes choses pour la collectivité. En fait, je te conseille de dénicher un domaine qui sorte de l'ordinaire... tu y seras imbattable.

Ton orientation

Il n'est pas facile de choisir son orientation, il y a tellement de choses intéressantes et de métiers d'avenir. Heureusement, tu es capable de voir à long terme, si tu t'en donnes un peu la peine. Les deux champs d'intérêt où tu pourrais le mieux exprimer tes talents sont le travail social et les nouvelles technologies. Tu pourrais donc exceller dans tout ce qui est psychologie, criminologie, syndicalisme, justice, politique, journalisme, télévision, radio, cinéma, marketing, électronique, astrologie, informatique, astronautique, technologies de pointe, génie, électricité, aéronautique, domotique, robotique, ou même futurologie, nanotechnologie, vie artificielle, etc. Quoi que tu fasses, tu mettras souvent au point une méthode ingénieuse et inédite pour réussir.

Tes rapports avec les autres

Tu as de nombreux camarades et vous formez un groupe peu ordinaire; c'est le moins qu'on puisse dire. Les préjugés n'ont aucune emprise sur toi; tu choisis les gens qui t'entourent sans tenir compte de leur statut, de leurs origines et encore moins des rumeurs sur l'un ou sur l'autre. Pour cette raison, ton cercle d'amis est un peu disparate, mais il est le reflet de la société, et cette diversité est pour toi une source constante de découvertes. Tu passes énormément de temps avec tes copains, à discuter, à échanger et à refaire le monde. Pour toi, l'amitié n'est pas un mot dénué de sens.

Pensée positive pour le Verseau

Je suis un être unique et je remercie la vie de me faire vivre des expériences uniques. Je suis en harmonie avec la création.

Pensée positive spéciale pour 2002

Je sais que tout ce que j'ai semé se met à produire des résultats merveilleux, j'accepte maintenant les étapes que j'ai traversées.

Le subconscient nous dirige toujours selon nos pensées. En répétant le plus souvent possible ces pensées conçues tout spécialement pour vous, vous vous attirerez plein de belles choses.

Signe: Verseau

Élément: Air

Catégorie: Fixe

Symbole: ♒

Points sensibles: Cheville, jambe, varices, enflures, chutes, crampes, engoudissements, système cardio-vasculaire.

Planète maîtresse: Uranus, planète des nouvelles technologies.

Pierres précieuses: Améthyste, saphir étoilé, ambre.

Couleurs: Pêche, turquoise et tous les tons de bleu.

Fleurs: Mandragore, oiseau de paradis, toutes les fleurs inhabituelles... À moins qu'il n'en invente!

Chiffres chanceux: 4-8-13-16-21-22-34-37-44-48

Qualités: Avant-gardiste, indépendant, original, plein d'humanité, intelligent, compréhensif, sans préjugés, désintéressé, en avance sur son temps.

Défauts: Instable, indifférent, anarchiste, peur de s'attacher, refus des responsabilités, difficultés avec le budget.

Ce qu'il pense en lui-même: Si je n'avais pas été là, les voitures seraient encore tirées par des chevaux...

Ce que les autres disent de lui: Il ne pourrait pas faire comme les autres pour une fois?

Plusieurs planètes influencent favorablement votre signe. Entre autres, Saturne vous permet de retrouver la sérénité ainsi que la stabilité nécessaires à votre épanouissement. En plus d'avoir la maîtrise de votre destinée, vous pouvez penser à long terme, vous pouvez faire des plans pour le futur. Sans avoir pris un coup de vieux, on peut dire que vous vous êtes assagi; non pas que vous soyez devenu ennuyant, mais plutôt vous avez acquis de la maturité. En effet, vous vous connaissez mieux, et surtout vous vous compliquez bien moins la vie!

Santé

Le cycle de récupération et de découverte de vous-même se poursuit, quelle belle évolution! Si, éventuellement, vous avez besoin d'accompagnement professionnel pour retrouver votre équilibre physique ou émotionnel, sachez que vous pourriez enfin trouver la personne susceptible de vous aider, particulièrement durant la première moitié de l'année. Au cours des cinq derniers mois, vous serez un peu plus enclin au laisser-aller, à la gourmandise; c'est bien de s'offrir une gâterie ou de se payer du bon temps, mais tout de même, ne vous négligez pas trop.

Sentiments

2002 sera une année pour approfondir vos sentiments et pour vous stabiliser. Vous vivrez donc un important rapprochement avec votre partenaire mais aussi avec vos amis et certains membres de votre famille. Par contre, vous n'êtes vraiment plus disposé à jouer à la marionnette qui se plie aux caprices de tout un chacun; ceux de qui vous vous rapprocherez auront su mériter votre affection. Si vous êtes seul, une amitié amoureuse pourrait transformer le cours de votre existence. Vous avez de moins en moins envie de vous étourdir dans les foules ou les gros regroupements; vous préférez de beaucoup les événements plus intimes.

Affaires

Après plusieurs années d'incertitude et parfois même d'instabilité, vous trouvez votre voie. Tout en conservant votre goût de l'inédit et du non conventionnel, vous penchez de plus en plus vers quelque chose de solide, voire de durable; d'ailleurs, les démarches que vous ferez en ce sens donneront d'excellents résultats. Votre carrière connaît donc un bel essor; quant à vos finances, elles aussi devraient se stabiliser. Vous ferez des économies, vous vous débarrasserez de vos dettes, et vous songerez peut-être à un gros investissement. Les études et les cours de perfectionnement sont aussi à l'honneur.

Janvier

D	L	M	M	J	V	S
		1	2	3	4	5F
6F	7D	8D	9	10	11	12
13●	14	15	16	17	18	19
20	21	22D	23D	24D	25F	26F
27	28○	29	30	31		

○ Pleine lune   F Jour favorable
● Nouvelle lune   D Jour défavorable

Santé

Un début d'année plutôt encourageant. Votre forme physique est stable; elle pourrait même s'améliorer dans la deuxième partie de mois. Psychologiquement, vous passez par toute une gamme d'émotions; vous allez de la plus grande joie à la mélancolie, d'un optimisme débordant à l'angoisse de vivre. Heureusement, les périodes sombres ne durent jamais longtemps.

Sentiments

Du 19 janvier au 12 février, Vénus parcourra votre signe. Voilà plus qu'il n'en faut pour faire redémarrer vos amours; une belle rencontre pour les solitaires et un magnifique rapprochement pour les autres. En plus de ce bonheur intime, vous recevez une multitude d'invitations et plein de petites gâteries.

Affaires

C'est grâce à votre ingéniosité ou à la richesse de votre argumentation que vous ferez des progrès; ces mêmes dispositions pourraient aussi vous permettre de vous sortir d'une impasse. Vos finances évoluent en dents de scie, mais rien de tragique… à condition de ne pas envenimer les choses en vous lançant à l'assaut des magasins.

Février						
D	**L**	**M**	**M**	**J**	**V**	**S**
					1	2F
3F	4D	5D	6	7	8	9
10	11	12●	13	14	15	16
17	18D	19D	20D	21F	22F	23
24	25	26	27○	28		

○ Pleine lune		F	Jour favorable
● Nouvelle lune		D	Jour défavorable

Santé

Par moments, le moral fait encore des siennes, mais ce n'est rien comparé au mois passé. La présence de Mars dans votre troisième secteur vous donne le goût de bouger, de sortir et même de faire de l'exercice. C'est une excellente idée qui augmentera certainement votre vitalité. Bon mois donc pour tonifier votre santé ou pour une remise en beauté.

Sentiments

Je vous rappelle que Vénus préside à vos amours jusqu'au 12 et que, par conséquent, le bonheur est à votre portée. Il ne vous reste qu'à le saisir. En société, ça demeure enlevant, vous n'avez absolument pas le temps de vous ennuyer. Une bonne nouvelle provenant d'un parent vous remplit de joie.

Affaires

Votre dynamisme vous ouvre toutes les portes. Le mois se prête parfaitement aux démarches, aux recherches d'emploi, aux déplacements et aux négociations. N'hésitez pas à vous mettre en vedette, tirez des bénéfices de ce que vous faites, rien ne sert d'être trop humble. Vos finances commencent à se stabiliser.

Mars						
D	L	M	M	J	V	S
					1F	2F
3D	4D	5	6	7	8	9
10	11	12	13	14●	15	16
17	18D	19D	20F	21F	22F	23
24	25	26	27	28○	29F	30F
31D						

○ Pleine lune   F Jour favorable
● Nouvelle lune   D Jour défavorable

Santé

L'arrivée de la planète Mars dans votre quatrième secteur vous rend plus vulnérable. Prenez davantage de précautions dans vos déplacements et lorsque vous manipulez des objets avec lesquels vous pourriez vous faire mal. En renforçant votre système immunitaire et en prenant le temps de vous relaxer, vous pourrez déjouer la conjoncture.

Sentiments

Du 8 au 31, vous ferez de nombreuses rencontres; bon temps également pour renouer avec d'anciens copains que vous aviez négligés. Votre conjoint est souvent sur les nerfs; abordez-le avec humour, et vous le dériderez aisément. Un parent vous cause quelques inquiétudes.

Affaires

Vous aimeriez avoir plus de pouvoir sur la situation. Malheureusement, vous n'êtes pas en position de force et vous devez plier à ce que les autres ou la destinée décident pour vous. Au lieu d'aller à contre-courant, jouez la carte de la souplesse et profitez-en pour faire le point sur votre avenir.

Avril						
D	**L**	**M**	**M**	**J**	**V**	**S**
	1D	2	3	4	5	6
7	8	9	10	11	12	13●
14D	15D	16F	17F	18F	19	20
21	22	23	24	25F	26○F	27D
28D	29	30				

○	Pleine lune	F	Jour favorable
●	Nouvelle lune	D	Jour défavorable

Santé

L a quadrature de Mars perdure jusqu'au 14; vous devez donc absolument rester sur le qui-vive; en agissant de la sorte, vous demeurerez à l'abri des blessures et des malaises. Psychologiquement, vous traînez un peu de la patte; toutefois, si vous coupez avec le passé et si vous cessez de vous en faire pour tout le monde, vous vous en sortirez haut la main.

Sentiments

A vec la famille, ça demeure compliqué, du moins pendant la première quinzaine. Votre conjoint n'est pas à prendre avec des pincettes. Heureusement qu'il y a les amis pour vous changer les idées. Allez donc vers les autres et profitez des invitations à répétition qu'on vous lance.

Affaires

L a première moitié du mois est décevante, vous avancez avec peine et ne savez plus trop où vous en êtes. Par la suite, le climat changera radicalement; vous vous mettrez à faire de gros progrès et votre flair vous guidera dans la bonne direction. Cette période serait favorable pour amorcer un virage ou pour commencer à vous assurer un bon avenir.

301

Verseau

Mai						
D	**L**	**M**	**M**	**J**	**V**	**S**
			1	2	3	4
5	6	7	8	9	10	11D
12●D	13D	14F	15F	16	17	18
19	20	21	22	23F	24F	25D
26○D	27	28	29	30	31	

○ Pleine lune et éclipse lunaire de pénombre   F Jour favorable
● Nouvelle lune   D Jour défavorable

Santé

Vous n'avez rien à redouter de l'éclipse: assez curieusement, alors que plusieurs s'en trouvent incommodés, vous allez de mieux en mieux. Psychologiquement aussi, vous faites d'énormes progrès, vous retrouvez votre équilibre, et vous vous sentez beaucoup moins ballotté.

Sentiments

Les astres jouent pour vous. Les couples se resserrent alors que les personnes seules découvrent quelqu'un de compatible avec elles. Vous trottez constamment, vous revoyez vos anciens amis et vous en faites même de nouveaux. Parlant d'amis, il y en a un qui traverse actuellement une grosse épreuve et qui a bien besoin de votre aide.

Affaires

Après quelques semaines à tourner en rond, voici que la conjoncture favorise toutes vos entreprises. Le moment est venu d'aller de l'avant, de mettre vos projets en marche, de faire des démarches. Vos déplacements sont eux aussi favorisés. Seul hic, un bris ou une panne vous oblige à dépenser une somme que vous n'aviez pas prévue.

Juin						
D	**L**	**M**	**M**	**J**	**V**	**S**
						1
2	3	4	5	6	7	8D
9D	10●F	11F	12	13	14	15
16	17	18	19F	20F	21D	22D
23	24○	25	26	27	28	29
30						

○ Pleine lune et éclipse lunaire de pénombre   F Jour favorable
● Nouvelle lune et éclipse solaire annulaire   D Jour défavorable

Santé

Votre moral est excellent; pas de souci de ce côté. Physiquement, vous allez fort bien, mais ce mois-ci, vous devrez probablement faire quelques efforts pour conserver la forme. Ce sont les excès qui risquent de vous faire du tort, toutefois si vous faites preuve de modération, tout ira comme sur des roulettes.

Sentiments

Vous trouvez toujours les mots justes pour remonter le moral d'un proche, pour faire plaisir aux autres et pour vous attirer de nouvelles amitiés. Durant la seconde quinzaine, votre conjoint se montrera particulièrement doux et attentionné. Vous entendez parler des difficultés que vit un parent éloigné; ça ne vous touche guère.

Affaires

Ce mois s'annonce très occupé. Si vous pensiez vous tourner les pouces et profiter du beau temps, détrompez-vous. Une proposition pour un contrat, un à-côté, un nouvel emploi ou des heures supplémentaires viendront arrondir votre budget. Votre souci des détails et votre grande créativité vous mettent en vedette.

Juillet

D	L	M	M	J	V	S
	1	2	3	4	5D	6D
7F	8F	9F	10●	11	12	13
14	15	16F	17F	18D	19D	20
21	22	23	24○	25	26	27
28	29	30	31			

○ Pleine lune F Jour favorable

● Nouvelle lune D Jour défavorable

Santé

La première quinzaine est dénuée de problème; par la suite, vous subirez une opposition de Mars, un transit assez délicat. Vous pourrez toutefois en venir à bout pour peu que vous preniez certaines précautions; faites attention donc de ne pas vous blesser ni de contracter une infection. Pendant cette même période, vos nerfs pourraient vous jouer des tours.

Sentiments

Jusqu'au 14, tout ira comme dans le meilleur des mondes; vous entretiendrez des liens chaleureux avec tous. Par la suite, vous devrez mettre des gants blancs pour ne pas froisser votre entourage, qui se montrera particulièrement susceptible. Le comportement d'un proche vous met hors de vous, mais là encore, il vaut mieux ne pas trop parler.

Affaires

Bien entendu, si vous avez quelque chose de gros à demander ou à faire, vous avez tout intérêt à agir durant la première moitié du mois. Bien que ce ne soit pas la catastrophe ensuite, vous aurez à déplorer des retards et pourriez même vous heurter à quelques obstacles. Soyez souple.

			Août			
D	**L**	**M**	**M**	**J**	**V**	**S**
				1D	2D	3D
4F	5F	6	7	8●	9	10
11	12F	13F	14D	15D	16	17
18	19	20	21	22○	23	24
25	26	27	28D	29D	30D	31F

○ Pleine lune	F	Jour favorable
● Nouvelle lune	D	Jour défavorable

Santé

Tout le mois est sous l'influence de l'opposition de Mars, voici pourquoi vous ne pouvez pas vous permettre de relâcher votre vigilance. Aussi, comme Jupiter arrive dans le décor, vous devriez également éviter les abus. Une fois la première semaine écoulée, votre moral devrait être meilleur.

Sentiments

Du 7 août au 8 septembre, vous jouirez d'un transit très avantageux de Vénus, grâce auquel les solitaires rempliront le vide de leur existence, tandis que les autres retomberont amoureux de leur partenaire. En société aussi, ça promet; vous vivrez une période enlevante. Seule ombre au tableau, une personne agressive vous tombe dessus.

Affaires

Durant la première semaine, c'est le chaos total. Le reste du mois n'est pas facile, mais au moins vous trouverez des moyens de vous en sortir. Fiez-vous à votre flair afin de ne pas investir de temps et d'énergie là où ça n'en vaut pas la peine. Votre brillante personnalité vous permet de tirer votre épingle du jeu.

Septembre						
D	L	M	M	J	V	S
1F	2	3	4	5	6●	7
8	9F	10F	11D	12D	13	14
15	16	17	18	19	20	21○
22	23	24	25D	26D	27F	28F
29F	30					

○ Pleine lune   F   Jour favorable
● Nouvelle lune   D   Jour défavorable

Santé

Le vent tourne complètement. D'une part, vous êtes libéré des menaces de blessures, d'autre part vous avez des nerfs d'acier et des réflexes très vifs. Il ne reste que les excès à proscrire, ce qui n'est pas évident, car depuis quelque temps, vous êtes très enclin à la gourmandise.

Sentiments

Je vous rappelle que d'ici le 8, tous les espoirs sont permis en amour; par la suite, vous pourrez conserver ce bonheur intime en usant de délicatesse et en étant à l'écoute de votre chéri. Le téléphone ne dérougit pas: on vous invite à gauche et à droite, un revenant vous donne même signe de vie.

Affaires

Le moment est venu de tourner certaines pages et de vous orienter différemment. Vous cherchez à vous affranchir de certaines contraintes et y arrivez fort bien; votre besoin d'autonomie et d'indépendance est presque comblé. La dépense ne vous pèse pas au bout des doigts; vous y allez peut-être un peu fort!

Octobre

D	L	M	M	J	V	S
		1	2	3	4	5
6●F	7F	8D	9D	10	11	12
13	14	15	16	17	18	19
20	21○	22D	23D	24D	25F	26F
27	28	29	30	31		

○ Pleine lune		F	Jour favorable
● Nouvelle lune		D	Jour défavorable

Santé

L e stress ne semble pas avoir d'emprise sur vous. Vous êtes devenu bien philosophe! Sur le plan physique, la première quinzaine est assez bonne. Par contre, la deuxième s'annonce fantastique; vous ferez preuve d'un dynamisme et d'une robustesse hors du commun. Bonne période pour vous prendre en main.

Sentiments

L es frictions disparaissent pour faire place à un climat beaucoup plus harmonieux. Vous vous entendez à merveille avec vos rejetons et les autres jeunes de votre famille ainsi qu'avec vos amis; une vie mondaine animée vous permet même d'en découvrir de nouveaux, particulièrement du 16 au 31.

Affaires

C 'est assurément la deuxième moitié du mois qui constitue votre période la plus chanceuse. Vous obtiendrez alors du succès dans vos activités et vos démarches; d'ailleurs, une réponse positive que vous recevrez vous permettra d'envisager le futur avec davantage de sérénité. Tout serait parfait si les magasins ne vous tentaient pas autant…

Novembre						
D	**L**	**M**	**M**	**J**	**V**	**S**
					1	2
3F	4●F	5D	6D	7	8	9
10	11	12	13	14	15	16
17	18D	19○D	20D	21F	22F	23
24	25	26	27	28	29	30F

○ Pleine lune et éclipse lunaire de pénombre   F Jour favorable
● Nouvelle lune   D Jour défavorable

Santé

Sur le plan physique, vous avez tous les atouts en main pour jouir pleinement de la vie. Pourquoi ne pas en profiter pour pousser les choses un peu plus loin? Ce serait une période en or pour prendre des résolutions ou pour mettre de l'ordre dans vos habitudes de vie. L'éclipse n'affecte que votre système nerveux. Toutefois, ça se replace après le 20.

Sentiments

Une invitation n'attend pas l'autre; vous voyez plein de monde. Ce qui est étonnant, c'est que vous entretenez des rapports extrêmement agréables avec les gens que vous ne voyez pas très souvent; pourtant, aussitôt qu'on s'approche un peu de vous, on vous tape sur les nerfs… Pas drôle pour votre entourage!

Affaires

Vous avez le vent dans les voiles. Même si ce n'est pas du premier coup, vous finirez par obtenir tout ce que vous désirez, car en ce mois, la ténacité est votre meilleur atout. Les démarches et les déplacements d'affaires ou de loisirs donnent des résultats encourageants. Une rentrée d'argent inopinée fait votre bonheur.

Décembre						
D	**L**	**M**	**M**	**J**	**V**	**S**
1F	2D	3D	4●	5	6	7
8	9	10	11	12	13	14
15	16D	17D	18F	19○F	20	21
22	23	24	25	26	27F	28F
29D	30D	31				

○ Pleine lune	F Jour favorable
● Nouvelle lune et éclipse solaire totale	D Jour défavorable

Santé

Les aspects planétaires ont quelque chose d'agaçant. Cependant, si vous y mettez du vôtre, vous pourriez en venir à bout. Pour ce faire, vous devrez être vigilant pour éviter de vous blesser, proscrire les excès et soigner vos bobos sans tarder. La prévention est votre meilleure arme.

Sentiments

Jusqu'au 20, vos relations interpersonnelles ne sont pas évidentes. Ça ne prend pas grand-chose pour mettre le feu aux poudres et vous faire sortir de vos gonds; quand ce n'est pas vous qui piquez une colère, c'est un proche. Heureusement, la fin du mois est bien meilleure, et vous pourrez donc célébrer dans la joie.

Affaires

Les gestes irréfléchis, les dépenses impulsives ainsi que votre naïveté risquent de vous jouer des tours. Soyez donc sur vos gardes. Au travail, ça ne dérougit pas: vous ne savez plus où donner de la tête et parfois vous trouvez qu'on vous en demande trop. Une personne qui vous nuisait sort soudainement du décor.

POISSONS
Du 20 février au 20 mars

 Votre signe est marqué du sceau de la sensibilité. Vous pouvez passer des éclats de rire aux larmes en peu de temps. Vos yeux ont toujours un petit quelque chose qui trahit votre richesse émotive exceptionnelle. Vous êtes énormément touché par ce qui se passe autour de vous. L'attitude de votre conjoint, les tendres attentions de vos enfants, le comportement de vos collègues ou de vos voisins, tout cela vous remue au plus profond de votre être. Vous vivez les émotions à 100 %, qu'elles se déroulent sur le petit ou le grand écran.

En plus de vous pouvez votre émotivité à fleur de peau, vous êtes aussi une personne empreinte d'une générosité presque sans bornes. Vous voulez que tous soient heureux autour de vous et même ailleurs dans le monde. Vous êtes prêt à donner jusqu'à votre dernière chemise pour réaliser un rêve bien utopique. Avec une telle façon de penser et d'agir, vous mettre vous-même dans l'embarras. À force de tout donner pour aider les autres, il peut vous arriver de vous retrouver dans le besoin.

Mélancolique et souvent rêveur, le Poissons n'est guère intéressé par le côté terre à terre des choses. Les activités domestiques quotidiennes et même votre travail ne mobilisent pas votre énergie, on pourrait penser que vous manquez d'ambition, que vous vous laissez porter par les événements, alors que pour vous ce sont les sentiments qui comptent avant tout et qui régissent votre vie et vos actes.

Doux et bienveillant avec tout le monde, vous savez prêter une oreille attentive et remonter le moral à ceux qui ont des problèmes. Ces derniers vous choisissent pour confident, et ce, même lorsque vous-même n'êtes pas au mieux de votre forme. Quelle que soit l'heure du jour ou de la nuit, vous êtes prêt à accorder temps et énergie à ceux qui sont dans le besoin; c'est pourquoi les soins prodigués à autrui vous conviennent très bien. Vous avez une âme de mission-naire, et c'est vrai jusque dans vos relations avec les autres.

Malheureusement, votre bonté et votre altruisme sont si forts que les gens tiennent souvent votre gentillesse pour acquise et n'essaient pas de la mériter. Il n'est pas rare que vous aidiez quelqu'un à sur-monter une difficulté. Après avoir porter secours à quelqu'un, vous vous retrouvez seul alors que vous auriez à votre tour besoin d'un petit coup de pouce. Vous êtes alors déçu. Pourtant, vous gardez néanmoins le cœur sur la main et vous êtes prêt à aider à nouveau si le besoin s'en fait sentir.

Pour vous, la vie matérielle est bien secondaire. Vivre dans une petite maison délabrée ne vous effraie pas, du moment qu'elle soit remplie d'amour. Les disputes, les engueulades, la méchanceté ou l'indifférence vous perturbent; il est donc essentiel pour vous de rechercher un entourage de gens positifs et attentionnés.

Vous êtes si sensible, si malléable, que vous vous laissez facilement happer par les autres, manipuler même. De mauvaises influences peu-vent vous causer beaucoup de tort. Vous ne vous fâchez que rarement, lorsque vous constatez à quel point on abuse de vous; vous préférez vous plaindre, vous lamenter tout en refusant de faire de la peine à ceux qui vous blessent... Vous êtes si sensible que pour oublier vos cha-grins, vous pourriez avoir recours à l'alcool ou à différentes drogues pour calmer votre peine. Pourtant, au fond de vous, vous savez bien que s'évader de cette façon ne règle jamais rien, au contraire.

Votre plus grand problème est que vous en faites trop pour être aimé, et vos si belles qualités deviennent alors vos pires défauts.

Vous êtes sensible, bienveillant et gentil. Vous pouvez compter sur une imagination fertile et une vie spirituelle très riche, car vous avez souvent des dons pour pressentir les choses. Vous avez des prémo-nitions ou du moins une intuition fantastique; vous devez veiller à mettre toutes ces qualités à votre service et pas seulement à celui des autres. Car comme vous avez tendance à laisser aller les choses, à attendre que les problèmes se règlent d'eux-mêmes, à tout remettre au lendemain, vous pâtirez souvent de ce trait de votre personnalité. Malgré tout, comment vous en vouloir, cela fait partie de votre petit côté bohème que l'on trouve si charmant.

Comment se comporter avec un Poissons?

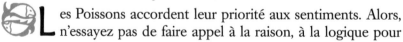 **L**es Poissons accordent leur priorité aux sentiments. Alors, n'essayez pas de faire appel à la raison, à la logique pour

démontrer votre point de vue si son cœur lui en dicte d'autres; vous perdrez votre temps à essayer de le convaincre. Pour lui, la vie courante, les plans de carrière, les affaires personnelles sont avant tout une question de sixième sens; il se fie beaucoup plus à son intuition qu'à la réflexion pure.

Donc, pour convaincre un Poissons de se ranger à votre avis, prenez-le plutôt par les sentiments et jouez sur le plan des émotions. Dites-lui que ça vous ferait plaisir, que ses proches seraient fiers de lui, qu'il dépannerait untel, et le tour sera joué. Généreux et affable avec tous, le Poissons veut rendre le monde entier heureux et a bien du mal à dire non.

Romantique comme pas deux, il a aussi une petite tendance à la nonchalance; il a besoin de moments de répit pour se ressourcer, car sa vie émotive est son carburant.

Puisqu'il n'est pas très énergique, notre ami Poissons a souvent besoin de se faire pousser dans le dos, de se faire rappeler ses obligations, si peu importantes pour lui. Par contre, vous ne trouverez sans doute jamais quelqu'un qui vous aimera plus que lui et qui sera, comme lui, toujours prêt à vous secourir, à vous consoler et à vous dorloter.

Ses goûts

Les goûts du Poissons reflètent bien sa personnalité bohême. Il accorde peu d'intérêt à son apparence et opte donc souvent pour de vieux vêtements confortables mais romantiques. Avec lui, c'est le confort qui prime, et suivre la mode n'est pas dans ses priorités. Il préfère vagabonder pieds nus et se déchausse à la première occasion, parfois même en public. Chez lui, c'est la même chose, son intérieur n'est peut-être pas impeccable, mais on s'y sent si bien!

Notre beau Poissons aime bien manger, et la gourmandise pourrait être son principal défaut. Par contre, c'est le convive idéal, car il appréciera tout ce que vous lui servirez et se resservira fort probablement. S'il suit un régime amaigrissant, permettez-lui de tricher à l'occasion; il sera ravi de succomber à la tentation.

Son potentiel

Sa richesse émotive et son grand cœur lui permettent d'envisager le travail social, la médecine, les soins à autrui, que ce soit dans les domaines médicaux, paramédicaux, la police, l'armée ou la marine, à moins qu'il ne se dirige vers les milieux hospitaliers ou carcéraux; notre Poissons a besoin de se rendre utile. Les commerces de boisson ou d'alcool lui conviennent aussi tout à fait; s'il est barman, il portera toujours une oreille attentive à ses clients.

C'est également un être doté d'un talent artistique indéniable, son intuition lui permettant d'appréhender un autre monde, celui de l'imaginaire. Il se révélera aussi très à l'aise dans ce qui a trait à la religion, aux sciences occultes et au paranormal. Le Poissons possède un potentiel énorme. Malheureusement, sa nonchalance, voire sa paresse, l'empêchent de se réaliser pleinement et de développer totalement ses innombrables capacités.

Ses loisirs

Il aime passer d'agréables moments en compagnie de ses amis, de sa famille, autour d'une bonne table, peut-être avec un verre ou deux d'un excellent vin.

Comme il est sensible et qu'il se montre une «bonne oreille», tout le monde lui confie ses petits malheurs. S'il peut aider quelqu'un ou faire du bien autour de lui, il en sera ravi. Sa sensibilité et son goût inné pour toutes les formes d'expression de la beauté font de lui un fervent admirateur des arts et de la musique, et il pourrait s'y adonner lui-même avec bonheur et succès.

La vie spirituelle, la parapsychologie, les sciences occultes, l'astrologie ou la métaphysique l'intéressent vivement. Il ne sera donc pas rare de le voir plonger pendant de longs moments dans un livre sur l'un de ces sujets. Il pourrait aussi passer quelques soirées à assister à des conférences traitant de ces domaines. Il a une excellente intuition et pourrait exceller dans des activités relevant de ces matières ésotériques.

Mais notre Poissons est surtout un adepte du farniente, de la douce oisiveté. Rester des heures à rêvasser, sans rien faire de particulier ne le dérange nullement. À quoi peut-il donc rêver ainsi?

Sa décoration

Ni très grande ni très somptueuse, sa demeure est cependant si chaleureuse, si invitante qu'on s'y attarde souvent plus qu'on ne l'avait prévu au départ.

Le Poissons nous y accueille à bras ouverts, ravi de voir quelqu'un qu'il pourra dorloter. Et puis se vautrer dans ses fauteuils moelleux est si agréable qu'on a bien du mal à les quitter.

Le décor de notre Poissons est plutôt romantique: belles dentelles, fleurs séchées, fin cristal et photos attendrissantes. Et puis, s'il pense aux petites douceurs de l'âme, celles du palais ne sont pas en reste: vous y découvrirez une jolie boîte de biscuits, une bonbonnière remplie de gâteries... Il y a peut-être un peu de poussière çà et là, mais qu'importe, on est si bien qu'on oublie vite ce petit détail pour profiter de tout le reste. Et puis, cela ajoute au charme de notre tendre Poissons.

Son budget

Puisqu'il évolue dans la sphère élevée des sentiments, budgétiser n'est pas le souci premier de notre cher Poissons. Ses affaires sont plutôt fluctuantes, mais il ne s'en préoccupe pas trop.

Si sa vie financière prend souvent l'allure de montagnes russes; son imprévoyance n'est pas en cause, c'est plutôt son grand cœur et sa confiance démesurée qui peuvent mettre son portefeuille à rude épreuve. Il se trouve toujours quelqu'un autour de lui qui est mal pris – ou, hélas, mal intentionné – pour tirer de lui de l'argent ou une faveur. Et comme il a du mal à dire non, notre Poissons finit immanquablement par se retrouver à tirer le diable par la queue.

Il faudrait qu'il fasse quelques efforts et, surtout, qu'il apprenne à se protéger en affaires, s'il veut mieux équilibrer son budget. La première étape pour y parvenir est de refuser catégoriquement de prêter de l'argent ou d'endosser un prêt, ce qui n'est guère facile à lui faire comprendre. Il doit aussi apprendre à se méfier de sa crédulité et à demander des garanties, car il fait trop rapidement confiance au genre humain. Et le pire, c'est que ce sont souvent ceux en qui il a le plus confiance qui se défilent au moment de le rembourser. Sa générosité n'est pas toujours payée de retour et il doit apprendre à penser un peu à lui plutôt que de trop gâter les autres. Notre Poissons au grand cœur devrait apprendre à durcir un peu ses positions, mais est-ce bien envisageable dans son cas?

Quel cadeau lui offrir?

De tout le zodiaque, notre Poissons est sans doute la personne la plus facile à satisfaire: un rien le ravit. Si votre présent fait vibrer ses émotions, il le chérira longtemps. Laissez tomber les cadeaux pratiques et terre à terre, ce n'est pas la peine d'arriver avec un ouvre-boîte électrique, même s'il en a besoin. Même l'inutile le ravit. Offrez-lui des fleurs, une vieille photo agrandie, une carte, peu importe. Ce qui compte d'abord pour lui, c'est l'attention, que vous ayez pensé à lui le mettra dans un état d'extase.

Évidemment, une boîte de bonbons, de chocolats fins, une belle bouteille de chartreuse ou de génépi l'emballeront... Mais, allez-y avec modération, car notre beau Poissons succombe facilement à la tentation. Tenez, essayez de lui proposer des confiseries santé, par exemple des pâtes de fruits; il appréciera cette attention particulière.

Puisqu'il aime la musique douce, vous pouvez aussi lui offrir des cassettes ou des disques compacts de chansons romantiques, de musique Nouvel Âge, des versions instrumentales, des musiques de films. S'il aime la lecture, les grandes histoires d'amour ou les romans policiers lui plairont. Mais n'ayez crainte, vous n'aurez pas besoin de vider votre compte en banque pour lui faire plaisir, il appréciera le moindre geste, le plus petit cadeau, car, pour lui, c'est l'intention qui compte.

Les enfants Poissons

Dodus, douillets mais tellement adorables, les bébés Poissons ont la larme à l'œil facilement. En grandissant, ce sont des enfants très gentils, qui veulent constamment plaire et faire plaisir. Ils vous feront de jolis dessins, des collages adorables, des poteries attendrissantes. Sur le chemin de l'école, ils cueilleront des fleurs des champs pour l'institutrice ou pour maman, quand ce ne sera pas pour la petite copine de classe. Et si vous leur faites un beau sourire, ils seront mille fois récompensés, car ils n'en demandent pas plus.

Imaginatifs et intelligents, ce sont aussi de doux rêveurs, souvent perdus dans leurs pensées. Timides et très sensibles, ils ont besoin de beaucoup d'affection, ce qui amènera leurs parents à trop les couver, alors qu'au contraire, ils ont besoin d'être poussés doucement hors du nid et être stimulés. Il faut leur donner confiance en eux, leur apprendre à se fixer des objectifs réalistes et à s'y tenir, car ils auront un peu tendance à remettre au lendemain, voire à se traîner un peu les pieds. Si vous parvenez à leur faire admettre que leurs belles qualités, rehaussées d'un brin de fermeté, peuvent faire d'eux des êtres exceptionnels, ils vous en seront éternellement reconnaissants.

L'ado Poissons

Tu as une personnalité si douce et si sensible qu'il t'arrive de passer de la joie à la tristesse la plus profonde en quelques minutes. Et tes proches ne comprennent pas pourquoi. Tu t'adaptes très facilement à toutes les situations, ce qui est ta principale force mais aussi ta grande faiblesse, car tu peux être aisément manipulé par les autres, surtout s'ils jouent avec toi la carte des sentiments. Tu aimes les gens et tu es très généreux; quand il s'agit de donner, tu ne calcules pas, et il arrive que les autres en profitent plus que nécessaire.

Tu as énormément de talents: tu as de bonnes idées et une inspiration féconde, tu peux exceller dans les arts. La logique, par contre, n'est pas ton point fort, mais elle est compensée par ton intuition. Tu sais quand cela va ou ne va pas, avant même d'avoir eu à faire marcher ton raisonnement.

Tu es si doux que tu crains de revendiquer, de parler, de poser des questions, et souvent tu laisses s'installer des situations ou des quiproquos qui te déplaisent, sans oser dire non. Il vaut mieux dire ce qui ne va pas, car souffrir en silence ne donne jamais grand-chose. Affirme-toi un peu plus, c'est ton droit.

Dans tes relations avec les autres, tu places souvent les sentiments au premier plan, et pour toi, ton bonheur ou ta tristesse en dépendent. Quand ça ne va pas, tu as un peu tendance à broyer du noir, à pleurnicher. Tu aimerais qu'on vienne te consoler, mais parfois cela fait l'effet contraire, et les gens te fuient.

Comme tu es généreux et que tu donnes beaucoup de toi-même, tu as horreur de l'injustice et de la misère humaine. Tu te consacres alors énormément à aider les autres. Tu donnes de tout ton cœur, mais n'oublie pas que tu dois aussi accepter de recevoir, car tu le mérites.

Tes études

Ton imagination est si féconde que tu as souvent de la difficulté à bien cerner tes préférences; tu ne sais pas toujours ce que tu veux. Tu as une intelligence vive qui te permet de bien comprendre, mais comme tu rêvasses souvent, certaines choses peuvent t'échapper, et tes cours et tes travaux s'en ressentent. Secoue-toi un peu, fixe mieux ton attention et tu seras étonné de tout ce que tu peux réaliser. Tu te remets souvent en question, car le moindre échec parvient à te faire douter de tes capacités, mais c'est le contraire que tu dois faire. Tu dois vivre des échecs pour savoir comment les surmonter, et finalement triompher. Fais face à la réalité, ne la fuis pas en te réfugiant dans les rêves, car elle sera toujours là à ton retour.

Ton orientation

Nos goûts changent avec le temps et c'est parfaitement normal. Mais toi, tu t'éparpilles un peu trop. Cela te fait perdre du temps et te conduis dans des impasses. Plusieurs domaines peuvent t'attirer, entre autres, tout ce qui a trait aux soins à autrui ou au monde des arts. Dans le premier, cela te permet de mettre en pratique ton sens inestimable du don de soi. Tu peux aider les autres et cela te plaît. Dans la seconde sphère d'activité, cela te permet de t'exprimer. Toi qui n'oses pas toujours parler et revendiquer, tu pourrais le faire en laissant parler ton talent. Parmi les activités qui t'attirent, citons les professions médicales et paramédicales, les médecines douces, le travail social, la psychologie, l'ésotérisme, la religion, le travail dans les prisons ou les maisons d'hébergement, la toxicomanie, la décoration, la musique, la danse, l'alimentation, la littérature et la peinture. Tu vois, le choix est vaste, et il te permet d'exprimer les différentes facettes de ta personnalité.

Tes rapports avec les autres

Tu as tellement bon cœur qu'il est facile de te blesser ou de te faire du mal. Tu dois donc choisir tes amis avec soin. Tu attires beaucoup de gens, car tu es généreux et sympathique, et ces personnes pourraient facilement abuser de ces belles qualités. Il faut que tu apprennes à dire non et que tu t'imposes un peu plus. Tes amis sont très importants à tes yeux; si tu les choisis bien, ils vont t'aider à t'extérioriser, à parler de tes problèmes et te soutiendront dans tes projets. Ils apprécieront le petit coup de pouce que tu peux leur donner à l'occasion.

Comme tu as une âme de missionnaire, les gens à problèmes essaieront aussi de s'insérer dans ton entourage, évite-les le plus possible, car tu es trop sensible et tu te laisserais facilement manipuler. Tu as ton mot à dire, et il est important que tu le fasses.

Pensée positive pour le Poissons

Mon intuition me guide vers le bonheur et l'épanouïssement.
Plus je l'écoute, plus j'avance en sécurité.

Pensée positive spéciale pour 2002

Je saisis ce que la vie a de meilleur à m'offrir;
ma vision éclairée me met aussi à l'abri des ennuis.

Le subconscient nous dirige toujours selon nos pensées. En répétant le plus souvent possible ces pensées conçues tout spécialement pour vous, vous vous attirerez plein de belles choses.

Signe: Poissons

Élément: Eau

Catégorie: Double

Symbole: ♓

Points sensibles: Pieds (problèmes ou déformation), mélancolie, état dépressif, intestins, circulation, boulimie, parfois un penchant pour l'alcool, les pilules ou le drogues.

Planète maîtresse: Neptune, planète du mental.

Pierres précieuses: Pierre de lune, saphir, aigue-marine.

Couleurs: Blanc cassé, et toutes les nuances de bleu.

Fleurs: Lys, lotus, iris.

Chiffres chanceux: 5-7-17-19-23-25-32-34-41-49.

Qualités: Compatissant, émotif, tendre généreux, intuitif, imaginatif, sentimental, esprit de groupe, doux.

Défauts: Nonchalant, manque de volonté, bonasse, crédule, désorganisé, passif, influençable.

Ce qu'il pense en lui-même: C'est drôle, les gens viennent toujours me voir quand ils ont des problèmes...

Ce que les autres disent de lui: Ça ne va pas bien... je vais aller le voir pour qu'il me remonte un peu.

Des influences majeures s'exercent dans votre ciel cette année, c'est donc dire que vous pourriez vivre des événements extraordinaires. Ces influences sont toutefois contradictoires: d'une part, vous pouvez compter sur l'appui de Jupiter, planète de la chance, d'autre part, Saturne vous surveille, guettant vos moindres actions, prête à vous rappeler à l'ordre s'il le faut. La balle est donc dans votre camp et c'est à vous de jouer. En mettant votre pied à terre et en intervenant directement dans l'évolution de votre destinée, vous pourrez réaliser de grandes choses, sinon vous risquez de vous sentir ballotté.

Santé

Avec Saturne dans le décor, il vaut mieux agir de manière appropriée, car en vous négligeant et en faisant fi du gros bon sens, vous vous exposez à divers ennuis. Cependant, ceux qui se prendront en main, qui investiront dans leur bien-être moral et physique pourraient bénéficier du soutien précieux de Jupiter, non seulement pour garder la forme, mais aussi pour améliorer sensiblement leur état. Encore une fois, vous avez un grand pouvoir sur ce qui s'en vient.

Sentiments

Vous vous apprêtez à faire tout un nettoyage parmi vos relations; les jours de ceux qui ne vous apportent rien ou pire, qui profitent de votre bonté légendaire sont comptés. Il se peut également que certaines personnes se retirent d'elles-mêmes de votre vie mais qu'importe, puisque vous entrez dans un cycle d'énorme popularité durant lequel vous ferez plusieurs rencontres. Un de perdu, dix de retrouvés! Les solitaires auront même l'occasion de trouver un partenaire de leur goût. Année de grandes décisions, de transformations, de nouveaux engagements, de rapprochements et même de fertilité. Un conseil, ne négligez pas la santé de vos aînés.

Affaires

Ici aussi, il y a du ménage à faire. Vous avez l'impression, fort juste d'ailleurs, que vous piétinez, que vous vous enlisez presque. Eh bien, les changements s'en viennent! Parfois, ce sera vous qui déciderez de faire volte-face ou de passer à autre chose, tandis qu'à d'autres moments vous devrez faire face à la musique. De toute façon, cela se révélera avantageux, même si, sur le coup, vous vous sentez un peu ébranlé. Malgré tous les chambardements, ce sera une excellente année pour amorcer une nouvelle carrière, trouver un emploi plus satisfaisant, pour entreprendre des études ou des projets inédits; ce serait également une bonne période pour voyager et même pour tenter votre chance au jeu. Sur le plan financier, on doit toutefois vous recommander de faire attention aux voleurs, aux gens véreux et aux escrocs.

Janvier						
D	**L**	**M**	**M**	**J**	**V**	**S**
		1	2	3	4	5
6	7F	8F	9D	10D	11D	12
13●	14	15	16	17	18	19
20	21	22	23	24	25D	26D
27D	28○F	29F	30	31		

○ Pleine lune F Jour favorable
● Nouvelle lune D Jour défavorable

Santé

Les 19 premiers jours de l'année sont marqués par le passage de Mars. Voilà qui vous donne un regain d'énergie, mais qui vous prédispose également à certains malaises et aux blessures de toutes sortes. Soyez donc sur vos gardes pour déjouer ce transit. La fin du mois s'annonce beaucoup plus calme.

Sentiments

Drôle de conjoncture! Avec certaines personnes, c'est l'enfer, tandis qu'avec d'autres, ça ne pourrait être plus enchanteur… Facile donc de choisir avec qui vous voulez passer du temps. En société, c'est entraînant, et ceux qui sont libres pourraient faire une belle rencontre, particulièrement d'ici le 20. Une personne plus âgée que vous a quelques ennuis.

Affaires

Les trois premières semaines sont vraiment en dents de scie. Un jour, le ciel vous tombe sur la tête et, le lendemain, vous apprenez que vous venez de gagner à la loterie. Essayez de garder votre sang-froid. La dernière semaine sera moins agitée. Un petit conseil en passant: protégez vos biens et vos sous.

Février						
D	**L**	**M**	**M**	**J**	**V**	**S**
					1	2
3	4F	5F	6D	7D	8	9
10	11	12●	13	14	15	16
17	18	19	20	21D	22D	23F
24F	25	26	27○	28		

○ Pleine lune   F   Jour favorable
● Nouvelle lune   D   Jour défavorable

Santé

Vous vous portez beaucoup mieux, vous entrez même dans un beau cycle de récupération. Bon mois donc pour vous soigner, pour travailler sur vous, pour vous remettre en forme ou pour vous refaire une beauté. Moralement aussi ça s'améliore; vous vous sentez moins stressé.

Sentiments

Du 12 février au 8 mars, vous bénéficiez du soutien de Vénus et de Jupiter pour donner un nouvel élan à vos amours. Une rencontre inopinée, un tendre rapprochement, voire une réconciliation, sont au programme. Attendez-vous aussi à une vie sociale trépidante: on vous gâte, on vous chouchoute, on vous fait même les yeux doux.

Affaires

Les démarches que vous ferez pour trouver de l'emploi ou pour améliorer vos conditions de travail donneront des résultats fort positifs. Une bonne proposition arrive comme un cheveu sur la soupe, tandis qu'une somme d'argent que vous n'attendiez pas pourrait vous parvenir; au fait, vous vous débrouillez bien au jeu. Bon mois aussi pour voyager.

Poissons   **322**

			Mars			
D	**L**	**M**	**M**	**J**	**V**	**S**
					1	2
3F	4F	5D	6D	7D	8	9
10	11	12	13	14●	15	16
17	18	19	20D	21D	22D	23F
24F	25	26	27	28○	29	30
31F						

○ Pleine lune   F Jour favorable
● Nouvelle lune   D Jour défavorable

Santé

Bien que vous ayez parfois du mal à calmer vos nerfs ou votre émotivité, du 13 au 30, vous êtes nettement plus en forme sur le plan physique. Le moment serait d'ailleurs fort bien choisi pour entreprendre une cure ou pour commencer à faire de l'exercice. L'arrivée du printemps vous stimule; ma foi, on dirait même que vous rajeunissez.

Sentiments

N'oubliez pas que, au cours de la première semaine, Vénus et Jupiter sont là pour vous aider à améliorer votre destinée amoureuse. Ce n'est pas la tristesse ni la désolation qui vous attendent par la suite; ce sera simplement plus calme. Un jeune, un frère ou une sœur a besoin de votre aide mais n'ose pas vous la demander; heureusement que vous savez lire entre les lignes!

Affaires

Vous avez encore d'intéressantes possibilités au jeu, mais ce qui vous avantage le plus, c'est certes le secteur professionnel. Bon temps pour trouver du travail, pour redresser votre situation financière, pour négocier un contrat, de même que pour faire des heures supplémentaires. Les déplacements demeurent avantageux.

Avril						
D	**L**	**M**	**M**	**J**	**V**	**S**
	1F	2D	3D	4	5	6
7	8	9	10	11	12	13●
14	15	16D	17D	18D	19F	20F
21	22	23	24	25	26○	27F
28F	29D	30D				

○ Pleine lune	F	Jour favorable
● Nouvelle lune	D	Jour défavorable

Santé

Jusqu'au 14, tout se déroule exactement comme le mois dernier; vous avez une légère fragilité sur le plan nerveux mais vous êtes dans une forme physique du tonnerre. Par la suite, les choses risquent de se corser si vous ne prenez pas vos précautions; soyez donc prudent, ainsi vous éviterez de vous blesser ou de contracter une maladie. Assez curieusement, votre moral devrait être plus solide durant la seconde quinzaine.

Sentiments

La présence de Vénus dans votre troisième maison vous permet de communiquer facilement avec vos proches et même d'engager la conversation avec de nouvelles personnes qui se révèleront fort stimulantes. Sur un plan plus intime, tout est magnifique jusqu'au 15; gare aux altercations par la suite. Un proche peut vous causer quelques soucis.

Affaires

Ici aussi le mois se divise en deux périodes tout à fait distinctes. La première moitié est très positive. Vous réussirez aisément tout ce que vous entreprendrez; n'attendez donc pas pour agir. Le reste du mois s'annonce plus délicat, ne mettez ni votre situation, ni votre argent, ni vos biens en danger.

Mai						
D	**L**	**M**	**M**	**J**	**V**	**S**
			1	2	3	4
5	6	7	8	9	10	11
12●	13	14D	15D	16F	17F	18
19	20	21	22	23	24	25F
26○F	27D	28D	29	30	31	

○ Pleine lune et éclipse lunaire de pénombre   F Jour favorable
● Nouvelle lune   D Jour défavorable

Santé

L es dangers de vous infliger une blessure de même que la vulnérabilité sont encore présents jusqu'au 28: pas question donc de relâcher votre vigilance. Le moment serait bien mal choisi pour courir des risques ou commettre des abus. Psychologiquement aussi, vous êtes fragile. Occupez-vous davantage de vous et laissez faire les autres.

Sentiments

C 'est vrai que vous prenez trop à cœur les problèmes des autres et que vous vous oubliez fréquemment. La configuration planétaire et l'éclipse rendent le climat bien lourd, vous ne savez plus trop quoi penser ni comment agir. Le mois prochain, ça ira beaucoup mieux, entre-temps, essayez de ne pas vous perdre de vue.

Affaires

U n autre domaine où les choses ne vont pas nécessairement à votre goût. Des retards, des pépins de toutes sortes et des dépenses imprévues vous contrarient sérieusement. Le pire dans tout ça, c'est que lorsque vous essayez d'en parler, on vous traite de tous les noms ou on fait carrément la sourde oreille. Gare aux voleurs, aux filous et aux dégâts matériels.

			Juin			
D	**L**	**M**	**M**	**J**	**V**	**S**
						1
2	3	4	5	6	7	8
9	10●D	11D	12F	13F	14	15
16	17	18	19	20	21F	22F
23D	24○D	25	26	27	28	29
30						

○ Pleine lune et éclipse lunaire de pénombre   F   Jour favorable
● Nouvelle lune et éclipse solaire annulaire   D   Jour défavorable

Santé

Même s'il se produit encore des éclipses, l'ensemble de la conjoncture est nettement plus avantageux. Avec un minimum de vigilance dans vos déplacements et en évitant les refroidissements, vous devriez évoluer facilement. Vos nerfs sont plutôt à plat; vous auriez intérêt à vous changer les idées et à vous éloigner de ceux qui vous prennent trop d'énergie.

Sentiments

Un mois durant lequel vous faites des ravages. Bien que les invitations ne manquent pas, vous n'attendez pas après les autres pour vous amuser. Vous prenez souvent l'initiative de sortir; c'est parfait, car on vous remarque partout. Voilà qui est bon pour votre ego et qui vous redonne confiance en vous. Amours suaves à l'intérieur des couples, coup de foudre pour les autres.

Affaires

Brusque revirement! Une situation qui vous dérangeait profondément fait place à quelque chose de mieux. Le vide se remplit, vous repartez du bon pied et vous sentez que la chance revient. C'est d'ailleurs tout à fait vrai, et vous pourriez gagner un prix intéressant au jeu. Bon mois pour les voyages, les démarches, les recherches d'emploi, les négociations et pour régler ce qui n'allait pas.

Juillet						
D	**L**	**M**	**M**	**J**	**V**	**S**
	1	2	3	4	5	6
7D	8D	9D	10●F	11F	12	13
14	15	16	17	18F	19F	20D
21D	22	23	24○	25	26	27
28	29	30	31			

○	Pleine lune	F	Jour favorable
●	Nouvelle lune	D	Jour défavorable

Santé

Une fois la première semaine écoulée, votre ciel sera libre de toute influence néfaste. Vous vous porterez beaucoup mieux moralement et physiquement. À vrai dire, la période est fantastique non seulement pour soigner vos petits bobos, mais aussi pour effectuer un travail plus en profondeur qui vous gardera à l'abri des contretemps dans le futur.

Sentiments

D'ici le 14, vous avez tout ce qu'il faut pour mettre de l'ordre dans votre vie ainsi que pour raviver la flamme avec votre partenaire; si vous êtes seul, les probabilités de rencontre demeurent élevées. Entre le 7 et le 22, vous avez la possibilité de régler un différend qui vous opposait à un proche; cette personne pourrait même vous présenter ses excuses.

Affaires

Le mois est particulièrement constructif; ne perdez donc pas un seul instant à tergiverser ou à vous poser des questions. Allez cogner aux portes, faites vos démarches, négociez, mettez vos projets en route. L'immobilier, le commerce, les transactions et même les jeux de hasard vous favorisent jusqu'au 24.

Août						
D	L	M	M	J	V	S
				1	2	3
4D	5D	6F	7F	8●	9	10
11	12	13	14F	15F	16D	17D
18D	19	20	21	22○	23	24
25	26	27	28	29	30	31D

○ Pleine lune	F Jour favorable
● Nouvelle lune	D Jour défavorable

Santé

Vous n'arrivez pas à vous brancher, et cela génère en vous passablement de stress inutile. Votre intuition est très aiguisée; vous devriez tout simplement l'écouter. Ceci mis à part, tout est beau: vous êtes dynamique et résistant. Si vous avez envie de faire du sport, vous ferez d'une pierre deux coups: vous améliorerez votre santé… et calmerez votre anxiété.

Sentiments

Quelques heurts sont possibles durant la première quinzaine; vous commettez une maladresse sans penser à mal… et voilà qu'un proche monte sur ses grands chevaux. Pas facile de l'en faire redescendre! Le reste du mois est plus calme, peut-être un peu trop. Parfois, vous vous ennuyez un peu.

Affaires

Vous hésitez entre diverses possibilités et ne savez laquelle choisir. Dois-je vous redire d'écouter votre instinct? D'autre part, vous êtes très occupé, vous courez à gauche et à droite, bref, ça finit par être essoufflant. Des retards étant probables, ne vendez pas la peau de l'ours avant de l'avoir tué. Un autre conseil si je peux me permettre: ne signez rien sur un coup de tête et méfiez-vous des beaux parleurs.

Septembre						
D	**L**	**M**	**M**	**J**	**V**	**S**
1D	2F	3F	4F	5	6●	7
8	9	10	11F	12F	13D	14D
15	16	17	18	19	20	21○
22	23	24	25	26	27D	28D
29D	30F					

○ Pleine lune F Jour favorable
● Nouvelle lune D Jour défavorable

Santé

Les six prochaines semaines s'annoncent délicates. Pourtant, si vous prenez vos précautions, vous pourrez déjouer la conjoncture. Pour ce faire, redoublez de prudence dans vos déplacements et lorsque vous utilisez des objets dangereux; renforcez votre système immunitaire et suivez les principes d'une saine hygiène de vie.

Sentiments

Drôle de mois en perspective! Ceux que vous affectionnez jouent les indépendants, mais vous avez plus d'un tour dans votre sac et finirez certes par obtenir toute leur attention. D'autre part, certains courent ou s'accrochent après vous; vous ne voulez rien savoir. Rencontre possible pour ceux qui sont seuls. Avec votre famille, ça vous prend beaucoup de doigté.

Affaires

J'en conviens, ça pourrait aller mieux. Votre vie semble mal synchronisée; vous arrivez souvent trop tard et ce que vous vouliez n'est plus disponible. Au travail règne un climat d'insécurité et de tension qui n'arrange rien. Essayez tout de même de ne pas trop vous en faire. Bientôt, vous amorcerez un cycle plus clément. Petites chances au jeu pour un prix secondaire entre le 8 et le 30.

Octobre						
D	**L**	**M**	**M**	**J**	**V**	**S**
		1F	2	3	4	5
6●	7	8F	9F	10D	11D	12
13	14	15	16	17	18	19
20	21○	22	23	24	25D	26D
27F	28F	29	30	31		

○ Pleine lune F Jour favorable
● Nouvelle lune D Jour défavorable

Santé

Je vous rappelle que vous devez demeurer sur vos gardes jusqu'au 16, donc pas de risques inutiles, ni d'imprudences. Par la suite, le ciel se dégagera, votre moral s'améliorera de façon étonnante et vous vous sentirez également plus vigoureux; le moment serait excellent pour mettre de l'ordre dans vos idées ou pour adopter de meilleures habitudes.

Sentiments

Quelques orages possibles jusqu'au milieu du mois, puis le retour du beau temps. Il vous sera alors plus facile de dialoguer et de vous entendre avec vos proches. Même chose pour ce problème d'ordre familial toujours présent et qui finira par disparaître. Bref, vous aurez tout ce qu'il faut pour repartir du bon pied. Charisme nettement à la hausse.

Affaires

Tenez le coup pendant la première quinzaine, qui présente encore passablement d'embûches; protégez de près ce qui est à vous. Le reste du mois s'annonce meilleur; vous sentirez le vent virer de bord. Vous aurez très certainement à tourner certaines pages et à vous orienter autrement; sachez toutefois que même si l'inconnu vous fait un peu peur, ce renouveau ne peut être que positif.

				Novembre			
D	**L**	**M**	**M**	**J**	**V**	**S**	
					1	2	
3	4●	5F	6F	7D	8D	9	
10	11	12	13	14	15	16	
17	18	19○	20	21D	22D	23F	
24F	25F	26	27	28	29	30	

○ Pleine lune et éclipse lunaire de pénombre F Jour favorable
● Nouvelle lune D Jour défavorable

Santé

L'éclipse de ce mois n'a aucun effet négatif sur vous. Au contraire, on dirait qu'elle vous incite à vous prendre en main et à faire davantage attention à vous. Vous êtes en beauté, vos bonnes dispositions et votre énergie retrouvée vous vont à merveille. Nerfs d'acier jusqu'au 19, puis une courte période où nous décelons une petite rechute d'anxiété.

Sentiments

Les astres jouent en votre faveur. Vous trouvez une solution ingénieuse à vos problèmes de couple ou familiaux. Vous vous rapprochez de votre amoureux et vous pouvez enfin savourer cette atmosphère harmonieuse si nécessaire à votre épanouissement. En société, c'est enlevant; vous revoyez les vieux copains, vous vous faites de nouveaux amis. Les solitaires, quant à eux, ont une grosse surprise.

Affaires

Mois favorable pour les nouvelles entreprises, les négociations ainsi que les recherches d'emploi. Aucun obstacle ne vous résiste, car vous avez réponse à tout… Et à tous! Vous vous exprimez avec tellement de brio, que tout le monde finit par se rallier à votre cause. Une rentrée d'argent inopinée vous fera grand plaisir.

Décembre

D	L	M	M	J	V	S
1	2F	3F	4●D	5D	6	7
8	9	10	11	12	13	14
15	16	17	18D	19○D	20F	21F
22F	23	24	25	26	27	28
29F	30F	31D				

○ Pleine lune   F   Jour favorable
● Nouvelle lune et éclipse solaire totale   D   Jour défavorable

Santé

Durant les dix premiers jours, vous pourriez ressentir les effets de l'éclipse: rien de catastrophique mais vous pourriez éviter certaines choses en étant vigilant, par exemple, une chute, un rhume ou un mal de dos. Le reste du mois est excellent; vous serez dans une forme splendide et vous terminerez l'année sur une note positive.

Sentiments

Dès le 2, Vénus et Mars seront de la partie pour vous faire vivre des choses formidables. Un coup de foudre pour les gens seuls, un doux rapprochement pour les autres et pour tous, une vie sociale enlevante. Un petit incident au début du mois s'arrange rapidement sans laisser de trace.

Affaires

La conjoncture vous sert aussi très bien dans ce domaine. Vos projets se concrétisent, vos buts cessent d'être inaccessibles et vous gagnez du terrain. Quelque chose que vous espériez depuis longtemps se produit enfin; vous n'avez pas attendu pour rien. Une rentrée d'argent vous surprend.

Poissons   **332**

Nos animaux et l'astrologie

L'astrologie nous renseigne sur notre caractère, notre personnalité et notre comportement, et elle peut également s'appliquer à nos petits compagnons à quatre pattes ou à plumes. Tout comme nous, leur signe du zodiaque exerce une certaine influence sur eux. Qu'il s'agisse d'un vieux gros toutou ou d'un chaton, d'un canari ou d'un bel iguane, n'hésitez pas à recourir à l'astrologie pour mieux le comprendre et devinez ce qu'il ne peut vous dire en employant un langage compréhensible. En sachant lire son comportement, vous serez plus apte à répondre à ses besoins.

L'astrologie peut également vous aider à choisir le compagnon idéal qui correspondra à votre personnalité. Que vous ayez déjà un animal domestique à la maison ou que vous pensiez en adopter un, les lignes qui suivent vous éclaireront sur sa personnalité et son caractère.

Mon bestiaire astrologique

Le Bélier. Plutôt petit, qu'il soit chien, chat ou reptile, il possède tout un caractère. Il sait ce qu'il veut et n'en fera qu'à sa tête. Impulsif, vif et rapide, il n'arrête pas une seconde, et il court vite. Tant mieux, me direz-vous, mon Patou est un cheval de course. Mais si votre Médor est un bon chien de ville, il pourrait bien profiter d'une porte ouverte pour prendre la poudre d'escampette. En fait, cet animal prend beaucoup de place, mange comme un glouton et trop vite. C'est un animal qui déborde d'énergie; il faudra donc vous attendre à ce qu'il vous demande souvent de jouer... et à quelques dégâts si vous le laissez seul à la maison. Mais il est si adorable, ce gros minet... qui vient de déchirer la moquette, que finalement, vous lui pardonnerez, comme toujours!

Le Taureau. Cet animal est de compagnie très agréable. Il apprécie son domicile, son petit coin bien à lui où la vie s'écoule, calme et tranquille. Félix aimera bien faire un petit tour dehors, mais pas trop loin... quant à Fido, il ne rechignera pas à rester toute la journée à vous attendre à la maison. Il la connaît bien et ne s'y ennuie pas. Certains jours pourtant, il sera un peu plus entêté qu'à l'habitude, mais une belle caresse et quelques mots gentils, et il se montrera à nouveau obéissant et docile. Par contre, il apprend lentement. Si vous tenez absolument à ce qu'il donne la «papatte» armez-vous de patience. Dès qu'il aura compris toutefois, vous réussirez à la lui faire donner rapidement. Ce sera un compagnon vraiment fidèle. Il reste tellement attaché à vous et à ses habitudes que les changements l'incommodent; mais si vous vous en occupez, s'il sent que vous l'aimez, il sera rassuré et heureux. Si votre oiseau est Taureau, écoutez son chant, c'est très joli.

L es Gémeaux. Cet animal a besoin de voir du monde, et d'avoir beaucoup de vie autour de lui. Il sera très heureux dans une famille nombreuse, avec beaucoup d'enfants et même d'autres animaux dans la maison. Il adore faire son petit tour dehors, explorer, découvrir, croiser des connaissances à quatre pattes. À la maison, il trouve toujours quelque chose à faire, mais il n'aime pas être laissé seul trop longtemps. Si vous pensez le laisser seul pendant que vous êtes au travail, il serait bon de lui procurer un compagnon de jeu. Cet animal a besoin beaucoup d'attention; il faudra donc souvent jouer avec lui. Par contre, il se montre assez indépendant lorsqu'il le décide. C'est un grand parleur qui a besoin d'un public, alors il chante, jappe ou miaule beaucoup. C'est aussi un petit coquin très intelligent et un tantinet manipulateur. Il vous fera savoir rapidement ce qu'il veut... et il finit par l'obtenir.

L e Cancer. C'est le signe le plus attachant qui soit pour un animal. Ce petit compagnon adore son maître et tous les membres de la famille. Les marques d'affection et les caresses sont ces deux moteurs, car il aime tellement faire plaisir. Son bonheur est immense lorsqu'il se sent entouré de tout son petit monde à la maison. Il fait de gros efforts pour satisfaire tout le monde, même les enfants qui lui tirent les oreilles ou la queue. Comme c'est plutôt un animal gourmand et dormeur, il faut veiller à lui faire faire suffisamment d'exercice, sinon l'obésité le guette. Docile et affectueux, on peut lui faire confiance; il fera de son mieux pour protéger la maison et la famille, même si c'est un minuscule chihuahua. Les femelles cancer sont d'excellentes mères de famille.

L e Lion. Voilà un animal qui a du panache. De race pure ou non, on le remarque. Si votre petit Lion est un chat, il se comportera comme s'il était le roi des animaux au milieu de ses sujets; en tant que chien, museau au vent et queue relevé, il montrera qui est le maître dans la maison, tandis que l'oiseau-lion exhibera fièrement son plumage. Bref, il fera l'envie de tout le voisinage. Comme c'est une vraie star, il faudra lui prêter beaucoup d'attention, montrer que vous l'aimez. Si vous oubliez la caresse habituelle en rentrant, il va bouder. Avec les autres animaux, ça risque d'être la guerre. Il veut occuper tout l'avant-scène et n'appréciera pas qu'on le néglige ou qu'on le tienne à l'écart pour s'occuper de quelqu'un d'autre, animal ou humain d'ailleurs. De toute façon, il ne supportera pas d'être traité comme un bibelot, alors même s'il se comporte bien et se montre sage, il cherchera sûrement à faire un petit tour pour épater la galerie. Enseignez-lui quelques petits tours simples et applaudissez à tout rompre; cela fera son plus grand bonheur.

La Vierge. Il est tout timide, tout gentil. En fait, c'est pour cela que vous l'avez pris, même si ce n'est pas lui qui était le plus fringant de la portée. Il se montre un peu craintif avec les étrangers, mais avec vous, n'ayez crainte, ce sera un compagnon fidèle, attentif et tranquille. Il ne vous causera pas d'ennuis, car il comprend très bien les règles et les interdits et ne les transgresse pas. Par contre, il a ses petites habitudes. N'allez pas bouleverser son horaire du jour au lendemain. Si vous le sortez chaque jour vers 8 heures, il ne faudra pas être en retard, car il vous le fera savoir. Son point faible, c'est la digestion; il faut donc veiller à lui procurer une bonne nourriture et ne pas la lui changer continuellement. Qu'il soit chien, chat, cheval ou canari, il sera très attaché à son maître et doux avec les enfants. C'est le compagnon idéal des gens calmes et plutôt sédentaires.

La Balance. Ce petit animal est une vraie soie. Il a vraiment tout pour se faire aimer et aussi pour vous amuser; il a mille et un tours dans son sac. Comme c'est un petit être sensible, vous ne l'aimerez jamais trop et il réclamera davantage de caresses. Pour qu'il soit heureux, offrez-lui un foyer calme et harmonieux. Il préfèrera fuir les enfants criards et chamailleurs, car il ne supporte ni les bruits ni les cris. S'il fait une bêtise et que vous le grondez, il sera très honteux et affecté. En parlant assez fort, vous obtiendrez de bons résultats, sans avoir à le punir plus. Ce petit animal appréciera son douillet coussin ou votre plus beau fauteuil pour dormir en paix... et en plus, comme il déteste être seul, il pourrait même choisir vos moelleux genoux pour sa petite sieste. C'est un charmeur, et son regard fait fondre le plus récalcitrant des humains. Il est irrésistible.

Le Scorpion. Celui-là possède son petit caractère. Monsieur ou madame est bien affectueux, mais attention, il se montre souvent possessif. Il choisit son maître et ne le lâche plus. Il pourrait même venir toujours s'installer entre vous et votre conjoint, car il vous appartient en propre et non aux deux. Pire, il pourrait même carrément prendre la place du conjoint qui le dérange pour l'obliger à se mettre plus loin. Il affiche un petit air mystérieux, ce qui fait en sorte qu'on ne comprend pas toujours ce qu'il veut. Il peut être très enjoué, mais aussi parfois assez grognon et, dans ces cas-là, il vaut mieux le laisser tranquille. Par contre, il devine ce que vous ressentez et a une mémoire du tonnerre. Si quelqu'un lui a fait mal, même des mois ou des années plus tard, il s'en souviendra... Ce n'est pas un animal facile, mais il vous adore.

Le Sagittaire. Ce cher Sagittaire est un tantinet agité... pour lui, voir la vie à l'extérieur est bien plus passionnant que dormir sur un coussin moelleux. Si vous l'empêchez de sortir, il reste à la fenêtre pour observer la rue. Il adore courir, se promener, et si vous n'y faites pas attention, il peut faire des fugues de plusieurs jours. Fermez bien les portes. Laissé seul à la maison, il s'ennuie. Vous devez lui faire dépenser son trop-plein d'énergie. L'idéal est de lui offrir un grand jardin, un terrain à la campagne où il pourra se dégourdir les pattes à loisir. C'est un petit être indépendant, donc l'obéissance parfaite, ce n'est pas tellement sa tasse de thé. Il se comporte généralement bien avec les autres animaux, mais ceux de la même espèce que lui le dérangent un peu. Avec les enfants, il est très à l'aise, car ils courent et jouent avec lui, et c'est ce qu'il aime. Par contre, les enfants doivent le respecter, sinon il fera la loi lui-même à coups de dents ou de griffes. Il peut aussi se montrer glouton et prendre rapidement du poids; il faut donc bien doser sa nourriture et lui faire faire beaucoup d'exercice.

Le Capricorne. On dit que le chien est le meilleur ami de l'homme, s'il est Capricorne en plus, vous avez déniché la perle rare, le plus fidèle des fidèles. Dévoué, cherchant toujours à faire plaisir, ce petit timide restera néanmoins à l'écart des inconnus. Ce n'est pas un animal très démonstratif, mais votre petite famille et surtout vous, son maître, comptez plus que tout dans sa vie. Plutôt petit et souvent maigre, il est également frileux donc, durant l'hiver, faites attention lorsque vous le sortez, un bon manteau serait peut-être approprié. C'est un bon compagnon, tranquille et doux. Il est très patient, et quelques heures de solitude ne lui font pas peur. Il apprend plutôt lentement, donc n'hésitez pas à répéter plusieurs fois vos consignes lorsqu'il est encore bébé, de façon à ce qu'il assimile bien les règles. Une fois qu'il les aura apprises, il ne les oubliera plus jamais. Comme il est très discret, on pourrait l'oublier facilement, mais surtout ne le négligez pas, car c'est vraiment votre meilleur ami et il vous aime.

Le Verseau. Ce chaton, ce vieux chien, cette perruche ou ce furet sont des animaux qui vous procureront des heures de plaisir. Avec lui, pas d'ennui possible. Il bouge, va vers les gens, s'intéresse à tout ce que vous faites. Lorsque vous arrivez avec des sacs d'épicerie, il n'hésitera pas à plonger le nez dedans pour découvrir ce qu'ils contiennent. Les nouvelles odeurs, les nouveaux objets l'intriguent. Dehors, vous le verrez souvent en train de «discuter» avec ses congénères, de surveiller son territoire ou d'explorer les environs. Vifs, spirituels, remuants, leur petite personnalité indépendante n'est pas tellement adaptée aux règles et à l'obéissance; vous devrez répéter souvent, et peut-être même les gronder plus que d'autres. Mais comme ils aiment tout le monde et que tout le monde les aime, vous lui pardonnez facilement ces incartades.

Les Poissons. Affectueux, doux et tendre, votre compagnon à plumes ou à fourrure vous rendra toujours heureux. Vos caresses et vos mots doux sont sa raison de vivre. Lorsque vous revenez du travail, c'est la fête. D'ailleurs, vous n'avez qu'à sortir cinq minutes puis revenir, et ce sera encore la fête. Pour le faire fâcher et le rendre bougon, il faut vraiment en mettre beaucoup, car il oublie très vite. C'est un animal sensible, il ne supporte pas qu'on parle fort autour de lui, il croit alors qu'il a fait quelque chose de mal et se sauve. Par contre, il devine toujours comment vous allez. Si vous vous sentez un peu triste, il se montrera encore plus câlin pour vous consoler. Par contre, si vous êtes de bonne humeur, il sera heureux pour vous. Comme il est un peu paresseux, c'est à vous de veiller à ce qu'il fasse ses exercices quotidiens. Comme ils adorent l'eau (même les chats), pourquoi ne pas placer un bain dans la cage de l'oiseau et une grosse piscine de plastique pour Médor dans la cour.

L'ASTROLOGIE CHINOISE

L'étude du zodiaque remonte à la nuit des temps. On le sait aujourd'hui, même l'homme de Neandertal scrutait les astres pour y déchiffrer le sens de l'Univers.

Plus que millénaire, l'astrologie n'est pas une science propre à la civilisation occidentale; en Orient aussi les planètes, les astres et les étoiles fascinent. Cependant, l'astrologie chinoise diffère de la nôtre en ce sens que contrairement à la nôtre, qui se base sur le cycle du Soleil dans les 12 signes, elle est établie sur une période de 12 ans.

L'astrologie zodiacale comporte 12 signes qui se succèdent, et chacun dure un mois. En astrologie chinoise, chaque année correspond à un signe représenté par un animal totem.

En astrologie chinoise, les cycles lunaires permettent de déterminer le début de l'année. Ceci fait donc en sorte que les signes chinois commencent à une date différente chaque année.

L'astrologie chinoise constitue un excellent moyen de se connaître et de découvrir les autres. Nous vous invitons à la découvrir plus amplement dans les pages suivantes.

Les 12 signes chinois

Repérez votre date de naissance dans ce tableau pour découvrir votre signe chinois.

1900	Rat	31 janvier 1900 au 18 février 1901
1901	Buffle	19 février 1901 au 7 février 1902
1902	Tigre	8 février 1902 au 28 janvier 1903
1903	Chat	29 janvier 1903 au 15 février 1904
1904	Dragon	16 février 1904 au 3 février 1905
1905	Serpent	4 février 1905 au 24 janvier 1906
1906	Cheval	25 janvier 1906 au 12 février 1907
1907	Chèvre	13 février 1907 au 1er février 1908
1908	Singe	2 février 1908 au 21 janvier 1909
1909	Coq	22 janvier 1909 au 9 février 1910

1910	Chien	10 février 1910 au 29 janvier 1911
1911	Cochon	30 janvier 1911 au 17 février 1911
1912	Rat	18 février 1912 au 5 février 1913
1913	Buffle	6 février 1913 au 25 janvier 1914
1914	Tigre	26 janvier 1914 au 13 février 1915
1915	Chat	14 février 1915 au 2 février 1916
1916	Dragon	3 février 1916 au 22 janvier 1917
1917	Serpent	23 janvier 1917 au 10 février 1918
1918	Cheval	11 février 1918 au 31 janvier 1919
1919	Chèvre	1er février 1919 au 19 février 1920
1920	Singe	20 février 1920 au 7 février 1921
1921	Coq	8 février 1921 au 27 janvier 1922
1922	Chien	28 janvier 1922 au 15 février 1923
1923	Cochon	16 février 1923 au 4 février 1924
1924	Rat	5 février 1924 au 23 janvier 1925
1925	Buffle	24 janvier 1925 au 12 février 1926
1926	Tigre	13 février 1926 au 1er février 19
1927	Chat	2 février 1927 au 22 janvier 1928
1928	Dragon	23 janvier 1928 au 9 février 1929
1929	Serpent	10 février 1929 au 29 janvier 1930
1930	Cheval	30 janvier 1930 au 16 février 1931
1931	Chèvre	17 février 1931 au 5 février 1932
1932	Singe	6 février 1932 au 25 janvier 193
1933	Coq	26 janvier 1933 au 13 février 1934
1934	Chien	14 février 1934 au 3 février 1935
1935	Cochon	4 février 1935 au 23 janvier 1936
1936	Rat	24 janvier 1936 au 10 février 1937
1937	Buffle	11 février 1937 au 30 janvier 1938
1938	Tigre	31 janvier 1938 au 18 février 1939
1939	Chat	19 février 1939 au 7 février 1940
1940	Dragon	8 février 1940 au 26 janvier 1941
1941	Serpent	27 janvier 1941 au 14 février 1942
1942	Cheval	15 février 1942 au 4 février 1943
1943	Chèvre	5 février 1943 au 24 janvier 1944
1944	Singe	25 janvier 1944 au 12 février 1945
1945	Coq	13 février 1945 au 1er février 1946
1946	Chien	2 février 1946 au 21 janvier 1947

1947	Cochon	22 janvier 1947 au 9 février 1948
1948	Rat	10 février 1948 au 28 janvier 1949
1949	Buffle	29 janvier 1949 au 16 février 1950
1950	Tigre	17 février 1950 au 5 février 1951
1951	Chat	6 février 1951 au 26 janvier 1952
1952	Dragon	27 janvier 1952 au 13 février 1953
1953	Serpent	14 février 1953 au 2 février 1954
1954	Cheval	3 février 1954 au 23 janvier 1955
1955	Chèvre	24 janvier 1955 au 11 février 1956
1956	Singe	12 février 1956 au 30 janvier 1957
1957	Coq	31 janvier 1957 au 17 février 1958
1958	Chien	18 février 1958 au 7 février 1959
1959	Cochon	8 février 1959 au 27 janvier 1960
1960	Rat	28 janvier 1960 au 14 février 1961
1961	Buffle	15 février 1961 au 4 février 1962
1962	Tigre	5 février 1962 au 24 janvier 1963
1963	Chat	25 janvier 1963 au 12 février 1964
1964	Dragon	13 février 1964 au 1er février 1965
1965	Serpent	2 février 1965 au 20 janvier 1966
1966	Cheval	21 janvier 1966 au 8 février 1967
1967	Chèvre	9 février 1967 au 29 janvier 1968
1968	Singe	30 janvier 1968 au 16 février 1969
1969	Coq	17 février 1969 au 5 février 1970
1970	Chien	6 février 1970 au 26 janvier 1971
1971	Cochon	27 janvier 1971 au 14 février 1972
1972	Rat	15 février 1972 au 2 février 1973
1973	Buffle	3 février 1973 au 22 janvier 1974
1974	Tigre	23 janvier 1974 au 10 février 1975
1975	Chat	11 février 1975 au 30 janvier 1976
1976	Dragon	31 janvier 1976 au 17 février 1977
1977	Serpent	18 février 1977 au 6 février 1978
1978	Cheval	7 février 1978 au 27 janvier 1979
1979	Chèvre	28 janvier 1979 au 15 février 1980
1980	Singe	16 février 1980 au 4 février 1981
1981	Coq	5 février 1981 au 24 janvier 1982
1982	Chien	25 janvier 1982 au 12 février 1983
1983	Cochon	13 février 1983 au 1er février 1984

1984	Rat	2 février 1984 au 19 février 1985
1985	Buffle	20 février 1985 au 8 février 1986
1986	Tigre	9 février 1986 au 28 janvier 1987
1987	Chat	29 janvier 1987 au 16 février 1988
1988	Dragon	17 février 1988 au 5 février 1989
1989	Serpent	6 février 1989 au 26 janvier 1990
1990	Cheval	27 janvier 1990 au 14 février 1991
1991	Chèvre	15 février 1991 au 3 février 1992
1992	Singe	4 février 1992 au 22 janvier 1993
1993	Coq	23 janvier 1993 au 9 février 1994
1994	Chien	10 février 1994 au 30 janvier 1995
1995	Cochon	31 janvier 1995 au 18 février 1996
1996	Rat	19 février 1996 au 6 février 1997
1997	Buffle	7 février 1997 au 27 janvier 1998
1998	Tigre	28 janvier 1998 au 15 février 1999
1999	Chat	16 février 1999 au 4 février 2000
2000	Dragon	5 février 2000 au 24 janvier 20
2001	Serpent	25 janvier 2001 au 12 février 200
2001	Cheval	13 février 2002 au 1er février 2003

LE RAT

鼠

S'il est un animal qui provoque des réactions mitigées, c'est bien le rat. Il provoque parfois des mouvements de répulsion, mais le plus souvent il provoque la crainte. Et faire peur, c'est justement votre cas. Les gens ne vous connaissent pas beaucoup et, pour cette raison, se méfient un peu. Vous-même, vous vous montrez plutôt craintif, soupçonneux et, pour gagner votre confiance, il faut savoir montrer patte blanche.

En société, vous évitez les bains de foule et préférez de beaucoup rester à l'écart. Pourtant, lorsqu'on vous connaît, on vous trouve sociable, rempli d'humour et enjoué. Néanmoins, vous vous confiez peu et préférez regagner votre petit nid douillet lorsque quelque chose ne tourne pas rond.

Vous avez une acuité toute particulière qui vous permet de déceler ce qu'on tente de vous cacher. Votre sens de l'observation est développé; rien ne vous échappe.

Vous vous défendez avec vos dents et vos griffes lorsqu'on vous blesse ou si l'un de vos proches est attaqué. Sur le plan psychologique, vous paraissez nerveux, parfois tourmenté.

Sur le plan de la personnalité, votre émotivité vous permet d'exceller dans les domaines artistiques, notamment la musique, la littérature et les arts, qui vous permettent de vous exprimer et de vous libérer de votre trop-plein d'émotion.

Votre intelligence est vive et plutôt raisonnée. Vous trouvez des solutions ingénieuses aux problèmes et votre flair en affaires est très aiguisé. Vous avez un don particulier et le doigté nécessaire pour retourner les pires situations en votre faveur. Beau parleur comme vous l'êtes, vous pouvez devenir un excellent négociateur. Votre sixième sens vous permet de trouver les mots qu'il faut pour convaincre; il vous indique quand et comment agir. Sur le plan professionnel, ces multiples talents vous poussent souvent à diriger les gens, à commander, et parfois même à manipuler vos collègues ou vos subalternes.

Puisque vous avez un bon sens pratique, que vous possédez un d'esprit terre à terre, vous appréciez l'argent, mais aussi les valeurs sûres, les beaux objets. Pourtant, il semble que l'argent file à une rapidité excessive entre vos doigts. Heureusement, vous parvenez à équilibrer votre budget sans avoir à trop jongler avec les rentrées et les sorties.

Votre petit côté séducteur vous ouvre de nombreuses portes. Vous savez plaire; avouez que vous savez en jouer. Vous êtes un être passionné qui est attiré par le romantisme. Cela peut vous inciter à fuir votre quotidien et votre petite routine que vous considérez comme de vrais éteignoirs. Une telle façon d'être complique votre vie sentimentale, mais vous n'en avez cure. Vous recherchez les gens originaux, amusants, que vous pouvez admirer et, malgré votre froideur initiale, on finit vite par vous découvrir en vous un être affectueux, ardent, possessif même. Les demi-mesures ne sont pas pour vous et vous ne supportez pas d'être brimé dans votre liberté.

Vos plus belles qualités:
Convaincant, instinctif, sens pratique, intelligence, terre à terre, humour, vivacité, habileté, ruse.

Vos péchés mignons:
Angoissé, méfiant, profiteur, manipulateur.

Selon les sages orientaux

Votre domaine symbolique: Ce qu'on ne sait pas et qui est près de nous, le mystère, le monde souterrain.

Votre arme: Les dents acérées du rat, son instinct et ses paroles mordantes.

Nom chinois de votre signe: Chow.

Symbole: 鼠

LE BUFFLE 牛

Sérieux et travailleur, vous vous adaptez très bien au système et vous défendez les traditions auxquelles vous tenez. L'originalité et l'initiative ne font pas partie de votre vocabulaire. Par contre, votre discipline et votre sens des responsabilités sont irréprochables. Vous êtes solide comme un roc et on peut compter sur vous sans crainte.

Au travail, vous ne calculez pas vos heures, et les tâches qu'on vous confie sont menées à terme avec opiniâtreté. Comme on dit vous avez beaucoup de «cœur à l'ouvrage». Vous êtes organisé et déterminé, mais les autres vous reprochent votre lenteur et vous trouvent plutôt tatillon. Qu'importe, vous poursuivez votre petit bonhomme de chemin et vous savez ce que vous faites. Si vous œuvrez dans un secteur d'activité qui vous permet d'exploiter votre potentiel, votre réussite est assurée. Par exemple, vous ferez des miracles en architecture, chirurgie, gestion d'entreprises, agriculture, et même si l'on vous trouve souvent lourd et dépourvu d'émotivité, vous saurez bluffer tout le monde dans le monde des arts, en peinture et en cinéma, car vous avez une inspiration hors normes. Par ailleurs, vous seriez un très bon chef d'entreprise, car vous avez les qualités nécessaires pour stimuler vos troupes.

Sur le plan financier, vous vous montrez sage et solide. Vous trimez dur et ne comptez que sur votre labeur pour vivre. Si des échecs passagers ou des revers de fortune vous tombent dessus, vous les vivez difficilement, et si en plus vous êtes victime d'une injustice, vous aurez du mal à accepter la situation et à poursuivre votre route comme si de rien n'était.

Vous n'êtes pas du genre à lancer votre argent par les fenêtres, car vous en connaissez la valeur et le travail nécessaire pour le gagner. Donc, l'épargne et le budget ne sont pas des mots vains pour vous. Avec de telles valeurs, il y a de fortes chances que vous finissiez vos jours à l'aise financièrement.

Honnête et loyal, vous appréciez une bonne poignée de main; pour vous c'est presque de l'argent comptant. Vous êtes amèrement déçu par les promesses non tenues, les engagements non respectés, car jamais vous ne faillissez à votre parole, et que les autres puissent y déroger vous laisse complètement abasourdi.

Vous n'appréciez guère le changement, que ce soit au travail ou dans votre vie personnelle. Vous préférez la stabilité, le confort, la tranquillité. Vous vous montrez accueillant et votre table est toujours bien garnie. Vous êtes même un tantinet gourmand.

En société, on apprécie votre bon cœur et votre simplicité. Vous faites un excellent confident, car votre bienveillance est légendaire. Quant à votre petite famille, elle compte beaucoup à vos yeux, et vous êtes toujours là pour vos proches en cas de besoin; on l'a dit, vous êtes solide comme un roc.

Dans l'intimité, vous ne brûlez pas les étapes, vous recherchez un partenaire fiable et sérieux, vous ne vous précipiterez donc pas sur la première amourette venue. La stabilité affective compte tellement pour vous que vous attendez avant d'exprimer vos sentiments et de vous engager... ensuite, c'est pour la vie. La passion, le romantisme, vous êtes d'avis que tout cela s'éteint bien vite; vous comptez plutôt sur la solidité de vos sentiments dans vos relations amoureuses. Vous avez beaucoup à offrir, et le bonheur de votre conjoint devient alors l'une de vos priorités.

Vos plus belles qualités:
Sérieux, travailleur, économe, prudent, sens des responsabilités, esprit de famille.

Vos péchés mignons:
Tatillon, peureux, lent, manque d'audace, inflexibilité.

Selon les sages orientaux

Votre domaine symbolique: Les sillons des champs, la terre, la glaise et les chemins sinueux.

Votre arme: Les cornes du Minotaure, grâce auxquelles il est capable de défendre son labyrinthe.

Nom chinois de votre signe: Niou.

Symbole: 牛

LE TIGRE

À l'instar de ce félin sauvage, vous vous posez en maître sur votre entourage. Vous avez beaucoup d'emprise sur les autres, aussi bien dans votre vie privée que professionnelle. Vous êtes un chef-né, volontaire et rempli d'ambition, mais honnête, ce qui ne gâche rien. Vous pouvez être fier de vous lorsque la réussite vient couronner vos nombreux efforts, car vous ne vous ménagez pas; vif et courageux comme vous l'êtes, rien ne vous rebute. Cela peut même vous rendre plutôt téméraire et vous exposer à des revers. Heureusement, en bon félin que vous êtes, vous retombez toujours sur vos pattes. Avec un peu plus de prudence et de planification, vous pourriez éviter certains déboires et aller encore plus loin sur le chemin de la réussite.

Votre sang-froid et votre instinct sont remarquables, et vous savez jauger les situations avec un sens peu commun de l'analyse. Peu impressionné par la hiérarchie et les conventions, vous vous fiez à votre intuition, et vous n'hésitez pas à faire ce que bon vous semble. Stimulé par de nouveaux défis, vous ne craignez ni les changements ni les obstacles; d'ailleurs, vous les utlisez souvent comme moteur pour aller encore plus loin, vers de nouveaux buts.

Vous usez de franchise, une de vos plus belles qualités, mais pas toujours à bon escient, car elle peut vous conduire à la brusquerie et vous devenez alors blessant. Mais vous défendez pied à pied vos idées et vos opinions, et vous ne vous en laissez pas imposer, surtout qu'en plus vous avez souvent raison.

Si vous parvenez à dominer votre émotivité, votre promptitude, vous pourrez devenir un meilleur chef de file. D'ailleurs, vous vous exprimerez pleinement dans les secteurs d'activité qui vous permettent de diriger et d'utiliser votre potentiel et votre flair. En affaires, vous avez beaucoup de chance; vous semblez attirer l'argent et le succès. Peut-être parce que vous êtes certain de ne jamais manquer de rien, vous vous souciez peu de votre budget. Votre compte en banque reflète ce léger laisser-aller; il joue aux montagnes russes.

Comme vous êtes fier de nature; vous soignez votre apparence et lorsqu'on vous remarque, vous ronronnez de plaisir. Un peu soupe au lait avec les étrangers, vous savez vous montrer généreux avec vos amis.

En amour non plus, pas de demi-mesures; vous laissez parler votre nature ardente, passionnée et entreprenante. Vous idéalisez votre partenaire, vous le mettez sur un piédestal et puis, un beau jour, vous découvrez sa personnalité et vous déchanter. Vous avez donc besoin d'un conjoint qui saura vous faire vibrer, vous amuser, vous surprendre, et surtout qui saura conserver tout son mystère après plusieurs années de vie commune.

Vos plus belles qualités:
Courageux, fonceur, déterminé, ambitieux, leader, ardent, franc, adaptable.

Vos péchés mignons:
Impulsif, téméraire, peu soucieux des détails, soupe au lait, émotif.

Selon les sages orientaux

Votre domaine symbolique: Les cimes et la puissance terrestre où conduit la chance.

Votre arme: La fourrure protectrice du tigre.

Nom chinois de votre signe: Hu.

Symbole:

LE CHAT

兔

Quel charmant petit animal que ce gros minet, et un véritable séducteur en plus! Votre lucidité exceptionnelle vous permet de ne pas vous laisser prendre au dépourvu. En plus, vous êtes un enjôleur et un habile diplomate, des qualités qui vous permettent de ne pas vous laisser surprendre. Votre goût est sûr et délicat: vous aimez les belles choses, les objets d'art. Votre élégance se reflète sur vous, de la tête aux pieds, dans vos vêtements et dans votre allure générale. Vous affectionnez les endroits à la mode, et vous êtes très mondain. Les querelles et les disputes vous agacent, car vous avez besoin de tranquillité. La recherche de l'harmonie en toutes choses est le trait marquant de votre caractère.

Vous avez le don de plaire, que ce soit à vos amis ou même à de purs étrangers, car votre gentillesse, vos bons mots, votre comportement enjôleur sont grandement appréciés. Vous brillez en société, et vous n'hésitez pas à courir les fêtes et les réceptions; ces réunions mondaines sont d'ailleurs vos endroits de prédilection pour élargir votre cercle de relations, pour provoquer de nouvelles rencontres et pour vous cultiver. Votre conversation est brillante, enjouée et vous vous retrouvez rapidement entouré.

Plutôt respectueux des traditions, vous vous refusez à sortir des sentiers battus, peut-être est-ce dû au sentiment d'insécurité qui vous habite. Vous êtes craintif, et les nouveaux projets ne vous emballent guère; ce que vous ne connaissez pas vous rend plutôt rébarbatif. Votre discrétion au travail est légendaire, mais vous êtes d'une féroce efficacité. On ne peut rien vous reprocher. Vous travaillez avec soin, sans oublier un seul détail et sans faire de faux pas. On peut vous confier un travail les yeux fermés, car en plus d'un sens particulier de la minutie, vous possédez une mémoire sans faille, des atouts majeurs pour mener vos tâches à bien.

Comme vous détestez être pris de court ou avoir à vous décider à la dernière minute, il vous faut peser le pour et le contre, ce qui peut se révéler un solide avantage sur le plan des affaires. Vous appréciez le luxe et le confort, et vous êtes conscient des efforts que vous devez faire pour vous les offrir. Donc vous gérez votre portefeuille avec beaucoup de circonspection et de discernement: les placements hasardeux, très peu pour vous. Et cette façon d'agir vous garantit une certaine sécurité matérielle durant vos vieux jours.

Vous êtes quelqu'un de généralement optimiste. Même dans les pires situations, vous essayez de toujours trouver le bon côté des choses et vous savez vous entourer. D'ailleurs, cette qualité particulière est appréciée de vos amis, car en plus vous savez vous montrer compréhensif envers eux. Vous êtes disposé à les écouter et à leur donner un coup de pouce, quoi qu'il arrive. Vous n'appréciez pas du tout les affrontements, les chicanes et les critiques, ce qui fait de vous un expert dans l'art du compromis. Vous savez mettre de l'eau dans votre vin lorsque cela se révèle nécessaire. Une telle façon d'être vous permet de mener des négociations et des transactions avec une redoutable efficacité. Vous ferez donc une brillante carrière dans les relations publiques, la politique, la justice, l'enseignement ainsi que le domaine artistique, notamment la musique et la danse qui vous conviennent donc tout à fait à votre grâce féline.

Dans votre vie personnelle, vous accordez beaucoup d'importance à l'amour. Les dîners en tête à tête, le jeu de la séduction et le flirt vous enchantent. Vous aimez faire les yeux doux. Bref, vous êtes un incorrigible romantique. Vous aimez aussi qu'on s'occupe de vous. Vous voyez la vie de couple comme une relation douce et tendre. Pourtant, vous ne vous laissez pas facilement apprivoiser, car vous avez peur d'être déçu. Vous affichez souvent un petit air indépendant qui peut refroidir les plus intentionnés à votre égard. Pour trouver le partenaire de vos rêves, vous faites du temps votre meilleur allié. Une fois que vous l'avez déniché, vous le traitez avec respect, amour et sincérité, et vous déployez des efforts considérables pour que votre vie de couple soit toujours agréable et harmonieuse.

Vos plus belles qualités:
Sociable, charmant, souple, diplomate, romanesque, élégant, doux, positif, prévoyant, enthousiaste.

Vos péchés mignons:
Timoré, peur de déplaire, matérialiste, indécis, changeant, frivole, crainte des affrontements.

Selon les sages orientaux

Votre domaine symbolique: La pleine lune et le monde mystérieux de la nuit, où seuls les chats peuvent voir.

Votre arme: Les griffes du chat, qu'on ne voit pas... mais qui peuvent déchirer.

Nom chinois de votre signe: Thou.

Symbole: 兔

LE DRAGON

龍

oilà un signe peu banal, qui frappe l'imagination. Les empereurs chinois l'ont choisi comme emblème pour sa fougue et sa vitalité. Votre personnalité est fortement teintée de ces deux qualités, qui vous permettent d'atteindre des sommets sur tous les plans.

Votre talent, votre intelligence, votre fierté, votre intrépidité, votre ténacité, tout en vous est décuplé. Par contre, la patience n'est pas votre fort, et vous ne supportez ni la critique, ni la contrariété, ni qu'on vous ignore. Vous devez laisser votre empreinte dans les esprits partout où vous passez.

Vous savez ce que vous voulez et vous ne démordez pas aisément de vos idées; vous êtes terriblement obstiné, mais heureusement comme vous avez un solide esprit d'analyse et une bonne perspicacité, vous pouvez maîtriser toute situation qui pourrait vous nuire autrement.

Les efforts et l'énergie que vous déployez sont aussi remarquables, et les pires obstacles ne vous résistent jamais bien longtemps. Tout tremble sur votre passage.

Vous avez une telle confiance en vous, vous croyez tellement en votre potentiel, votre personnalité est si affirmée et votre nature, si indépendante, que vous faites l'envie de bien du monde. Par contre, toutes ces belles qualités deviennent rapidement de beaux défauts, car vous n'écoutez pas les autres, vous fiant à votre seul jugement. Évidemment, cela vous entraîne à commettre de belles erreurs, qu'il sera difficile de vous faire admettre, entêté comme vous l'êtes.

Et comme vous ne supportez pas la contradiction, vous aurez aussi tendance à vous emporter rapidement, à manquer de tact dans vos relations avec les autres.

Vous êtes flamboyant; il est pratiquement impossible de ne pas vous remarquer. Alors, comme vous montrez en plus beaucoup de charisme, y compris avec les foules, on parle de vous, et cela vous plaît énormément. Rien ne vous fait autant plaisir que d'être le pôle d'attraction.

De telles prédispositions vous permettent d'envisager une carrière fructueuse dans le monde du spectacle, bien sûr, mais aussi dans les arts graphiques, la peinture, la littérature, les médias, la politique ou les affaires... y compris les affaires louches!

L'argent vous file entre les mains, mais heureusement, il y a toujours de l'eau au moulin. Votre signe est celui de la richesse, mais aussi de l'illusion. Pour vous, l'argent n'est qu'un moyen comme un autre de vous mettre en valeur, et non une fin en soi. Vous en avez beaucoup et tout semble vous réussir. On remarque moins les efforts que vous déployez pour atteindre vos objectifs. On pourrait croire que la chance vous sourit tout simplement, alors que vous créez vous-même cette réussite insolente.

En amour, c'est tout ou rien. Votre idéalisme vous pousse à rechercher un conjoint parfait... et, bien entendu, vous ne le trouvez pas, vous courez d'un amour à l'autre, sans vous fixer définitivement. Vous aimez briller et si vous trouvez un partenaire qui n'a d'yeux que pour vous, qui vous admire, qui vous idolâtre, peut-être finirez-vous par craquer. Cependant, beaucoup de natifs du Dragon vivent très bien leur célibat, en papillonnant à droite et à gauche.

Vos plus belles qualités:
Flamboyant, fort, confiant, brillant, intelligent, intrépide, fier, acharné, franc, magnétique.

Vos péchés mignons:
Obstiné, égocentrique, orgueilleux, colérique, insatisfait, irritable, folie des grandeurs.

Selon les sages orientaux

Votre domaine symbolique: Les fonctions royales, la hiérarchie, la prospérité et les cycles de la vie.

Votre arme: Le feu que crache le dragon, qui brûle mais purifie.

Nom chinois de votre signe: Long.

Symbole: 龍

LE SERPENT

L e serpent provoque plutôt la répulsion et la crainte dans notre monde occidental. Pourtant, dans le symbolisme oriental, on lui associe la prudence, la sagesse, la science, les connaissances secrètes et le souffle vital. En Chine, avoir un enfant Serpent est un grand honneur.

Votre sagesse, votre modération, votre équilibre, votre habileté à faire la part des choses, votre pouvoir de peser le pour et le contre, font de vous un philosophe extrêmement respecté par votre entourage et vos proches.

Vous avez le rare pouvoir de prendre du recul, d'évaluer la situation, de jauger les événements, sans vous laisser emporter par le courant. Une telle façon d'appréhender la vie fait en sorte que vous vous trompez rarement, ce qui étonne tout le monde.

Secret, renfermé même, il est bien difficile de deviner ce qui vous anime. Votre sens de la réflexion est si puissant, votre vie psychique, si riche, que vous pouvez vous permettre de vivre comme un contemplatif. Votre intuition est phénoménale, et votre raisonnement, profond. Pourtant, vous vous fiez plus à votre instinct qu'à la logique; mais en fait, peut-être que chez vous l'un ne va pas sans l'autre et que ces deux qualités se complètent à merveille.

En affaires, votre flair est presque infaillible, et vous pouvez devenir un excellent conseiller financier. Comme nous tous, l'échec vous effraie un peu, mais chez vous, cette crainte devient une motivation supplémentaire pour faire mieux. En plus, vous savez éviter les risques inutiles, ce qui vous permettra de vivre relativement à l'aise jusqu'à la fin de vos jours. D'ailleurs, vous êtes trop économe pour jeter l'argent par les fenêtres, et vous n'êtes pas non plus prêteur. Par contre, vous êtes généreux de votre temps comme de vos conseils.

L'inconnu et le mystère vous attirent. Les connaissances millénaires, les savoirs secrets vous intriguent et vous vous y intéresser avec délectation.

Pacifique, conciliant, mais doté d'une volonté inébranlable, vous êtes aussi un habile diplomate. Vous n'affrontez pas vos adversaires de front; vous choisissez plutôt la subtilité pour les vaincre. Comme rien ne vous échappe, vous savez profiter de la moindre erreur de vos ennemis pour retourner la situation en votre faveur.

Vous pourriez faire votre marque dans des domaines tels que la politique, la psychologie, la philosophie, l'enseignement, la loi, la recherche, l'investigation et, grâce à votre sixième sens si remarquable, la voyance ou l'astrologie... Comme vous recherchez toujours la perfection, vous excellerez!

Sur le plan sentimental, votre charme est fascinant, presque hypnotique. Ce n'est pas pour rien que votre signe est représenté par un Serpent. Par contre, vous n'êtes pas particulièrement tendre; vous vous montrez possessif et jaloux, alors que la fidélité ne vous étouffe pas. Si, par contre, vous rencontrez un conjoint stimulant tant physiquement qu'intellectuellement, vous devenez plus stable, loyal et affectueux et vous l'aimerez de tout votre cœur.

Vos plus belles qualités:
Philosophe, pacifique, sage, modéré, intuitif, déterminé, économe, sensé, magnétique.

Vos péchés mignons:
Renfermé, avaricieux, sournois, mystérieux, peureux.

Selon les sages orientaux

Votre domaine symbolique: Le serpent qui se mange la queue, symbole de la vie et de l'éternel recommencement.

Votre arme: Le regard du serpent qui hypnotise ses proies.

Nom chinois de votre signe: Che.

Symbole:

LE CHEVAL

馬

Comme le fier étalon qui file comme l'éclair dans les vastes plaines, crinière au vent, on remarque en vous votre vivacité, votre fougue, votre entrain et votre énergie.

Ambitieux, vous savez établir de bons plans d'action et des méthodes de travail infaillibles pour atteindre vos objectifs plus rapidement et plus efficacement.

Votre signe est marqué par la vitesse. Ce n'est donc pas la patience votre principale qualité; perdre du temps, attendre, vous met en rogne. Les projets à long terme viennent souvent à bout de votre motivation. Vous avez besoin d'agir dans l'instant présent, d'être dans l'action, de faire bouger les choses rapidement. Pour cette raison, vous préférez agir de vous-même. Le dicton «on n'est jamais mieux servi que par soi-même» pourrait d'ailleurs devenir votre leitmotiv. Fier et indépendant comme vous l'êtes, vous ne voulez pas compter sur les autres pour que les choses progressent. Et en plus, vous vous passez très bien des conseils d'autrui.

En tant que brillant parleur, votre éloquence joue en votre faveur lorsqu'il s'agit de négocier ou même pour converser à bâtons rompus entre amis. Votre vocabulaire et votre sens de la répartie sont étonnants, ce qui ne cesse de surprendre et même de désarmer vos interlocuteurs. Comme en plus votre pouvoir de persuasion est très fort, vous remportez tous les succès dans les joutes oratoires. En tant qu'avocat, représentant de commerce ou diplomate, rien ne saurait vous résister. Si vous préférez un domaine plus artistique, la poésie, la peinture, l'architecture sont à votre portée. Les domaines de l'import-export, du commerce et tout ce qui touche aux voyages vous conviendraient également et sauraient très bien répondre à votre soif de liberté.

Comme vous êtes loyal et honnête, ces deux qualités priment pour vous. L'argent, la richesse, l'aisance financière ne sont rien à comparer avec les contacts humains et avec tout ce que pouvez apprendre ou découvrir. Quant à votre liberté, elle n'a pas de prix.

Une telle indépendance vous permet d'être audacieux au travail, et d'en changer lorsque vous sentez la monotonie et la routine s'installer. Vous avez continuellement besoin de nouveaux défis à relever et d'élargir vos horizons. Vous êtes polyvalent et savez vous adapter à de nombreuses situations. Par contre, cela peut devenir rapidement un défaut, car vous changez constamment de direction, et il devient très difficile de bien réussir dans de telles conditions.

Vous avez besoin de contacts humains, vous êtes sociable et vous aimez échanger des idées, rencontrer du monde, briller; vous avez de l'esprit, de l'humour à revendre, et on apprécie votre présence. Votre assurance pourrait toutefois cacher une certaine insécurité. Les autres vous font plus confiance que vous ne le faites vous-même. Étonnant, n'est-ce pas?

Sur le plan sentimental, votre pouvoir de séduction est indéniable, mais votre fougue vous emporte facilement. Vous vous montrez alors passionné, presque exalté, capable de toutes les folies pour attirer l'attention de l'objet de votre désir. En amour, vous iriez jusqu'à donner votre chemise; vous êtes d'une telle générosité. Par contre, si la routine s'installe, si vous perdez un peu d'intérêt pour votre partenaire, l'envie d'aller voir ailleurs ne tarde pas à vous prendre. Pour vous le conjoint idéal est une personne qui sait vous amuser et continuellement vous surprendre tout en vous laissant votre liberté. Vous vous montrerez alors constant et protecteur envers elle.

Vos plus belles qualités:

Ambitieux, vif, drôle, ardent, désintéressé, éloquent, séducteur, persuasif, loyal, brillant.

Vos péchés mignons:

Frivole, changeant, perd vite sa motivation, peur de la routine, instable.

Selon les sages orientaux

Votre domaine symbolique: Les grands espaces et les eaux que caresse Vahu, le dieu du Vent.

Votre arme: La vitesse et l'insaisissabilité de l'étalon qui pourfend les vents.

Nom chinois de votre signe: Mha.

Symbole: 馬

LA CHÈVRE

Vous êtes le seul animal «féminin» de l'astrologie chinoise. Calme, paisible, doux, facile à vivre et sensible, on reconnaît en vous le charme bucolique de votre homonyme de la campagne. Votre vie évolue dans la beauté et la paix, qui vous sont essentielles pour vous sentir bien dans votre peau.

Vos goûts raffinés, artistiques même, reflètent votre importante créativité. Vous n'avez pas un sens pratique à toute épreuve, mais votre perfectionnisme ressort lorsque vous tenez à quelque chose. Une telle recherche de la perfection, dans les moindres détails vous rend parfois incapable de prendre une décision ou, tout au moins, vous laisse hésitant sur celle à prendre. Devant un dilemme insoluble selon vous, vous préférez laisser les autres décider pour vous. Par contre, si vous avez finalement réussi à déterminer ce que vous voulez, vous aurez le courage de vos opinions et saurez les défendre avec justesse et opiniâtreté.

Discrète, réservée, gentille aussi, votre nature sociable vous attire de nombreux amis; les gens s'intéressent à vous et vous bénéficiez de nombreux appuis lorsque le moment s'en fait sentir. Comme votre sens des responsabilités est plutôt mince, que vous agissez plus en «suiveur» qu'en chef de file, vous avez besoin des autres pour avancer. Heureusement, votre flair vous guide bien, et vous vous retrouvez rarement dans une mauvaise posture.

Vous êtes un peu rêveur, mais ce trait de caractère vous a permis de développer une inspiration étonnante. Le domaine artistique rend justice à votre créativité; vous excellez dans l'artisanat, la comédie, mais aussi le commerce, les relations publiques, le jardinage et les soins aux animaux. Cependant, vous hésitez à faire cavalier seul: vous avez besoin d'un partenaire pour vous stimuler, pour vous donner ce petit coup de pouce qui mène à la réussite, et cela aussi bien d'un point de vue professionnel que financier.

Vous préférez vivre dans une atmosphère empreinte d'harmonie, loin du brouhaha et des affrontements du monde, et vous vous retranchez alors dans votre nid, généralement douillet, pour vous ressourcer et y refaire vos forces vitales. Hôte remarquable, vous accueillez ceux que vous aimez avec chaleur et, dès lors, vous devenez, à leurs yeux, un centre d'attraction remarquable, ce qui fait parfaitement votre affaire.

Vous recherchez la sécurité affective auprès d'un partenaire qui vous apportera tout le soutien et la confiance qui vous manquent; vous attachez une importance capitale à votre vie émotive et vous tenez à la réussir.

Sur le plan financier, vous n'hésitez pas à dépenser pour vous procurer le confort matériel nécessaire à votre plein épanouissement. Les attentions et les marques de gentillesse vous enchantent. De même, vous êtes très amoureux, très généreux et vous donnez sans compter aux autres.

Vos plus belles qualités:
Sensible, doux, intuitif, inspiré, affectueux, conciliant, sociable, esthète.

Vos péchés mignons:
Capricieux, indécis, profiteur, irresponsable, rêveur, manque de sens pratique, dépendant.

Selon les sages orientaux

Votre domaine symbolique: Les nuages, qui indiquent la possibilité de s'élever et de s'améliorer.

Votre arme: La douceur attachante du mouton se fiant au berger qui le nourrit.

Nom chinois de votre signe: Zhu.

Symbole: 羊

LE SINGE

猴

Tout comme l'animal qui vous représente, vous êtes facétieux, «drôle comme un singe», rempli d'humour. Vous ne reculez devant rien pour faire rire et attirer l'attention. Votre esprit est vif; votre intelligence, éveillée et curieuse. Tout vous intéresse, surtout la nouveauté. Vous êtes un être fantaisiste, bourré d'imagination et de créativité, et les astres vous ont aussi doté d'une mémoire d'éléphant.

Votre originalité et votre humour vous permettent d'occuper l'avant-scène, quoi que vous fassiez. Vous êtes un véritable boute-en-train, et votre bonne humeur rayonnante est très appréciée, tellement que vous avez toujours une petite cour d'inconditionnels qui vous suit partout. Votre affabilité vous gagne amitiés et appuis, et comme vous n'hésitez pas à donner vous-même un coup de pouce à une personne dans le besoin, on sait qu'on peut compter sur vous en tout temps. Par contre, vos inimitiés sont aussi exacerbées que vos marques d'amour, et il vaut mieux ne pas se faire un ennemi d'un natif du Singe, car il peut se montrer assez mesquin.

Votre entregent est remarquable, mais il ne vous aveugle pas et vous ne perdez jamais de vue vos intérêts. En fait, vous n'avez confiance qu'en vous-même. Observateur et perspicace comme personne, les points faibles de vos interlocuteurs vous apparaissent au premier coup d'œil, et vous en profitez sans vergogne. Tout comme vous savez sauter rapidement sur les occasions, vous n'êtes pas du genre à attendre que le train repasse pour le prendre. Discipliné et méticuleux, vous trouvez des solutions pour répondre aux problèmes les plus complexes, et évidemment les plus ingénieuses sont souvent de votre cru. La concurrence ne vous gêne absolument pas, car vous connaissez votre valeur et êtes apte à vous défendre seul. Les défis vous stimulent, car vous êtes doté d'une promptitude et d'une belle vivacité d'esprit qui vous évitent d'être pris au dépourvu.

Sur le plan de vos amitiés et de vos amours, vous vous montrez charmant, amusant, jovial, mais cela cache une légère tendance à batifoler à droite et à gauche, la fidélité étant toute relative pour vous.

Vous êtes une personne adroite, rusée même, qui sait comment faire travailler les autres à sa place et à son profit. Vous sous-estimez souvent autrui et adorez impressionner, briller et être le pôle d'attraction. L'humilité ne vous étouffe pas.

Capable de mener de multiples activités de front et doté de nombreux talents, vous gagnez facilement de l'argent, que vous dépensez tout aussi facilement, car vous n'aimez guère les restrictions et les contraintes. Vous faites confiance à votre bonne étoile pour remplir votre compte en banque au fur et à mesure de vos coups de folie. Les carrières qui vous conviennent sont évidemment celles d'amuseur public, de comédien, d'acrobate, mais aussi de diplomate ou de politicien. Les sciences, le commerce, la littérature et les affaires sont aussi des centres d'intérêt qui pourraient vous attirer.

Vous batifolez, donc vous pouvez devenir une véritable girouette, que ce soit en amitié, et plus encore en amour. Vos relations sont enflammées au début, puis, rapidement, vous vous ennuyez et vous vous demandez comment cette personne a pu vous plaire. Sous des apparences très émotives et parfois éclatées, vous cachez une personnalité lucide et vous gardez la tête froide. Pour vous garder, votre partenaire devra déployer un talent d'amuseur, vous surprendre, vous divertir, bref, vous copier.

Vos plus belles qualités:
Amusant, drôle, boute-en-train, convaincant, érudit, éveillé, esprit vif, lucide, perspicace.

Vos péchés mignons:
Mesquin, rusé, profiteur, opportuniste, dépensier.

Selon les sages orientaux

Votre domaine symbolique: L'illusion que crée le bateleur du jeu de tarot.

Votre arme: Les facéties du singe qui distraient... le laissant libre d'agir à sa guise.

Nom chinois de votre signe: Hoo.

Symbole:

LE COQ

En bon roi de la basse-cour, vous faire remarquer, briller, déployer votre talent pour plaire, voilà ce qui vous motive. Et en plus, ce qui ne gâche rien, vous avez un tel magnétisme, que vous attirez irrésistiblement tous les yeux vers vous. Une telle popularité vous pousse forcément à la vantardise et à la fanfaronnade, car vous êtes «fier comme un coq».

Votre imagination fertile et votre rêverie vous entraînent dans des conversations intéressantes, mais comme vos idées sont plutôt conservatrices, et que vous y tenez mordicus, votre entourage vous trouve un peu trop rigide, voire inflexible. En plus, comme vous êtes franc, que vous ne mâchez pas vos mots, et que ce n'est pas la diplomatie qui vous étouffe, on vous reproche souvent vos opinions trop tranchées. Votre franchise peut blesser, mais même vos adversaires doivent en convenir, vous êtes l'honnêteté et la sincérité incarnées.

Sous vos plumes multicolores et éclatantes, vous conservez votre jardin secret, et vous êtes somme toute plutôt renfermé. Vous vous montrez également sélectif en amitié comme en affaires, mais vous avez un grand besoin d'être aimé. Vous souffrez parfois d'un sentiment d'insécurité qui vous pousse à désirer la perfection en toutes choses. Vous risquez de vous perdre dans des détails sans importance ou d'avoir une petite tendance à l'obsession. Pourtant, pour planifier, il y en a peu de votre trempe. Vous n'avez pas peur de vous investir corps et âme pour atteindre vos objectifs. Pour vous, le temps et l'énergie consacrés à votre réussite sont autant d'investissements.

Vous cherchez à vous surpasser, et en tant que travailleur acharné, vous êtes prêt à tout pour défendre vos acquis. Si vous constatez que rien n'avance comme vous le voulez, vous pouvez monter sur vos ergots et vous emporter. Pour vous, la chance n'a aucune part dans votre vie; l'argent est trop difficile à gagner pour vous fier au hasard. Vous voulez donc profiter au maximum du fruit de vos efforts. Votre acharnement vous permettra très probablement de couler des jours paisibles à l'abri du besoin, une fois l'heure de la retraite sonnée.

Votre sociabilité et votre sens de l'organisation sont de précieux atouts, particulièrement dans des domaines tels que le théâtre, la peinture, la danse, les relations publiques, la vente, la promotion, la publicité, l'hôtellerie, la restauration, la chirurgie, les soins dentaires, ou même l'investigation et la sécurité.

D'apparence soignée, vous cultivez ce trait de votre personnalité qui vous permet de plaire et de pavaner. Par contre, comme vous craignez le ridicule, vous pouvez devenir craintif et même jaloux. Vous recherchez l'âme sœur, celle qui vous admirera, qui sera à la hauteur de vos désirs et que vous serez fier d'exhiber en société.

Vos plus belles qualités:
Beau parleur, brillant, sociable, planificateur hors pair, déterminé, économe, franc, conservateur.

Vos péchés mignons:
Vantard, jaloux, renfermé, craintif, coléreux, inflexible, rigide, manque de tact.

Selon les sages orientaux

Votre domaine symbolique: Le soleil éclatant, dont le chant du coq annonce le lever.

Votre arme: Le tempérament combatif du coq.

Nom chinois de votre signe: Ji.

Symbole:

LE CHIEN

On a toujours dit que le chien était le meilleur ami de l'homme, et vous faites honneur à l'animal qui symbolise votre signe, car, comme lui, vous êtes fidèle, loyal et vigilant. Par contre, vous demeurez constamment sur vos gardes, car vous êtes craintif. Même votre proche entourage avoue ne pas vous connaître à fond; vous restez souvent sur votre quant-à-soi, et il devient difficile de vous percer à jour.

Votre bon cœur vous incite à vouloir améliorer les conditions de vie de vos congénères. L'injustice et la souffrance humaine font vibrer vos cordes sensibles. Vous n'hésitez pas une seconde à déployer beaucoup d'énergie pour défendre une cause humanitaire. Puisque vous êtes un idéaliste dans l'âme, vous consacrez plus de temps à réaliser vos objectifs de don de soi qu'à songer à votre confort ou à vos intérêts personnels. Cette faculté d'accorder aux autres votre priorité vous permet de devenir un chef de meute apprécié et capable de sortir des sentiers battus.

Votre générosité, votre sens du devoir et votre intégrité sont appréciés, même plus que vous ne l'espériez. Par contre, comme vous ne mâchez pas vos mots et vous ne vous gênez pas pour dire ce que vous pensez, vous pourriez choquer certains de vos interlocuteurs. Vous avez un esprit particulièrement critique, vous pouvez être bougon, parfois même agressif; pourtant, ce n'est qu'un loup de carnaval qui masque votre grande sensibilité et votre bonté.

Vous avez l'impression que le monde va de plus en plus mal, que les gens ne cherchent qu'à profiter les uns des autres, et de vous par la même occasion. Cela vous prédispose à l'angoisse; vous avez des idées noires, vous êtes même pessimiste, surtout quant à l'avenir de l'humanité. En bon chien de garde, vous êtes aux aguets, prêt à intervenir.

Vous êtes désintéressé. Donc, pour vous, vos finances et vos affaires sont secondaires, du moment que vos revenus vous permettent de faire vivre votre petite famille, vous êtes satisfait. L'excédant est aussitôt dépensé. Vous ne prêtez guère d'intérêt à la vie matérielle et vous ne recherchez pas la gloire, ce qui fait de vous l'associé idéal ou l'employé modèle.

Vos pleines capacités s'exprimeront à travers les soins à autrui, la religion, le monde syndical, la loi, la philosophie, le journalisme, la politique, l'enseignement. Votre principal but est de faire le bien autour de vous et de veiller à être utile à ceux qui vous entourent.

Sur le plan interpersonnel, vous n'êtes pas très sociable: les réunions mondaines et les bandes d'amis ne sont pas votre fort. Plutôt de nature solitaire, vous parlez peu de vous, mais votre altruisme vous rend attachant. En amour, vous êtes comme un bon chien fidèle, dévoué et honnête, mais un peu craintif et tourmenté. Perdre l'être aimé demeure votre principale crainte, comme le chien qui a peur de perdre son maître. Pour vous sentir bien dans votre peau, votre compagnon de vie devra avoir une forte personnalité, partager vos idéaux et dissiper vos inquiétudes en se montrant à la hauteur de la confiance que vous lui accordez.

Vos plus belles qualités:
Loyal, généreux, vigilant, toujours prêt à aider ceux qui sont dans le besoin, compatissant, désintéressé, sensible.

Vos péchés mignons:
Renfermé, anxieux, craintif, critique, pessimiste, peu rassuré, manque de tact.

Selon les sages orientaux

Votre domaine symbolique: La complémentarité du chien-loup qui mène à la purification et à la poursuite d'un idéal.

Votre arme: La vaillance du chien qui n'hésite pas à se sacrifier pour son maître.

Nom chinois de votre signe: Goo.

Symbole:

LE COCHON

豬

Contrairement à la croyance populaire, le cochon est un animal très propre, et le natif de ce signe ne supporte guère la saleté et le désordre. Chez lui tout brille de propreté. À l'intérieur de vous aussi, vous savez faire le grand ménage lorsque c'est nécessaire, mais vous avez gardé votre cœur d'enfant, et vous le conserverez toute votre vie; c'est ce qui fait votre charme.

Gentil, tolérant, compréhensif et pacifique, le natif du Cochon déteste les complications et les disputes; tant et si bien qu'il se range à l'avis de ses interlocuteurs, tout en sachant qu'il a raison, simplement pour ne pas les contredire et créer de la bisbille. Le Cochon sait se taire lorsqu'il sent que la discussion pourrait l'entraîner trop loin.

Dominé par la sincérité, vous accordez facilement votre confiance au risque de voir cette marque d'estime se retourner contre vous, surtout en affaires. Comme vous n'êtes pas rancunier et que votre douceur masque votre tempérament, on pourrait croire que vous êtes faible de caractère... eh bien, pas du tout! Vous pouvez même être têtu comme un cochon. Cette détermination vous permet d'ailleurs de mener à bien vos projets, car vous ne baisserez pas les bras. Votre entourage sait très bien qu'il peut compter sur votre loyauté et que la parole d'un Cochon vaut de l'or.

Travailleur assidu, vous accordez une énorme importance à la réussite professionnelle. Les affaires, la Bourse, les professions libérales, les arts, la littérature, les soins à autrui, l'architecture, la décoration et la restauration (vous êtes si gourmand) sont des domaines qui pourraient vous mener à réaliser de grandes choses.

Comme vous avez beaucoup de facilité pour gagner de l'argent, en dépenser beaucoup ne vous pose aucun problème; vous vous permettez de gâter ceux que vous aimez, et vous avez autant de plaisir à donner qu'eux à recevoir. Par contre, notre gentil Cochon est comme la fourmi de la fable de La Fontaine: il n'est pas prêteur. De mauvaises expériences vous auraient-elles échaudé?

Puisque votre parole est d'or, vous respectez scrupuleusement vos promesses. Bien sûr, cette qualité vous invite à la prudence, et vous ne vous engagez pas à la légère; vous pesez et soupesez le pour et le contre pendant des jours avant de vous décider. Mais ce n'est pas plus mal, parce qu'une fois que vous avez dit oui, on sait qu'on peut compter sur vous. Vous préférez agir seul sans demander l'avis de ceux qui vous entourent. Et si vous avez quelque chose en tête, il est impossible de vous en faire démordre, on l'a dit: «Vous avez une tête de cochon!»

Au milieu d'inconnus, vous êtes si discret qu'on se demande si vous êtes là. Mais avec vos proches, vous savez vous montrer drôle, faire rire et vous mettre au premier plan lorsque cela vous convient. Vos amis se comptent sur les doigts d'une seule main, mais vous pouvez leur faire confiance, car leur fidélité vous est acquise. Votre vie familiale est aussi très importante, et vous ne ménagez ni votre temps ni vos efforts pour assurer le bonheur de votre progéniture. Votre domicile est votre refuge. Il est confortable et accueillant. On se sent bien chez vous!

Sur le plan amoureux, on ne reste pas insensible à vos beaux yeux. Mais vous avez d'autres qualités qui attirent le sexe opposé: votre charme, votre humour, le plaisir que vous prenez aux bonnes choses de la vie, votre sensualité et votre raffinement. Vous êtes quelqu'un de généralement tolérant. Pourtant, en amour, votre possessivité est exacerbée, et comme la vie de couple est, rappelons-le, très importante pour vous, vous ne supportez pas qu'on vous mente ou qu'on vous trompe.

Vos plus belles qualités:
Cœur d'enfant, pacifique, généreux, amusant, tolérant, déterminé, honnête, sens de la famille, propre.

Vos péchés mignons:
Crédule, indécis, obstiné, sensuel, peur de la chicane et des affrontements.

Selon les sages orientaux

Votre domaine symbolique: Le chêne qui symbolise la solidité, la longévité et l'hospitalité.

Votre arme: Le calme et la douceur qui cachent la détermination du cochon.

Nom chinois de votre signe: Zhu.

Symbole: 豬

L'ASCENDANT CHINOIS SANS CALCUL

Pour déterminer votre ascendant chinois, nul besoin de vous lancer dans de savants calculs, il suffit de connaître votre heure de naissance. Consultez le tableau présenté ici pour connaître votre ascendant chinois.

N'oubliez pas de vous en tenir à l'heure réelle. Vous pouvez vous référer au chapitre «Trouver son ascendant, c'est facile!», à la page 37 au début de ce livre pour savoir si, le jour de votre naissance, l'heure était avancée ou non. Si elle l'était, enlevez une heure et continuez.

Si vous êtes né:	Votre ascendant chinois est:
entre minuit et 1 h	Rat
entre 1 h et 3 h	Buffle
entre 3 h et 5 h	Tigre
entre 5 h et 7 h	Chat
entre 7 h et 9 h	Dragon
entre 9 h et 11 h	Serpent
entre 11 h et 13 h	Cheval
entre 13 h et 15 h	Chèvre
entre 15 h et 17 h	Singe
entre 17 h et 19 h	Coq
entre 19 h et 21 h	Chien
entre 21 h et 23 h	Cochon
entre 23 h et minuit	Rat

Une fois que vous avez trouvé votre ascendant, il ne vous reste plus qu'à consulter les pages qui suivent.

Ascendant Rat

Votre ascendant Rat vous rend certainement un peu craintif, et votre entourage doit trimer dur pour gagner votre confiance. Plusieurs personnes vous trouvent distant et froid, mais une fois que la glace est rompue entre vous, ce sont surtout vos belles qualités qui ressortent.

Votre esprit pratique vous permet de trouver des solutions ingénieuses aux problèmes qui semblent insolubles à d'autres. Vous ne manquez jamais une bonne occasion lorsqu'elle croise votre route, et dans les discussions, vos arguments sont si convaincants que c'est avec une grande facilité que vous ralliez tout le monde autour de votre point de vue. En fait, vous êtes dangereusement convaincant. Vous réussissez souvent le tour de force de faire agir votre entourage, et même des inconnus, de la façon dont vous le voulez, et, en plus, à leur insu. C'est tout un talent que de savoir convaincre de cette manière. En amour, la passion est un très bon moteur, mais l'admiration que vous avez envers votre partenaire en est un encore plus fort.

Ascendant Buffle

Même si vous êtes plutôt réservé et conservateur, on peut vous faire confiance, car vous agissez avec sérieux, franchise et honnêteté. En affaires ou en amitié, vous gagnez à être connu. Bon travailleur, votre détermination et les nombreux efforts que vous déployez vous conduiront sans aucun doute vers la réussite, et ce qui ne gâche rien, vous avez un très bon sens de l'organisation. Sur le plan financier, vous vous montrez plutôt économe et prévoyant; vous ne vous mettrez jamais dans le pétrin et vos vieux jours sont assurés.

En amour, pour vous, c'est la loyauté et la stabilité qui priment. Vous prenez donc tout votre temps pour vous décider, mais lorsque vous vous engagez, c'est pour la vie. Votre famille est pour vous le cocon où vous vous sentez le mieux, et vous savez la préserver.

Ascendant Tigre

Téméraire comme le gros félin qui vous représente, rien ne vous fait peur. Votre persévérance, votre intelligence, votre ambition et votre sens de la gestion des ressources humaines font de vous un être que rien n'arrête; au contraire, plus les obstacles s'accumulent, plus il y a de défis à relever, plus vous êtes heureux.

En affaires, les conventions ne vous embarrassent pas; vous êtes autonome et vous agissez à votre guise. Vous avez le don des affaires, de gagner de l'argent, car votre vision d'ensemble de la situation est optimale. Par contre, l'argent file aussi vite de votre porte-monnaie qu'il n'y rentre.

En amitié comme en amour, avec vous, c'est tout ou rien. Vous recherchez un partenaire que vous pouvez idéaliser, car vous vous enflammez aussi rapidement que vous pouvez vous éteindre. Pour vous apprivoiser, votre conjoint devra déployer tous ses atouts: être brillant, vous surprendre, vous stimuler et même vous suivre dans vos nombreuses aventures.

Ascendant Chat

Courir les réceptions, les mondanités, les cocktails, c'est vraiment ce que vous aimez le plus. Vous êtes une personne sociable qui adore voir des gens, toutes sortes de gens. Bien sûr, dans de tels événements, vous pouvez déployer votre charme et briller, ce que vous adorez. Votre pouvoir de séduction est tout simplement phénoménal. On remarque votre élégance naturelle et toutes ces belles choses que vous portez si bien. Vous avez aussi le don de la parole, vous savez comment parler aux gens, comment les convaincre, et vous êtes un habile négociateur et surtout un fin diplomate. Néanmoins, les affrontements directs ne vous plaisent pas du tout et vous font même fuir. Malgré votre envie de plaire, vous conservez un certain côté conservateur qu'on perçoit tant dans votre façon d'agir que dans celle de mener vos affaires.

Sur le plan affectif, c'est le romantisme qui marque vos relations. Vous aimez plaire, charmer et ronronner. Vous déployez toute votre séduction, tout en demeurant sur vos gardes; vous craignez tellement qu'on vous fasse du mal, car les critiques et les éclats de voix vous traumatisent.

Ascendant Dragon

Flamboyantes, les personnes ayant un ascendant Dragon possèdent un magnétisme indéniable; elles ne passent jamais inaperçues. Vous n'êtes pas très patient et aimez que les choses se déroulent rondement, sans perte de temps. Par contre, vous donnez l'exemple, en étant un travailleur acharné, aux grandes ambitions, et vous réussissez souvent à atteindre vos buts grâce aux nombreux efforts que vous déployez. Vous avez du talent et de la détermination, ce qui vous donne une grande confiance en vous et en vos capacités. En affaires, aucun obstacle ne vous rebute, vous les surmontez haut la main; l'argent et la réussite sont au rendez-vous. Mais comme les richesses sont faites pour circuler, elles ne restent jamais bien longtemps à dormir dans votre coffre-fort.

En amour, vous êtes également très exigeant envers vous et votre partenaire, par le fait même. Vous demandez la perfection, rien de moins, et c'est la raison pour laquelle vous ne vous précipitez pas sur la première personne venue. Avant de rencontrer la personne parfaite que vous avez en tête, vous briserez bien des cœurs, car votre magnétisme est puissant. On vous aime plus que vous, vous n'aimez.

Ascendant Serpent

Clairvoyance, sagesse, perfectionnisme, esprit de décision, prudence et intuition phénoménale sont vos principaux atouts et vous n'hésitez jamais à vous en servir. Pour vous, tout doit être clair et net; vous cherchez à atteindre la perfection. Dans vos loisirs comme en affaires, vous réfléchissez abondamment, vous êtes très avisé et on ne vous surprend pas facilement, car vous ne prenez aucune décision à la légère. Bien sûr, vous vous fiez à votre raisonnement, mais votre instinct occupe une grande place quand vient le moment de faire les bons choix. Vous êtes déterminé à atteindre l'aisance et vous y arriverez; comme, en plus, vous êtes économe, parcimonieux même, vous vous mettez largement à l'abri du besoin.

Votre charme est puissant; néanmoins, vous n'êtes ni tendre ni romantique; en amour, vous vous montrez même possessif avec votre partenaire. Par contre, lorsqu'il est question de vous, vous vous permettez de batifoler à droite et à gauche et vous devenez volage. Néanmoins, une fois le conjoint idéal trouvé, vous devenez loyal, et on peut compter sur vous.

Ascendant Cheval

Vif comme l'éclair, rapide comme le vent, ces qualités se retrouvent tant dans votre état d'esprit, votre caractère que dans vos agissements. Avec vous, pas de temps pour le surplace; il faut que ça bouge, et vite! Brillant causeur, vos reparties sont rapides et percutantes, ce qui vous permet de faire bonne impression en public et vous rend de bons services en affaires.

La routine n'est décidément pas pour vous. De toute façon, lorsqu'elle semble s'installer, vous vous étiolez. De nouveaux défis, de nouveaux visages à rencontrer, de nouvelles cultures à explorer, tout suscite en vous le dynamisme. Populaire et sympatique comme vous l'êtes, vous attirez de nombreuses personnes autour de vous. Mais rien n'a plus d'attraits que la liberté à vos yeux.

Puisque vous êtes quelqu'un de rapide, vous tombez très vite amoureux, car en plus vous possédez un pouvoir de séduction et un charisme enjôleurs. Mais vos amours ne sont bien souvent que des feux de paille. Lorsque vous vous sentez coincé, bridé dans vos aspirations, vous n'avez de cesse de briser vos liens pour courir crinière au vent. Votre conjoint devra respecter ce trait de votre personnalité pour vous rendre heureux. Dès lors, vous serez attentif et généreux.

Ascendant Chèvre

Doux, raffiné et conciliant, vous attachez aussi beaucoup d'importance à la beauté. On pourrait toutefois vous reprocher votre légère indécision qui vous empêche souvent d'agir. Vous n'êtes parfaitement à l'aise qu'au sein du noyau familial. Votre vie intérieure est probablement plus riche que votre vie au quotidien et en société. En fait, vous êtes un être inspiré, mais vous avez peu confiance en vous. Vous rêvassez, au détriment de l'action.

Sur le plan des finances ou du travail, vous trouvez toujours un collègue, un associé ou un subalterne qui saura vous aider et vous stimuler, car vous avez besoin qu'on vous pousse un peu dans le dos.

Sur le plan sentimental, votre émotivité est très forte, et vous êtes également rêveur. Vous cherchez un partenaire compréhensif, qui saura vous épauler en tout temps et, en plus, qui vous gâtera. En effet, les cadeaux et les petites attentions vous font fondre, et vous aimez autant en donner qu'en recevoir. Comme vous avez beaucoup de charme, vous trouverez certainement cette perle rare.

Ascendant Singe

Avec vous, c'est presque la fête tous les jours. Vous êtes fantaisiste, rempli d'originalité et débordant d'humour. En plus, vous êtes curieux et vous vous intéressez à tout. Grâce à votre mémoire d'éléphant vous parvenez même à épater de purs étrangers. Bref, vous êtes très sociable, et vous recherchez sans cesse les contacts humains, probablement dans le but inavoué d'épater la galerie.

Votre capacité de travail est étonnante et vous pouvez mener plusieurs projets en même temps, grâce surtout à votre solide discipline et à l'énorme potentiel qui vous anime.

Vous êtes aussi très convaincant. Sous vos dehors clownesques sommeille un négociateur redoutable qui ne perd pas de vue ses propres intérêts. Vous savez même embobiner les autres tout en n'en laissant rien paraître.

Sur le plan sentimental, votre nature enjouée et curieuse fait en sorte que vous vous emballez vite et que vous vous lassez tout aussi vite. Possédant un caractère plutôt versatile, vous êtes conscient de votre nature fuyante, et il est assez rare que vous vouv engagiez à fond. Il vous faut un partenaire qui sera aussi votre complice, qui saura vous amuser, vous surprendre, vous faire rire et qui, en même temps, renouvellera votre quotidien.

Ascendant Coq

Vous avez de l'entregent, vous êtes un bon communicateur, vous aimez briller en société, et en plus vous avez un certain charisme. Donc toutes les qualités qu'il faut pour vous faire de nombreux amis. Mais, même si vous êtes un beau parleur, vous ne vous ouvrez jamais totalement; vous gardez votre part de mystère et vous restez un tantinet sur la défensive.

Votre principal objectif étant de toujours faire mieux, votre perfectionnisme en devient tatillon. Vous vous perdez dans les détails sans importance. Heureusement, votre détermination, vos dons de planificateur hors pair et votre agressivité constructive compensent ce petit côté un peu trop minitieux. Côté argent, vous êtes prévoyant et sage.

Comme vous attachez une grande importance à votre apparence générale, vous plaisez beaucoup, mais vous êtes si exigeant avec vous-même et avec les autres qu'il est bien difficile de vous plaire. Vous cherchez un conjoint loyal qui vous admire et que vous serez fier de présenter à vos amis. Par nature, vous vous montrez un peu jaloux.

Ascendant Chien

Voici l'idéaliste généreux et intègre type. Votre nature est foncièrement loyale. Votre principal point faible est votre tendance à demeurer constamment sur le qui-vive, à être sur la défensive, à toujours voir le côté noir des choses et des gens. Bref, vous souffrez parfois d'anxiété et vous vous inquiétez souvent inutilement.

Vous êtes énormément touché par la souffrance humaine, et cela vous pousse à consacrer de nombreux efforts au service d'une cause humanitaire au détriment de vos propres intérêts. Honnête et franc, vous préférez toutefois garder vos pensées pour vous, car vous savez que vous avez la critique très facile.

On vous trouve attachant. Pourtant, on arrive difficilement à bien cerner votre caractère, car vous êtes plutôt renfermé. Sous cette carapace se cache cependant un grand sentimental qui a toujours peur d'être blessé. C'est d'ailleurs cette grande insécurité et votre manque de confiance en vous qui risquent de peser sur votre vie de couple. Votre conjoint devra vous sécuriser.

Ascendant Cochon

V ous avez gardé votre âme d'enfant; vous êtes sans malice et vous accordez facilement votre confiance, trop peut-être. On apprécie votre grande générosité et votre tolérance proverbiale. Vous n'êtes cependant pas très à l'aise avec des inconnus et préférez rester entourés de vos meilleurs amis. Vous êtes rempli de gentillesse et de gaieté, mais ce n'est pas chez vous une faiblesse de caractère. Au contraire, vous savez ce que vous voulez et vous faire changer d'idée relève parfois de l'exploit. Par contre, si vous sentez venir le vent de la discorde, vous n'hésitez pas une seconde à vous ranger à l'avis de votre interlocuteur, même si vous n'en pensez pas moins et que, de toute façon, vous n'en ferez qu'à votre tête.

Vous êtes plutôt naïf et crédule, mais, en affaires, on ne vous roule pas facilement dans la farine. Vous savez comment gagner de l'argent. D'ailleurs, une partie de tous ces sous servira à choyer votre petite famille et ceux que vous aimez. Tandis que l'autre partie sera investie pour avoir un certain confort qui vous rendra la vie bien plus agréable. Vous aimez les bonnes choses de la vie et vous êtes un excellent amoureux. Votre conjoint doit cependant démontrer que vous pouvez lui faire confiance, car vous êtes un tantinet possessif et jaloux.

Ils ont le même signe chinois que vous

Rat
Doris Day, Linda de Suza, Marie Denise Pelletier, Wayne Gretzsky, Clark Gable, Carol Burnett, Nana Mouskouri, Pierre Bertrand, Nancy Martinez, André Philippe Gagnon.

Buffle
René Simard, Daniel Lavoie, Jean Coutu, Charles Trenet, Walt Disney, Michel Louvain, Carole Laure, Jean-Pierre Coallier, Peter Gabriel, Corey Hart, André Gagnon, Bruce Springsteen.

Tigre
Marie Michèle Desrosiers, Jerry Lewis, Louise Portal, Martine St-Clair, Olivier Guimond, Félix Leclerc, Charles Dutoit, Claude Poirier, Marilyn Monroe, Andrée Boucher, Tina Turner.

Chat
Brian Mulroney, Billie Holiday, Sylvie Bernier, Bob Hope, Guy Lafleur, Renée Claude, Michel Rivard, Sting, Roger Moore, Sandra Dorion, Frank Sinatra, George Michael.

Dragon

Richard et Marie-Claire Séguin, Jean Drapeau, Marie Philippe, Serge Laprade, Pierre Lalonde, Bing Crosby, Christian Dior, Faye Dunaway, John Lennon, Gino Vanelli.

Serpent

Jacques Brel, Sylvie Tremblay, Claude Barzotti, Marjo, Nicole Leblanc, Greta Garbo, Marc Favreau, Grace de Monaco, Martin Luther King, Francis Cabrel, Pierre Labelle.

Cheval

Barbra Streisand, Michel Fugain, Janet Jackson, Jean-Paul II, Paul McCartney, Geneviève Bujold, Edith Butler, Lise Watier, Janis Joplin, Martine Chevrier, Aretha Franklin, Samantha Fox.

Chèvre

Suzanne Lévesque, Tino Rossi, Denise Filiatrault, Michel Tremblay, Louise Forestier, Lise Payette, Alys Robi, Andrée Lachapelle, Daniel Lemire, Mick Jagger, Angèle Arsenault.

Singe

Elizabeth Taylor, Diana Ross, Céline Dion, Joan Crawford, Claude Blanchard, Yves Corbeil, Claude Léveillée, Julio Iglesias, Mike Bossy, Dalida, Mario Tremblay.

Coq

Simone Signoret, Janine Sutto, Joan Collins, Jean-Paul Belmondo, Michel Jasmin, Bette Midler, Clémence DesRochers, Joe Bocan, Dolly Parton, Robert Bourassa.

Chien

Liza Minnelli, Patrick Norman, Brigitte Bardot, Madonna, Michael Jackson, René Lévesque, Prince, Michèle Richard, mère Teresa, Jean-Pierre Ferland, Elvis Presley.

Cochon

Claude Dubois, Danielle Ouimet, Jean Lapointe, Jean Duceppe, Luciano Pavarotti, Ronald Reagan, Fred Astaire, Dudley Moore, Elton John, Irene Cara, Lucille Ball, Arnold Schwarzenegger.

BIBLIOGRAPHIE

LUKAS, E., L'extraordinaire pouvoir de la Lune, Paris, Éditions de Vecchi, 1989, 192 p.

CHALIFOUX, Anne-Marie, D.N., Mon cours d'astrologie, Montréal, Communication Véga, 1991, 452 p.

L'illustration de la carte du ciel de 2002 a été réalisée à l'aide du programme Win*Vega3, en vente au Pentogramme.

L'ASTROLOGIE VOUS INTÉRESSE?

 **N**os cours sont faciles, amusants et abondamment illustrés. Ils ont été conçus pour ceux qui n'ont jamais fait d'astrologie, et vous pourrez les suivre à votre rythme, à votre domicile.

Pour obtenir des renseignements sur nos services, entre autres, sur nos **Cours d'astrologie par correspondance**, il suffit de nous faire parvenir une enveloppe affranchie, sur laquelle vous aurez indiqué votre nom et votre adresse.

Postez le tout par courrier régulier à:

> Bureau d'Anne-Marie Chalifoux
> 738, avenue Bloomfield, bureau 8
> Outremont (Québec) H2V 3S3

IMPRIMÉ AU CANADA